LE ROMAN COMIQUE

D0292907

SCARRON

LE ROMAN
COMIQUE

Texte établi,
présenté et annoté
par
Yves GIRAUD
Professeur à l'Université de Fribourg

FLAMMARION

Pour recevoir régulièrement, sans aucun engagement de votre part, l'Actualité Littéraire Flammarion, il vous suffit d'envoyer vos nom et adresse à :

Flammarion, Service ALF, 26, rue Racine, 75278 PARIS
Cedex 06

Pour le CANADA à :

Flammarion Ltée, 163 Est, rue Saint-Paul, Montréal PQ
H2Y 1G8

Vous y trouverez présentées toutes les nouveautés mises en
vente chez votre libraire : romans, essais, sciences humaines,
documents, mémoires, biographies, aventures vécues, livres
d'art, livres pour la jeunesse, ouvrages d'utilité pratique...

CHRONOLOGIE

1610, *4 juillet :* Naissance à Paris de Paul, septième enfant de Paul Scarron, conseiller au Parlement, et de Gabrielle Goguet. La famille paternelle est originaire du Piémont et a des titres de noblesse ; les ancêtres maternels sont de Fontenay-le-Comte (Vendée). Seules deux sœurs plus âgées survivront.

1613, *septembre :* Mort de la mère de Scarron.

1617 : Son père se remarie avec Françoise de Plaix, « la plus plaidoyante dame du monde », fort intéressée et fort avare. Il en aura quatre autres enfants.

1622-1623 : On se débarrasse du jeune Scarron en l'envoyant à Charleville chez un parent. A son retour, il fait probablement ses études à Paris.

1629 : Il « prend le petit collet » (ordres mineurs) afin de pouvoir postuler à quelque bénéfice ecclésiastique.

1631 : Il donne des vers liminaires pour le *Lygdamon et Lidias*, de Georges de Scudéry.
Il mène joyeuse vie à Paris, fréquentant la société de Marion de L'Orme, où il rencontre Gondi, et se lie avec les « mondains » Sarazin, Saint-Amant, Tristan, Faret, Beys, Mairet. Angélique-Céleste de Harville-Palaiseau est l'une des premières demoiselles qu'il courtise.

1633 : Scarron est reçu dans la maison de Charles II de Lavardin de Beaumanoir, évêque du Mans, en qualité de « domestique ». On ignore quelles fonctions il est appelé à remplir.

A la fin de l'année, il s'installe au Mans, où il fréquentera assidûment la société aristocratique (les Lavardins en tête) et les notables manceaux.

1635 : Il accompagne à Rome l'évêque, qui seconde Alphonse de Richelieu, archevêque de Lyon, envoyé en ambassade auprès du pape Urbain VIII. Il s'y lie avec Maynard, Bourdelot, Fréart de Chambray et Poussin. Séjour à Rome d'avril à septembre.

1636, *décembre :* Il reçoit un canonicat au chapitre de Saint-Julien du Mans ; ses droits sont contestés par un autre clerc. Un procès s'engage, qui durera longtemps (jusqu'en 1640).
Vie agréable au Mans en compagnie de deux amis, Charles Rosteau et Costar.

1637 : Familier du comte de Belin, grand amateur de théâtre, Scarron, pour lui plaire, écrit deux factums contre *Le Cid (Apologie pour Mr Mairet* et *La Suitte du Cid en abrégé)*. Il rencontre chez Belin Mairet et Rotrou.

21 novembre : Mort de Mgr de Beaumanoir.

1638 : *Carnaval* (Épisode rapporté par le seul La Beaumelle). Par divertissement, Scarron s'enduit le corps de miel et se roule dans du duvet pour se faire un déguisement original. Reconnu et poursuivi, il se jette dans L'Huisne et y attend, sous un pont, dans l'eau glacée, la tombée de la nuit pour regagner son domicile. Il y gagne un forte fièvre, puis un rhumatisme persistant, assez bénin au début, mais aggravé par le « traitement » d'un médecin-poète, La Mesnardière. Scarron est atteint d'une paralysie progressive (rhumatisme tuberculeux ankylosant et déformant).

Novembre : Il est « sur un grabat... en danger d'être cul-de-jatte ».

1639, *décembre :* Rencontre Marie de Hautefort, « maîtresse » du roi, exilée dans le Maine par Richelieu. Elle le protégera constamment et il lui vouera une espèce de culte.

1640, *janvier :* Il gagne son procès et peut enfin prendre possession de son canonicat. Il est déjà tout perclus.

Printemps : Retour à Paris. Impotent, il est mal soigné. Son père est frappé par la disgrâce.

1641, *février :* Son père est démis de sa charge.
Scarron s'installe rue de la Tissanderie, dans le Marais. Il mènera désormais une vie d'infirme, cloué sur sa chaise grise, mais recevant beaucoup. Ses ressources resteront toujours très modestes. Il surnomme son logis l' « hôtel de l'Impécuniosité ».

Été : Scarron va faire une cure à Bourbon-L'Archambault.

1642, *Été :* Deuxième cure à Bourbon, où il fréquente la société de Gaston d'Orléans.

1643 : Scarron obtient du roi le rétablissement de son père dans sa charge. Mort de celui-ci. Un long procès (jusqu'en 1652) s'engage pour régler l'héritage.
Scarron reçoit un don de 500 écus de la reine, grâce à Marie de Hautefort. Il porte le titre burlesque de « Malade de la Reine » !
Premier ouvrage : le *Recueil de quelques vers burlesques,* édité chez Toussaint Quinet, qui lance la mode du burlesque.

1644 : *Suite des Œuvres burlesques.*
Typhon ou la Gigantomachie, poème burlesque. La dédicace à Mazarin ne rapporte rien, d'où la rancune tenace de Scarron.
Il obtient une pension de 500 écus de la reine.
Il vit alors avec ses deux sœurs, dont il dit volontiers que l'une aime le vin et l'autre les hommes.

1645 : *Jodelet ou le Maître valet,* comédie, jouée au Marais (peut-être dès 1643) avec un grand succès.

1646 : Un voyage de deux mois au Mans est rendu pénible par son état de santé, qui a encore empiré.
Chute du brancard, qu'un cheval a fait verser : Scarron en gardera le dos voûté et la tête baissée.

1647 : *Les Trois Dorothées ou le Jodelet souffleté* (dit

aussi *Jodelet duelliste*), comédie représentée en
1645(?).
Les Boutades du Capitan Matamore.

1648, *mars-juillet:* **Virgile travesti en vers burlesques**
(livres I et II). «Inventeur» du nouveau style à la
mode, Scarron est célèbre.
Début de la Fronde.

Octobre: La *Relation véritable* (…) *sur la mort de
Voiture* montre en frontispice le «portrait» de Scarron,
vu de dos sur sa chaise, par Stefano della Bella.

1649: *Virgile travesti* (livres III et IV).
La pension de Scarron est supprimée. Haine déclarée
pour Mazarin.
Scarron vient habiter l'hôtel de Troyes, rue d'Enfer, en
compagnie de Céleste de Palaiseau. Fréquentent chez
lui les frondeurs et, à leur tête, Paul de Gondi, les amis
de Gaston d'Orléans et de Condé.

1650: *Virgile travesti* (livre V).
Il loge dans son appartement Esprit Cabart de Villermont, grand voyageur et homme cultivé, qui attire son
attention sur les romanciers espagnols et qui lui fait
connaître Françoise d'Aubigné, avec laquelle il
échange une correspondance (perdue).
L'Héritier ridicule, comédie.

1651: *Virgile travesti* (livre VI).
La Mazarinade, violent pamphlet en vers. Scarron est
vivement attaqué par Cyrano de Bergerac, partisan de
Mazarin.
Il imagine un projet d'établissement en Guyane avec la
Compagnie des Indes, dans laquelle il a pris une parti-
cipation.
Septembre: Le Romant comique. Première partie
(chez T. Quinet).

1652, *février:* Il résigne son canonicat en faveur de Jean
Girault, secrétaire de son ami Ménage.
Avril: Mariage avec Françoise d'Aubigné. Aucune
trace du mariage religieux, qui a dû être célébré *priva-
tissime.*
Octobre: Voyage en Touraine pendant l'hiver.

1653, *février :* Le ménage Scarron loge rue des Douze-Portes, chez Françoise Scarron, la sœur aînée.
Dom Japhet d'Arménie, comédie, représentée dès 1647 à l'Hôtel de Bourgogne. Grand succès.
Scarron est pensionné par Fouquet (1 600 livres par an).

1654, *février :* Scarron et sa femme s'installent au Marais, rue Neuve-Saint-Louis. Leur salon sera le rendez-vous des lettrés (Sarasin, Scudéry, Ménage, Pellisson) et des mondains (Ninon de L'Enclos, Mme de La Sablière, la comtesse de Fiesque, Mme de Sévigné, Saint-Aignan, Vivonne, Albret, d'Elbène, etc.)
Les Œuvres de Mr Scarron, chez Guill. de Luynes.
La renommée de Scarron est à son zénith, surtout grâce à ses comédies. Mais il est toujours sans grandes ressources.

1655, *janvier-juin :* Il entreprend la rédaction d'une *Gazette burlesque.*
L'Écolier de Salamanque, comédie.
Début de la publication des *Nouvelles tragi-comiques* adaptées de l'espagnol (1655-1656).
Le Gardien de soi-même, comédie dédiée à Fouquet.

1656 : *Le Marquis ridicule,* comédie.
Léandre et Héro, ode burlesque.
Scarron travaille à la deuxième partie du *Romant comique.*

1657 : Il obtient l'autorisation d'installer un laboratoire en vue de fabriquer de l'or potable (qu'il croit être un remède miracle).
Il envisage toujours d'émigrer en Amérique.

Septembre : Le Romant comique. Deuxième partie (chez Guillaume de Luynes).

1658-1660 : Intrigue galante de Mme Scarron avec le marquis de Villarceaux.

1659 : *Épîtres chagrines.*
Scarron quitte Paris pour se rendre chez sa sœur à Fontenay-aux-Roses.

La Fausse Apparence et *Le Prince corsaire*, comédies (éditées en 1663).

Scarron travaille à la troisième partie du *Romant comique*.

1660, *24 mai :* Privilège pour la troisième partie du *Romant comique*.

6 octobre : Mort de Scarron dans sa maison du Marais. Ses funérailles sont célébrées le 7 à Saint-Gervais. Ses créanciers font vendre le mobilier à sa porte.

Mme Scarron se retire chez les Hospitalières de la place Royale.

1663 : *Les Dernières Œuvres de Mr Scarron.*

Le Roman comique. Troisième partie (par Jean Girault ?), éditée à Lyon chez A. Offray (?).

1666 : Le roi accorde une pension à Mme Scarron pour les bons services rendus par son mari et par son grand-père Agrippa d'Aubigné !

1669 : Mme Scarron est nommée gouvernante des enfants de Louis XIV et de Mme de Montespan.

1674 : Mme Scarron achète la terre de Maintenon, érigée en marquisat en 1688.

1679 : *La Suite du Roman comique,* par Préchac (chez Barbin).

1683 ? : Mariage secret de Louis XIV et de Mme de Maintenon.

1684 : *Ragotin,* comédie par La Fontaine (?) et Champmeslé.

1719 : Mort de Mme de Maintenon.

1771 : *Suite et conclusion du Roman comique,* par M.D.L. (éditée à Amsterdam).

PRÉFACE

Par une belle fin d'après-midi de l'an 1650, quelques comédiens de campagne arrivent dans la ville du Mans sous les yeux des bons bourgeois ébahis devant un attirail des plus hétéroclites. Dès cet instant, par la magie du récit, le lecteur est emporté dans le monde aventureux des gens de théâtre, dans le monde risible des rixes et des bons tours, dans le monde romanesque des souvenirs que l'on évoque ou des histoires contées à la veillée. Tout est sous ses yeux ; il entend les propos échangés et le bruit des claques ou des horions qui les ponctue ; tenu en haleine, il se passionne, s'attendrit ou éclate de rire. L'histoire restant en suspens, il referme le livre encore plus intrigué qu'il ne l'avait ouvert, en se demandant quel esprit singulier a pu l'imaginer, quel artiste consommé l'a détaillée avec tant d'adresse. De tels fantaisistes ne sont pas légion ; sous Louis XIV, il n'y en a qu'un : *le petit Scarron* [1], le très burlesque, qui ajoute à « une étonnante puissance de rire [2] » « le sens suraigu de la réalité visible et de la ligne extérieure des choses et des personnes [3] ». Avant que n'opère ici même cet enchantement verbal qui est la pierre de touche du romancier, considérons un instant l'histoire et la nature de ce livre qui porte si nettement la marque de son auteur.

Vers la fin août 1648, Scarron, dédiant à ses amis Ménage et Sarazin une mince plaquette [4], leur disait :

> Vous en méritiez sans doute davantage. Aussi avais-je
> dessein d'y ajouter un petit roman que j'ai commencé il y a
> quelque temps, qui promettait quelque chose ; mais, par

malheur ou par ma faute, je n'ai pu empêcher mon héros
d'être condamné à être pendu à Pontoise, et cette pende-
rie-là est si vraisemblable que je ne crois pas la pouvoir
changer en quelque autre aventure sans donner une mauvaise suite à mon roman et faire une faute de jugement.

L'allusion se rapporte-t-elle vraiment, comme on le
pense d'ordinaire, à ce qui sera le *Roman comique* ? Il est
permis d'en douter, tant la circonstance évoquée diverge
de ce que l'on trouvera dans le livre[5]. D'ailleurs, un
début de rédaction en 1648 serait en contradiction avec ce
qu'affirme le « promoteur » Cabart de Villermont, qui
n'est venu habiter près de Scarron que deux ans plus tard
environ :

> Il fit à ma persuasion le premier volume de son Roman
> comique, qu'il dédia au cardinal de Retz, pour lors coad-
> juteur de Paris, qui venait souvent passer d'agréables heu-
> res avec lui au sortir du Luxembourg pendant la Fronde. Je
> lui fournis les quatre nouvelles en espagnol, qui sont si
> agréablement traduites dans ses deux volumes, aussi bien
> que les quatre autres qu'il a traduites et qu'il a données à
> part. Je lui proposai une nouvelle traduction de Don Qui-
> chotte, au lieu de la morale de Gassendi sur la traduction
> de laquelle je le trouvai attaché, mais il n'en voulut point
> tâter à cause de la précédente traduction par Oudin et un
> autre, quoique pitoyable. Je lui dis qu'il fallait donc qu'il
> entreprît quelque ouvrage de son chef et de son caractère
> enjoué plutôt que cette morale de Gassendi trop sérieuse
> pour lui, et qu'il y mêlât des nouvelles dont je lui fourni-
> rais les originaux en espagnol, qu'il entendait, et dont
> j'avais quantité, en quoi il imiterait au moins Don Qui-
> chotte qui en donne quatre si jolies dans sa première partie,
> de sorte que je puis dire que le public m'a en quelque sorte
> l'obligation de cet agréable ouvrage, bien que je n'en sois
> pas l'auteur[6].

La mention de « feu Rotrou » (I,8), mort en 1650 précisément, est un autre indice : on sait que Scarron ne repre-
nait guère ses manuscrits, qu'il travaillait vite et que les
longs ouvrages lui faisaient peur. Selon toute vraisemblance donc, la Première Partie a été composée en 1650 et
au début de 1651, alors qu'était déjà entrée dans la

chambre du «Malade de la Reine» Françoise d'Aubigné,
la Belle Indienne, avec sa robe trop courte...

Quant à la Deuxième Partie, le privilège obtenu dès
1654 ne prouve pas nécessairement qu'elle ait déjà été
rédigée à cette date. Scarron y songeait, cela est certain,
mais il n'a sans doute repris son ouvrage qu'en 1656. Il
pensait encore à une Troisième Partie : il en indique la
première phrase dans une lettre du 8 mai 1659[7]; privilège en est pris le 24 mai 1660. On ne sait si, à sa mort,
une rédaction au moins partielle se trouvait dans ses
papiers; il ne semble pas que la *Suite* d'Offray[8] ait utilisé
la moindre note de Scarron.

A l'Hôtel de l'Impécuniosité, on escompte surtout les
revenus du «marquisat de Quinette» : voué aux besognes
alimentaires, Scarron cherche à composer rapidement un
livre que son éditeur lui paie bien, qui rencontre un large
public et dont la dédicace puisse lui rapporter quelque
argent. Villermont lui suggère de s'inspirer des Espagnols pour imaginer une histoire divertissante relatant les
aventures vraisemblables de personnes de «condition pri-
vée»; le *Don Quichotte* lui propose une manière de
conduire le récit qui lui convient, une désinvolture affi-
chée qu'il pratique également, une défiance railleuse envers le romanesque outré. Il a de plus sous la main deux
ou trois recueils espagnols dans lesquels il pourra puiser
quelques-unes de ces nouvelles si réussies qui attendent
qu'on les conte aux Français; peut-être même a-t-il *El
viaje entretenido,* d'Agustin Rojas de Villandrado[9], où
l'action suit les déplacements d'une troupe d'acteurs ambulants ?

Mais a-t-il vraiment besoin d'aller chercher dans les
livres la trame de son récit? Le monde du théâtre, il le
connaît bien : il a fréquenté les salles parisiennes «du
temps de Hardy», de Mairet et du jeune Corneille; au
Mans, il a vu arriver des comédiens en tournée, il a
trinqué avec eux au tripot de la Biche, il les a vus jouer
chez le comte de Belin. Maintenant que le voilà cloué sur
sa chaise, paralysé, difforme, torturé par la douleur, il
revoit ce chariot de Thespis qui représente l'appel des
grands chemins, la vie aventureuse et libre, l'évasion

vagabonde ; il s'imagine parmi ces acteurs, jeune, beau,
ingambe, aimé… Le cadre est tout trouvé : pendant plus
d'un lustre, Scarron le Parisien, le chanoine, a eu tout
loisir d'observer Mancelles et Manceaux, notant leurs
ridicules provinciaux, le goût de la chamaille et le bel
appétit, la lésine et l'outrecuidance. Il sera plaisant de
leur faire rencontrer les comédiens dans la coulisse, de les
portraiturer en charge ou au naturel, de La Rappinière à
La Garouffière, du marquis d'Orsé à madame Bouvillon ;
au centre du groupe, on verra un « demi-homme » difforme, le souffre-douleur, celui que personne n'aime :
Ragotin. En toile de fond, les chemins creux du Maine ou
les chambres du tripot ; les personnages ont leur habit et
leur rôle : le roman-comédie peut commencer. « Il était
entre cinq et six quand une charrette entra dans les halles
du Mans… »
    Roman ? Non, mais conte, débité à plaisir par le
cul-de-jatte du Marais, improvisé par ce causeur étourdis-
sant et captivant qui « était beaucoup plus agréable (encore) dans la conversation qu'il ne l'est dans ses livres.
On n'a jamais vu une imagination plus vive que la sienne [10] ». Alerte, sautillante, capricante ; et la parole aussi,
à défaut du reste : « il exprimait aussitôt par ses paroles
tout ce que son imagination lui représentait [11] ». Et Scarron adore raconter, débiter des histoires pour faire rire ; sa
chambre ne désemplit pas, étant même pendant la Fronde
« le rendez-vous de tout ce qu'il y (a) de plus considérable
à Paris [12] ». Selon ses propres termes : « Ma maison est
celle de France où l'on dit le plus de coyonneries » ; sur ce
point, le maître des lieux n'est jamais mieux servi que par
lui-même. « Monsieur Scarron, un peu avant que de
mourir, voyant ses parents et ses domestiques qui fon-
daient en larmes : Mes enfants, leur dit-il, vous ne pleu-
rerez jamais tant que je vous ai fait rire [13] ».
    Le plaisir de conter : telle est la première clef du
Roman comique. L'écrit n'est qu'un aide-mémoire.
« Quand on allait voir Scarron, avant que de parler d'autre
chose, il fallait d'abord essayer la lecture de tout ce qu'il
avait fait depuis qu'on ne l'avait vu. Je me souviens
qu'étant allé le voir un jour avec M. l'abbé de Franque-

tot : « Prenez un siège, nous dit-il, et mettez-vous là, que
j'essaye mon *Roman comique*. » En même temps, il prit
quelques cahiers de son ouvrage et nous lut quelque
chose ; et lorsqu'il vit que nous riions : « Bon, dit-il, voilà
qui va bien ; mon livre sera bien reçu, puisqu'il fait rire
des personnes si habiles », et alors il commença à recevoir
nos compliments. Il appelait cela essayer un roman, de
même que l'on essaye un habit [14]. » Il importe en effet de
vérifier que le texte a conservé, a préservé tout l'efficace
de la parole, qu'il est resté simple transcription d'un
conte oral.

Du conte oral, le livre a bien tous les caractères. Le
principe moteur de la composition, c'est « la bride sur le
col » (I,12), la liberté des enchaînements et de la fantaisie
inventive ; faire, en somme, « comme Orbañeja, le peintre
d'Ubeda, lequel lorsqu'on lui demandait ce qu'il se proposait de peindre, répondait : Ce qui viendra [15] ». Les
censeurs auront beau jeu de relever ici une « absence de
composition [16] », de diagnostiquer une difficulté chroni-
que à composer selon les règles. Parbleu ! qui procède à
bâtons rompus n'a que faire d'entraves. C'est le prime-
saut qui commande, l'immédiateté du récit ; le narrateur
est tout entier dans l'instantané de la phrase qu'il est en
train de saisir ; il brode à petit point et ne se soucie pas de
haute couture : comment pourrait-il se préoccuper de
transitions, d'explications, de mises en relation, de co-
hérence générale et de plan d'ensemble ? Plutôt qu'un
roman à clefs, Scarron fabrique un roman à tiroirs, le
modèle du *roman implexe,* entrelacs de fils narratifs,
combinaison de modes, amalgame de tons. Rien de tout
cela, aucun de ces composants pris isolément n'existe
avec quelque valeur. La trame du livre, l'histoire de la
troupe comique, est trop banale, les mésaventures de
Ragotin (qui n'est pas Don Quichotte !) trop insignifiantes
pour constituer un roman véritable ; les trois récits rétros-
pectifs ne doivent trouver leur achèvement (et encore !)
que dans un présent à rallonge ; les quatre nouvelles
insérées ne sont pas simples pièces de rapport, mais
thèmes de contrepoint. L'alternance du récit à la troisième personne et d'un « je » multiple (personnage de la

fiction, auteur-personnage, auteur-Scarron) irise le livre
de ses réfractions. Les caractères du style, romanesque
héroïque, romanesque tempéré, galant, plaisant, burlesque et comique, ne se réduisent au « juste tempérament [17] » qu'en déteignant les uns sur les autres. L'ensemble n'est guère qu'un *caprice*.

Badinerie pure, « amusoire » que tout cela : à qui s'en
scandalise, il faudrait conseiller « de n'en lire pas davantage » (I, 12). Le livre est réservé à qui sait se satisfaire du
plaisir immédiat. Il serait faux de s'exagérer les vues
théoriques de Scarron : romancier d'instinct plus que de
système, il se laisse guider par quelques règles de bon
sens et c'est en marchant qu'il démontre le mouvement. Il
n'a nul besoin d'ailleurs de prendre position dans un
débat qui mettrait en cause la poétique d'un genre reconnu : celle-ci n'existe pas, n'ayant jamais été précisée
jusque-là; aucune convention plus ou moins impérieuse
ne s'impose donc au romancier. En 1650, il n'y a pas
encore de crise du roman et l'on peut se contenter de
définir son propos d'une phrase ou d'un paragraphe de
préface. Scarron n'a pas à réfléchir bien longtemps sur
des questions de technique : la dislocation de l'unité romanesque, la multiplicité des points de vue narratifs, le
relâchement des fils de l'intrigue, sinon les ruptures de
ton, sont choses courantes dans les romans sentimentaux,
pastoraux ou héroïques. Quant à son désir de composer
un livre qui soit « plus à notre usage et plus selon la portée
de l'humanité » que les invraisemblables intrigues romanesques, il rencontre ce qu'ont déjà réalisé les Espagnols
et ce qu'ont recherché quelques devanciers tels que Sorel,
en racontant « de petites aventures telles qu'il en pourrait
arriver à eux ou aux personnes de leur connaissance,
parce que cela leur est plus naturel et plus croyable [18] ».
Encore faut-il savoir doser les ingrédients pour que la
mixture soit savoureuse : le meilleur de l'art est dans le
tour de main, spécialité nationale de ces Français qui,
« s'ils n'inventent pas tant que les autres nations, perfectionnent davantage [19] ».

Scarron écrit donc un *Roman comique,* dont le titre à
facettes combine plusieurs indications importantes. Le

comique, c'est tout d'abord ce qui appartient à la catégorie du plaisant, du récréatif, ce qui est destiné à amuser ou
à divertir : voilà qui caractérise le ton et l'effet recherché.
C'est aussi ce qui, dans une certaine hiérarchie des gen-
res, s'oppose à l'héroïque, à l'idéalisation visant à recomposer le monde, ce qui se limite à l'observation d'une
réalité moyenne : cela vaut pour le genre, la catégorie et
le style. Mais toutes les fois que Scarron emploie le mot
dans son roman, il lui donne manifestement un autre
sens : qu'il parle de «personnes comiques», d'une
troupe, d'un bagage, d'un habit ou de la vie «comique»,
il désigne ce qui appartient au monde du théâtre : ainsi est
suggéré le contenu de l'ouvrage ; il y sera question des
aventures d'une petite compagnie d'acteurs.

   «Roman vraisemblable et divertissant», dira Sorel [20] :
c'est déjà beaucoup. On a assez dit que ce livre était un
roman à clefs : outre le caractère hasardeux de ces suppo-
sitions, elles n'ajoutent rien à l'intérêt du lecteur [21]. On
sait de reste qu'il y a dans le *Roman comique* tout un
aspect documentaire qui constitue un témoignage important sur les conditions matérielles du théâtre en province
au début du règne de Louis XIV : il serait superflu d'y
insister. Après avoir exalté le réalisme de ce livre, on en
est venu plus justement à souligner le compromis qu'il
propose en combinant les deux pôles extrêmes et opposés
de l'idéalisme et du réalisme : Scarron a su faire du roman
un miroir de la vie réelle, en mettant en scène des héros
moyens ou médiocres, en recherchant un équilibre entre
l'embellissement idéaliste de la réalité et la caricature du
trivial. Burlesque, ce roman est aussi héroï-comique.
Restent quelques autres aspects sur lesquels il n'est pas
inutile d'attirer à nouveau l'attention.

   Revenons aux déclarations d'un auteur qui proclame,
qui affecte, qui affiche non sans quelque coquetterie une
désinvolture totale, un détachement parfait, une indifférence bon enfant à l'égard de son œuvre. Dans l'une de
ses dédicaces, il ne craint pas de déclarer : «Je suis prêt
de signer devant qui on voudra que tout le papier que
j'emploie à écrire est autant de papier gâté et qu'on aurait
droit de me demander, ainsi qu'à l'Arioste, où je prends

tant de coyonneries [22]. » Le mot est un peu fort, mais si le
roman cherche à divertir, s'il veut faire rire et faire rêver,
il doit surprendre constamment son lecteur, être un conti-
nuel jaillissement inventif dans l'imprévu, il doit se composer par saccades, allant d'un temps fort à l'autre sans
relais, s'appuyant sur les scènes à faire, ne consistant
presque qu'en elles, aventures romanesques et mésaventures burlesques alternées. Où Scarron va-t-il chercher
tout cela, lui qui donne si bien l'impression de sortir ses
histoires d'un sac à malices dont il ignorerait tout le
premier le contenu?

Autant que dans ses livres, dans ses souvenirs ou dans
ses impressions, il puise en lui-même, presque à son insu,
il laisse monter à son esprit ou sous sa plume les images
qui le hantent et où se marquent ses désirs, ses blessures
profondes. Dans ce divertissement qu'il se donne (car,
comme Giono, il se raconte en premier lieu l'histoire à
lui-même), il se reflète, multiplement, tel qu'il se voit et
tel qu'il voudrait se fuir et tel qu'en lui-même enfin il se
voudrait changé; il y transpose ses disgrâces et ses rêves
d'évasion. Il entre dans le personnage de Destin, auquel il
confère toutes les perfections d'un «héros de roman», qui
est aimable et aimé, et qui triomphe des rivaux, des
jaloux et des brutaux. En même temps, il reste Ragotin,
le nabot dont l'apparence provoque les risées, qui est le
Schmürtz de tous les bien-portants, «un raccourci de la
misère humaine». Quel acharnement à conter ses disgrâces, à le peindre meurtri et humilié! Parfois même,
Scarron lui prête tel détail de sa propre vie et le créateur,
volens nolens, prend la place de sa créature. Ainsi, le
Roman comique a deux personnages centraux; autour du
héros et du contre-héros, foyers d'une ambivalence sans
cesse affirmée, il organise son parcours elliptique dans la
triple menace des forces hostiles à l'un comme à l'autre:
le monde des «brutaux» ou des animaux, la troupe comique et les Manceaux, rivaux ou agresseurs.

Un autre thème essentiel tourne autour de l'identité
«en crise». Le roman offre une impressionnante collec-
tion de masques, de voiles, de déguisements, d'emplâ-
tres, de faux noms, d'erreurs sur la personne, de mépri-

ses, de substitutions, de travestis, sans parler des rôles
derrière lesquels le comédien doit s'effacer. Ces personnages ne se livrent pas d'emblée ; ils se dissimulent pour
fuir ou pour savoir (sont-ils aimés pour eux-mêmes ?).
D'autres n'ont pas un état civil bien établi : qui est vraiment La Rappinière, ou La Rancune, ou La Caverne ?
Destin s'appelle-t-il Garigues ou des Glaris ? Tous ou
presque ne sont pas dans leur peau ; et le gnome abougri
du Marais qui les imagine, que ne donnerait-il pas pour se
changer, pour quitter sa dépouille, pour, devenant autre,
se faire aimer enfin ? Peut-être même ne s'explique-t-on
l'histoire des amours de Destin et de L'Étoile, accompagnée de quantité d'autres circonstances (leurs origines,
les tribulations de La Caverne, etc.) qu'en se rappelant un
Scarron tôt orphelin de mère, dépossédé et tyrannisé par
une marâtre, marqué par cet abandon et par cette trahison ; il recueille Céleste de Palaiseau abandonnée par son
séducteur, puis Mlle d'Aubigné, étant « sensible aux
malheurs de l'orpheline, sans doute parce qu'ils lui rap-
pelaient les siens [23] ». Le double jeu antithétique aban-
don-adoption et masque-dévoilement sous-tend l'œuvre
du pauvre infirme tourmenté par ses hantises.

Mais d'être tout perclus, chanci, souffreteux, « ne
l'empêche pas de bouffonner, quoiqu'il ne soit quasi
jamais sans douleur : et c'est peut-être une des merveilles
de notre siècle qu'un homme en cet état-là et pauvre
puisse rire comme il fait [24] ». Le *Roman comique* reste
avant tout une histoire divertissante, animée par une
verve bouffonne et facétieuse, où les gags succèdent aux
truculentes bambochades, où les mouvements s'enchaî-
nent en cascade, où les coups pleuvent dru. Rien n'y
manque : la sérénade grotesque est une parodie du roman
noble ; la tentative de séduction de Mme Bouvillon est le
travestissement burlesque de l'histoire biblique où la
femme de Putiphar attire Joseph ; les contrastes (querelles
du nain et du géant, Ragotin contre La Baguenodière), les
méprises (La Rappinière n'attrapant qu'une chèvre en
flagrant délit), les concaténations (chutes en série, claques en cadence), les répétitions (le pot de chambre
passant et repassant de main en main) varient les effets

comiques. La violence elle-même fait rire : disputes, altercations, bagarres sont simples prétextes à attitudes grotesques, à situations cocasses. Dans les caquets du cul-de-jatte, tout est enlevé par le rythme, alerte et comme exultant ; le rire est malicieux, sans fiel (mais non sans amertume ?) et presque sans arrière-pensée.

En contrepoint, le romanesque fait miroiter les leurres des nouvelles espagnoles ou détaille les incidents qui traverseront l'amour de Destin et de L'Étoile. Loin de refuser tout romanesque, Scarron lui donne presque le beau rôle : l'élément sentimental est représenté par les « deux couples de beaux et parfaits amants » pour lesquels le lecteur s'intéresse au fil d'aventures frôlant l'invraisemblance (ou davantage : ainsi l'histoire rocambolesque des « demoiselles troquées »), alors que les récits insérés appartiennent à un univers de pure fiction auquel il est bien difficile d'adhérer. D'autant qu'un léger accent de scepticisme, une lueur de détachement indiquent que l'auteur n'entend pas être dupe et ne cherche guère à entretenir l'illusion.

On a deviné que pour Scarron l'idéalisation autant que la caricature relèvent de l'irréalité et que le « roman nouveau » qu'il revendique cherchera à « parler plus humainement » à travers l'oscillation entre deux pôles opposés et une fixation progressive au niveau moyen, celui de l'humanité ordinaire, du naturel au moins vraisemblable « de très véritables et très peu héroïques aventures ». Pour cet être qui est une caricature vivante, l'idéal est peut-être tout simplement le normal : sa revendication littéraire pourrait traduire un désir plus profond.

Quant au déroulement du récit, il ne faut pas attendre une belle démarche linéaire du champion de la poésie burlesque (qui tire ses charmes du coq-à-l'âne, des enchaînements saugrenus, des rapprochements incongrus) ; mais l'homme de théâtre, le grand fournisseur de Jodelet, sait à merveille varier son allure selon l'effet à produire : il détaillera avec minutie une scène comique haute en relief et passera à grandes enjambées sur une relation contenant des événements plus importants. Pourtant, nous sommes loin d'un roman anarchique : ici tout s'or-

ganise selon une disposition symétrique souple. Dans
chaque partie, quatre disgrâces de Ragotin encadrent
deux nouvelles espagnoles et un ou deux récits rétrospec-
tifs ; les interférences du passé et du présent de la narration ponctuent régulièrement (au moins dans la Première
Partie) la trame qui s'enrichit encore des aventures des
comédiens, des mauvais tours de La Rancune, des mani-
gances de La Rappinière. Le tout correspondant à une
huitaine de jours, suivie d'une quinzaine d'épilogue pro-
visoire. Mais rien n'a la sèche netteté d'un schéma, et
l'attente trop confiante est presque toujours déçue. Atti-
tude singulière que celle de Scarron : ce qui le ravit est
d'ouvrir des pistes, de suggérer des idées, plus que de
résoudre, d'expliquer, de dénouer ; il aime à nouer, à
piquer la curiosité, à esquiver les solutions, participant en
cela de l'esthétique baroque, pour laquelle la satisfaction
des aboutissements, des achèvements accomplis compte
bien moins que le plaisir des impulsions, des incitations
propres à intriguer le lecteur. On aimerait savoir ce qu'est
devenu le frère de La Caverne, et pourquoi un prisonnier
avait demandé à parler à Destin : fils non repris, parmi
bien d'autres. Le *Roman comique* est une manière de
fugue aux motifs séduisants, mais à laquelle manquerait
la résolution.

De plus, l'œuvre est inachevée, « ouverte », dirait-on
volontiers. Et de bien des façons. C'est un peu dans sa
nature même, comme tant d'autres textes baroques. Mais
le lecteur, piqué au jeu, voudrait bien connaître la suite et
la fin de l'histoire. « Toutes les pièces qui composent ce
roman étant fort diverses, on a peine à juger de son ordre
et de sa juste liaison et de son principal sujet, à cause
qu'il n'est point achevé. On doit avoir grand regret de ce
que l'auteur n'a point fait de conclusion, pour nous faire
savoir de quelle manière il aurait pu terminer tant de
belles fictions. Il serait malaisé qu'un auteur pût poursuivre de pareilles choses et parvenir à une telle imitation [25] ». Pourtant, dès le XVIIe siècle, plusieurs écrivains
ont tenté de recomposer une troisième partie aboutissant à
un dénouement acceptable. Mais les aventures imaginées
par l'anonyme édité chez Offray [26] (1663) ?, par Préchac

(1679), puis par M.D.L. (1771), enfin par Louis Barré
(1849) sont plates et poussives, sans esprit et sans vie. On
peut en dire autant de la comédie de La Fontaine et
Champmeslé (1684) ou du *Roman comique mis en vers*
par Le Tellier d'Orvilliers (1733) ; quant à Boileau, qui
avait eu dessein de continuer le livre, qu'aurait-il su
imaginer ? Toutes ces tentatives montrent surtout la difficulté de cette façon d'écrire, qui semble si aisée, et le
caractère « unique » de la manière scarronienne. Seul
Théophile Gautier saura donner un petit air de famille à
son *Capitaine Fracasse* ; quant à l'esprit, c'est Nerval qui
en hérite pour son « roman à faire » ou même pour la
préface des *Filles du feu*.

Or, Scarron pensait à cette troisième partie : les préparations qui parsèment son livre peuvent nous faire entre-
voir ce qu'elle eût contenu. La troupe comique aurait
quitté le Maine pour le Bourbonnais [27], suivie par un
Ragotin pressé du désir de chausser le cothurne et dont les
infortunes n'auraient point cessé. On ne sait trop comment aurait été éliminé le personnage de Saldagne et
expliqué le passé de La Rappinière. En revanche, on
devine que Destin aurait été reconnu comme fils du comte
des Glaris, victime d'une substitution perpétrée par Garigues, et que l'identité du père de L'Étoile, noble ambassadeur à la carrière mouvementée, aurait été révélée [28].
Peut-être aurions-nous découvert qu'Angélique était la
fille du baron de Sigognac et que La Rancune était le frère
de La Caverne [29] ? Cela ne tire guère à conséquence. Le
roman se serait achevé sur un double mariage, comme
dans le plus rassurant des contes. Tout compte fait, il vaut
mieux que Scarron s'en soit tenu là, imitant « ce grand
homme de l'Antiquité qui commença une Vénus sans
l'achever :

Si perfecisset, fecerat ille minus [30] ».

D'ailleurs, sait-on jamais à quoi s'attendre avec
quelqu'un « de ce calibre-là » et qui n'a pas le cerveau
perclus ? dont les idées ont des rebonds imprévisibles,
dont l'esprit sans cesse en activité pétille comme un feu
d'artifice ? qui de plus ne se gêne pas pour faire la nique
au lecteur, pour le provoquer, lui adresser le clin d'œil

complice d'une captation narquoise. Car cet auteur est
sans cesse présent dans son livre et sans cesse il inter-
vient. Il donne à ses chapitres des titres piquants, facétieux, paradoxaux : « Qui ne contient pas grand-chose »,
« Qui contient ce que vous verrez, si vous prenez la peine
de le dire », « Qui n'a pas besoin de titre » : cela rappelle
Don Quichotte et annonce *Tristram Shandy*... Mieux : ces
titres ne correspondent guère au contenu : ils s'arrêtent à
un détail, posent une question à laquelle répond la première phrase d'un développement qui aussitôt s'orientera
tout différemment. Le découpage est abandonné à l'arbi-
traire d'un auteur qui se repose s'il se sent fatigué, qui ne
sait pas à l'avance ce qu'il va dire ni où il s'interrompra,
qui laisse la fantaisie dicter les enchaînements. On est
encore frappé par la fréquence d'un « s'il vous plaît » qui
respecte la liberté des lecteurs aussi bien que celle des
acteurs. Tout semble être affaire d'humeur, et le récit
préserve ainsi son caractère d'improvisade.

Et pour qu'on n'oublie pas que quelqu'un tire toutes les
ficelles, on voit souvent la tête de Scarron surgir de la
coulisse pour interrompre la narration. Présence intem-
pestive, constante (au moins dans la Première Partie),
active : au roman se superpose le commentaire du roman,
le « roman du romancier » (comme disait Giono à propos
de *Noé*). Toutes ces incidentes corrigent les habituels
effets d'illusion romanesque par d'autres jeux de prisme
qui décomposent les plans ou les perspectives. Ici, l'in-
tervention voudrait justifier telle invention, telle comparaison « d'une tortue à un homme », ailleurs elle apprécie
telle description et annonce une interruption, ailleurs encore elle coupe court aux détails, aux prévisions souhai-
tables et souhaitées. L'auteur se met en scène : témoin de
ce qu'il raconte, il avoue souvent son ignorance, dialo-
guant avec son lecteur, recomposant tel détail au nom de
la vraisemblance, vivant dans le même temps que ses
personnages et dépendant de leurs faits et gestes : « Je ne
m'amuserai point à vous dire les caresses que ces jeunes
amants se firent. Dom Fernand qui frappe à la porte ne
m'en laisse pas le temps. » Et même, il faut, pour expliquer certaines circonstances, qu'un prêtre du bas Maine

trouve par hasard chez le libraire les feuilles relatant l'aventure et qu'il complète l'information, au grand étonnement du brave de Luynes, qui «avait cru, comme beaucoup d'autres, que mon roman était un livre fait à plaisir». Mais il arrive aussi à Scarron de se substituer à ses personnages, de les évincer, de les pousser de côté : «ce n'est donc pas Ragotin qui parle, c'est moi». Il les abandonne à son gré, puis se reproche de bavarder alors que l'un d'eux est dans une situation délicate. La désinvolture de Scarron narrateur rejaillit sur ses personnages ; Destin dira lui aussi des demoiselles de Léri et de Saldagne : «elles s'endormirent si elles voulurent...» Grâce à ces procédés, les temps du récit, de l'écriture et de la lecture se trouvent confondus et imbriqués ; quant à l'auteur, il est tour à tour narrateur omniscient et ignorant, tantôt dans la position du témoin qui ne peut rapporter que ce qu'il voit, tantôt dans celle de quelqu'un d'insuffisamment informé, qui ne dispose que d'une connaissance partielle ou superficielle des faits, à moins qu'il ne ressemble à un montreur de marionnettes qui agite à son gré ses poupées et qui est assez fier de laisser voir l'embrouillamini des fils puisque sa dextérité compte fort dans l'intérêt du spectacle. Mais il est aussi le relais de l'auditeur-lecteur, procédant par prolepse et prévenant les réflexions de son public, pratiquant l'autocritique, voire l'autocensure. L'auteur et l'œuvre sont ici indissociables : ils composent ensemble le roman.

Cela encore appartient au genre oral, où le conteur est devant vous, physiquement présent, sans que l'on puisse un instant oublier qu'il est le premier à réagir à son conte, par ses jeux de physionomie, par le ton de sa voix, par tout ce qui traduit simultanément le récit et l'émotion qu'il provoque. On aurait beau jeu de relever au fil des phrases les détails de l'expression qui prolongent cette présence et qui montrent à nouveau que Scarron «pense» en conteur, au fur et à mesure que progresse sa narration. Comment expliquer autrement la fréquence de formules de passage appuyées : «pour reprendre mon conte...», «retournons à notre caravane...», «reprenons nos comédiens...» ; ou la fréquence, plus grande encore, des répé-

titions de mots à intervalles si rapprochés qu'on les dirait
d'une maladresse criante (dès la première page, le mot
« charrette » est repris quatre fois en cinq lignes)? Certes,
Scarron n'aime guère se relire et se corriger; il a laissé
subsister des coquilles, des négligences, des invraisem-
blances en nombre. Certes aussi, la sensibilité esthétique
du temps ne semble pas trop vivement choquée par ces
incessantes répétitions. Elles n'en caractérisent pas moins
la parole du conteur, d'autant plus aisément perceptible
que le passage au style écrit se marque par d'autres
procédés : cascades de relatives ou de subordonnées,
abondance des verbes descriptifs neutres, phrases tirées
en longueur[31]. Il y a vraiment deux types de narration
dans le *Roman comique,* et le paradoxe est que le style
écrit fleurit surtout dans les nouvelles espagnoles, pourtant placées dans la bouche d'un narrateur.

L'important est que la manière soit en adéquation avec
le sujet et le moment. Or Scarron a le don : « jamais
homme n'a mieux entendu le style et le caractère de la
narration[32] ». Il est sentimental quand Destin se raconte,
truculent pour décrire une empoignade, il prend le bon
ton en rapportant une conversation littéraire, et le ton
bouffe ou badin en se gaussant de Ragotin, il sait même
être mi-figue mi-raisin pour ménager la curiosité ou laisser planer un doute. Tout cela, sans ruptures, mais d'un
seul mouvement, coulé, fondu, avec un entrain jovial et
sensible. Négligences et maladresses peuvent subsister :
qui y prend vraiment garde, dans l'élan du récit? C'est le
Luca Giordano du roman : *Scarron-fa-presto,* écrivant « à
la pointe de la plume » en touches alertes, illustrant à
merveille le style preste.

La façon de conter vaut tout autant que le conte. Peu de
lecteurs ont échappé au charme de ces « naïvetés incom-
parables » dont parle Sorel, de ce « style particulier », de
cette « narration piquante ». Prose « parfaite », aux dires
de Boileau, pour lequel « il n'y eut jamais de style plus
plaisant ni plus varié que celui-là[33] » ; « excellente prose,
pleine de franchise et d'allure, d'une gaîté irrésistible,
très simple et très commode aux familiarités du récit et,
quoique plus portée au comique, ne manquant cependant

pas d'une certaine grâce tendre et d'une certaine poésie
aux endroits amoureux et romanesques » : ainsi témoi-
gnera le « disciple » Gautier [34]. Giono, parlant de « ce
Roman comique qui a enchanté (sa) jeunesse » en même
temps que des *Nouvelles,* admire : « un livre extraordinaire de style. Un art d'une couleur magique [35] ». Et le
dernier mot à quelqu'un qui avait bien connu Scarron, qui
l'avait vu travailler et qui l'avait entendu ; pour le *Roman
comique,* Gilles Ménage prenait un pari sur la postérité,
non point à cause du fond, du sujet, du contenu, mais en
raison de l'art si spontané et si aisément maîtrisé qui se
déploie tout au long de ces pages :

> Quelques-uns tiennent que Monsieur Scarron aurait pu
> pousser la matière de son *Roman comique* beaucoup plus
> loin qu'il n'a fait. C'est à mon gré le seul de ses ouvrages
> qui passera à la postérité. En quoi il excellait surtout,
> c'était à narrer. Il le faisait d'une manière agréable et
> toujours la plus naturelle du monde. Il y a des endroits
> dans le livre que j'ai dit qui valent infiniment par ce
> côté-là.

Yves GIRAUD.

NOTES DE LA PRÉFACE

14. Segrais, *op. cit.*, p. 105-106.

15. Cervantès, *Don Quichotte*, II, chap. XXXIX. Cf. J. Giono : « Je me mets au travail le matin sans savoir du tout ce qui va se passer » (Entretiens avec J. Carrière, France-Culture, 1965).

16. Paul Bourget, Antoine Adam (*Hist. de la litt. fr. au XVIIe s.*, Paris, Domat, 1957, t. II, p. 145) *et alii*.

17. La Fontaine, préface de *Psyché*.

18. *Polyandre*, Avertissement aux lecteurs, Paris, Vve N. Cercy, 1648.

19. *Roman comique*, I, 13.

20. *Bibliothèque française*, 2/Paris, La Compagnie, 1667, p. 192.

21. Voir les ouvrages, vieillis et de peu d'intérêt, de Henri Chardon, *La Troupe du Roman comique dévoilée*, Paris, Champion, 1876 et *Scarron inconnu et les types des personnages du Roman comique*, Paris, Champion, 1904, 2 vol. On trouvera dans les notes du texte la plupart de ces pseudo-identifications, dont la portée est quasiment nulle.

22. A Monsieur Deslandes-Payen, dédicace du Ve livre du *Virgile travesti*.

23. La Beaumelle, *Mémoires pour servir à l'histoire de Mme de Maintenon*, nlle éd., Genève, Philibert, 1757, t. I, p. 144.

24. Tallemant des Réaux, *Historiettes*, éd. A. Adam, Paris, Gallimard, 1962 (Bibl. de la Pléiade), t. II, p. 680. Cf. La Beaumelle (*op. cit.*, p. 147) : « Auteur unique. Le Stoïcien, au milieu des souffrances, disait de grandes choses : Scarron seul en a dit de plaisantes. Il semblait que la douleur, qui pique si vivement les autres hommes, ne faisait que le chatouiller. » Dans une lettre à Costar, Balzac place Scarron au-dessus de Prométhée et de Job...

25. Sorel, *loc. cit.*

26. On pourra lire cette suite dans l'édition Magne, Garnier, 1938 et réimpr.

27. II, 12 : la troupe a rendez-vous à Bourbon-l'Archambault.

28. Mais on ne peut retenir l'hypothèse de R. Garapon, selon laquelle elle ne serait pas la fille de Mlle de La Boissière : les indications fournies p. 118 et 121 sont explicites (voir « Les Préparations dans le *Roman comique* », *Rennaissance-Classicisme du Maine*, Nizet).

29. Suggestion de R. Garapon, qui ajoute qu'Angélique peut être la fille... ou la sœur de La Caverne.

30. Préface signée « Eutrapélophile », *Œuvres complètes de Scarron*, Amsterdam, Wetstein-Smith, 1737, 10 vol.

31. Voir notamment le récit de Destin (I, 13).

32. Huet, *De l'origine des romans*.

33. *Bolaeana, Ana*, Amsterdam-Paris, Belin, 1799, t. X, p. 399.

34. *Les Grotesques*, Paris, Michel-Lévy, 1856, p. 396-397.

35. *Journal*, s.d., *NRF*, 218, févr. 1971, p. 56-57.

1. Titre que Tallemant des Réaux donne aux historiettes qu'il lui consacre.

2. Victor Fournel, introduction à l'édition de la Bibliothèque Elzévirienne, Paris, Jannet, 1857, t. I, p. LI.

3. Paul Bourget, préface à l'édition de la Librairie des Bibliophiles, Paris, Jouaust, 1880, t. I, p. XXVII-XVIII.

4. *Relation véritable sur la mort de Voiture*, Paris, T. Quinet, 1656.

5. Ce « héros » serait-il La Rappinière, qui ne mérite guère ce titre et qui, notons-le, n'est présenté comme un coquin pendable que dans la IIe partie ? On n'y croit pas davantage qu'à une pendaison de Destin. Et que Sorel parle à son tour du héros pendu prouve simplement qu'il avait lu cette dédicace.

6. Note manuscrite dans un exemplaire de l'*Apologie pour Mr. Duncan*, 1636 (B. N., Rés.)

7. « Il faut que je vous dise de quelle manière commence le volume de mon *Roman comique*. "Il n'y avait point encore eu de Précieuses dans le monde, et ces Jansénistes d'amour n'avaient point encore commencé à mépriser le genre humain. On n'avait point encore ouï parler du Trait des traits, du Dernier doux et du Premier désobligeant, quand le petit Ragotin", etc. » (à Carpentier de Marigny).

8. On l'a attribuée à Jean Girault, chanoine du Mans à qui Scarron avait résigné son office, et qui était secrétaire de Ménage. L'avis au lecteur dit que cette suite a été composée « par un génie beaucoup au-dessous du sien », et que ce qu'on y lit « n'est pas de (la) force » de Scarron.

9. Ce *Voyage amusant* (1605-1615) n'a jamais été traduit. Il ne présente aucun autre point commun avec le *Roman comique*.

10. Segrais, *Mémoire et anecdotes*, *Œuvres*, Paris, Durand, etc., 1755, t. II, p. 59.

11. *Ibid.*, p. 106.

12. *Ibid.*, p. 100.

13. *Menagiana*, Amsterdam, Mortier, 1695, t. II, p. 182.

NOTE BIBLIOGRAPHIQUE

Les principales éditions modernes du *Roman comique* sont les suivantes :

Émile MAGNE, Classiques Garnier, 1938 (plusieurs tirages ; puis nouvelle édition revue par Marcel Simon, 1973 et 1978, dans laquelle le texte de l'édition Magne a été partiellement corrigé).

Henri BÉNAC, Les Belles-Lettres, 1951, 2 vol. (texte excellemment établi, scrupuleusement annoté et pourvu d'une très précieuse introduction).

Antoine ADAM, dans *Romanciers du XVIIe siècle,* Gallimard, Bibl. de la Pléiade, 1958.

Pour la bibliographie scarronienne, consulter :

Émile MAGNE, *Bibliographie générale des œuvres de Scarron,* Giraud-Badin, 1924.

Jean-Pierre COLLINET, « Scarron, Le Roman comique », *Bulletin de l'U.E.R. de Lettres,* Univ. de Grenoble, n° 2, nov. 1970.

Alexandre CIORANESCO, *Bibliographie de la littérature française du XVIIe siècle,* C.N.R.S., 1966, t. III, p. 1826-1830.

Sur Scarron, faute d'une étude d'ensemble récente, il faut recourir à :

Paul MORILLOT, *Scarron, étude biographique et littéraire,* Lecène-Oudin, 1888, aux jugements souvent très discutables.

Émile MAGNE, *Scarron et son milieu*, Émile-Paul, 1905,
5ᵉ éd. 1924, solidement informé mais tendant parfois
au roman historique.

L. S. KORITZ, *Scarron satirique*, Klincksieck, 1977.

Quant au *Roman comique*, il a inspiré de nombreuses
études, parmi lesquelles :

Gustave REYNIER, *Le Roman réaliste au XVIIᵉ siècle*,
Hachette, 1914.

Henri D'ALMÉRAS, *Le Roman comique de Scarron*,
Malfère, 1931 (Les Grands Événements littéraires),
superficiel et cursif.

René CADOREL, *Scarron et la nouvelle espagnole dans le
Roman comique*, Aix, Pensée universitaire, 1960.

Roland MORTIER, « La fonction des nouvelles dans le
Roman comique », *Cahiers de l'Ass. intern. des Études
françaises*, 18, 1966.

Jacques TRUCHET, « Le *Roman comique* de Scarron et
l'univers théâtral », *Dramaturgie et Société*, C.N.R.S.,
1968, t. I.

Jacques MOREL, « La composition du *Roman comique* »,
L'Information littéraire, 1970, nᵒ 5, nov.-déc.

Actes du Colloque *Renaissance-Classicisme du Maine*
(1971), Nizet, 1975 (communications de R. Garapon,
A. Lebois, R. Fromilhague).

Colette GUEDJ, « La peinture des caractères dans le *Roman comique* de Scarron », *L'Information littéraire*,
1975, nᵒ 1, janv.-févr.

Jean-Pierre CHAUVEAU, « Diversité et unité du *Roman
comique* », *Mélanges Mongrédien*, D'Argences,
1974.

Roger GUICHEMERRE, « Les nouvelles du *Roman comique* et la comédie à l'espagnole », *Mélanges Pintard*,
Klincksieck, 1975.

Bernard TOCANNE, « Scarron et les interventions d'auteur
dans le *Roman comique* », *ibid*.

Pierre BORNECQUE, « Le comique et le burlesque dans le
Roman comique », *XVIIᵉ siècle*, nᵒ 110-111.

Joan De JEAN, *Scarron's Roman comique : a comedy of the novel, a novel of comedy,* Berne-Francfort, Lang, 1977.

Yves GIRAUD, « Image et rôle de la femme dans le *Roman comique* », *L'Image de la femme dans la litt. franç. du XVIIe siècle,* Narr-Place, 1978 (ELF 1).

NOTE SUR LE TEXTE

L'établissement du texte du *Roman comique* ne présente aucune difficulté notable. Pour la Première Partie, nous disposons de deux états : l'édition originale de 1651 (rééditée en 1652, 1654 et 1655) et l'édition de 1655 revue et corrigée par Scarron [1]. Comme à l'ordinaire, nous donnons le texte de cette dernière. Nous avons jugé inutile de relever les variantes de 1651 : contrairement à ce que l'on affirme çà et là, ces variantes sont à la fois peu nombreuses et absolument insignifiantes. Ce sont des retouches sans portée (du genre : « entendre » remplacé par « ouïr »), de minimes corrections de style (« entr'autres celui de Destin » devenant « celui de Destin entr'autres »), voire plusieurs fois des interventions maladroites (ainsi Scarron corrige « une grosse *somme* » dans la phrase qui continue par « qu'il allait faire le plus beau *somme* » et remplace ces trois mots par « tout son bien », mais sans s'apercevoir que ces mêmes mots figurent quatre lignes plus haut !). Les plus nombreuses se trouvent dans le chapitre IX *(L'Amante invisible)*. La seule à présenter quelque intérêt est celle que nous relevons en note dans le chapitre XIII [2].

La Seconde Partie ne compte qu'un état ; celui de l'édition originale de 1657. Toutes les éditions postérieures [3] reproduisent le même texte pour les deux parties réunies.

1. Ces différentes éditions sont décrites dans la note 1, p. 347.
2. Voir note 106, p. 353.
3. Voir Émile Magne, *Bibliographie générale des œuvres de Scarron*, Paris, Giraud-Badin, 1924, qui répertorie 90 éditions séparées du *Roman comique* jusqu'en 1920, auxquelles s'ajoutent les éditions dans les *Œuvres complètes*.

L'orthographe a été généralement modernisée ; nous avons cependant conservé certains phénomènes morphologiques propres à la langue de Scarron (ainsi la forme « vieil » employée devant initiale consonantique). La ponctuation a été revue et adaptée aux habitudes modernes. Les mots restitués ou amendés sont placés entre crochets.

LE ROMAN COMIQUE

AU LECTEUR QUI NE M'A JAMAIS VU

Lecteur, qui ne m'as jamais vu et qui peut-être ne t'en soucies guère, à cause qu'il n'y a pas beaucoup à profiter à la vue d'une personne faite comme moi, sache que je ne me soucierais pas aussi que tu me visses si je n'avais appris que quelques beaux esprits facétieux se réjouissent aux dépens du misérable et me dépeignent d'une autre façon que je ne suis fait. Les uns disent que je suis cul-de-jatte ; les autres, que je n'ai point de cuisses et que l'on me met sur une table dans un étui, où je cause comme une pie borgne ; et les autres, que mon chapeau tient à une corde qui passe dans une poulie et que je le hausse et baisse pour saluer ceux qui me visitent. Je pense être obligé en conscience de les empêcher de mentir plus longtemps, et c'est pour cela que j'ai fait faire la planche que tu vois au commencement de mon livre[1]. Tu murmureras sans doute, car tout lecteur murmure, et je murmure comme les autres quand je suis lecteur ; tu murmureras, dis-je, et trouveras à redire de ce que je ne me montre que par le dos. Certes ce n'est pas pour tourner le derrière à la compagnie, mais seulement à cause que le convexe de mon dos est plus propre à recevoir une inscription que le concave de mon estomac, qui est tout couvert de ma tête penchante, et que, par ce côté-là aussi bien que par l'autre, on peut voir la situation, ou plutôt le plan irrégulier de ma personne. Sans prétendre faire un présent au public (car, par Mesdames les neuf Muses, je n'ai jamais espéré que ma tête devînt l'original d'une médaille), je me serais bien fait peindre si quelque peintre avait osé l'entreprendre. Au défaut de la peinture, je m'en vais te dire à peu près comme je suis fait.

J'ai trente ans passés, comme tu vois au dos de ma chaise. Si je vais jusqu'à quarante, j'ajouterai bien des

1. Gravure de Stefano della Bella.

maux à ceux que j'ai déjà soufferts depuis huit ou neuf
ans. J'ai eu la taille bien faite, quoique petite. Ma maladie l'a raccourcie d'un bon pied. Ma tête est un peu
grosse pour ma taille. J'ai le visage assez plein, pour
avoir le corps très décharné ; des cheveux assez pour ne
porter point de perruque ; j'en ai beaucoup de blancs en
dépit du proverbe [1]. J'ai la vue assez bonne, quoique les
yeux gros ; je les ai bleus ; j'en ai un plus enfoncé que
l'autre, du côté que je penche la tête. J'ai le nez d'assez
bonne prise. Mes dents, autrefois perles carrées, sont de
couleur de bois et seront bientôt de couleur d'ardoise.
J'en ai perdu une et demie du côté gauche et deux et
demie du côté droit et j'en ai deux un peu égrignées. Mes
jambes et mes cuisses ont fait premièrement un angle
obtus, et puis un angle égal, et enfin un aigu. Mes cuisses
et mon corps en font un autre et, ma tête se penchant sur
mon estomac, je ne représente pas mal un Z. J'ai les bras
raccourcis aussi bien que les jambes, et les doigts aussi
bien que les bras. Enfin, je suis un raccourci de la misère
humaine. Voilà à peu près comme je suis fait. Puisque je
suis en si beau chemin, je te vais apprendre quelque chose
de mon humeur ; aussi bien, cet avant-propos n'est fait
que pour grossir le livre, à la prière du libraire qui a eu
peur de ne retirer pas les frais de l'impression ; sans cela,
il serait très inutile, aussi bien que beaucoup d'autres.
Mais ce n'est pas d'aujourd'hui que l'on fait des sottises
par complaisance, outre celles que l'on fait de son chef.

J'ai toujours été un peu colère, un peu gourmand et un
peu paresseux. J'appelle souvent mon valet sot, et un peu
après Monsieur. Je ne hais personne ; Dieu veuille qu'on
me traite de même. Je suis bien aise quand j'ai de l'argent, et serais encore plus aise si j'avais la santé. Je me
réjouis assez en compagnie ; je suis assez content quand je
suis seul. Je supporte mes maux assez patiemment ; et il
me semble que mon avant-propos est assez long et qu'il
est temps que je le finisse.

Préface de *La Relation véritable*
[…] *sur la mort de Voiture*

1. « Tête de fou ne blanchit point. »

(PORTRAIT DE RONSCAR)

A le voir sans bras et sans jambes, on le prendrait, si sa langue était immobile, pour un Terme planté au parvis du temple de la Mort. Il fait bien de parler : on ne pourrait croire sans cela qu'il fût en vie. [...] A curieusement considérer le squelette de cette momie, je vous puis assurer que, si jamais il prenait envie à la Parque de danser une sarabande, elle prendrait à chaque main une couple de Ronscar au lieu de castagnettes, ou tout au moins elle se passerait leurs langues entre ses doigts pour s'en servir, comme on se sert des cliquettes de ladre [1]. Ma foi ! puisque nous en sommes arrivés jusque-là, il vaut autant achever son portrait. Je me figure donc (car il faut bien se figurer les animaux que l'on ne montre pas pour de l'argent) que, si ses pensées se forment au moule de sa tête, il doit avoir la tête fort plate ; que ses yeux sont des plus grands, si la Nature les lui a fendus de la longueur du coup de hache qui lui a fêlé le cerveau. On ajoute à sa description qu'il y a plus de dix ans que la Parque lui a tordu le cou sans le pouvoir étrangler ; et, ces jours passés, un de ses amis m'assura qu'après avoir contemplé ses bras torts et pétrifiés sur ses hanches, il avait pris son corps pour un gibet où le Diable avait pendu une âme, et se persuada même qu'il pouvait être arrivé que le Ciel, animant ce cadavre infect et pourri, avait voulu, pour le punir des crimes qu'il n'avait pas commis encore, jeter par avance son âme à la voirie.

Cyrano de Bergerac
Lettres satyriques

1. Crécelle par laquelle les lépreux devaient signaler leur présence.

LE ROMAN COMIQUE [1]
AU COADJUTEUR [2]

C'EST TOUT DIRE

Oui, Monseigneur,

Votre nom seul porte avec soi tous les titres et tous les éloges que l'on peut donner aux personnes les plus illustres de notre siècle. Il fera passer mon livre pour bon, quelque méchant qu'il puisse être; et ceux même qui trouveront que je le pouvais mieux faire, seront contraints d'avouer que je ne le pouvais mieux dédier. Quand l'honneur que vous me faites de m'aimer, que vous m'avez témoigné par tant de bontés et tant de visites, ne porterait pas mon inclination à rechercher soigneusement les moyens de vous plaire, elle s'y porterait d'elle-même. Aussi vous ai-je destiné mon Roman dès le temps que j'eus l'honneur de vous en lire le commencement, qui ne vous déplut pas. C'est ce qui m'a donné courage de l'achever plus que toute autre chose, et ce qui m'empêche de rougir en vous faisant un si mauvais présent. Si vous le recevez pour plus qu'il ne vaut, ou si la moindre partie vous en plaît, je ne me changerais pas au plus dispos homme de France. Mais, Monseigneur, je n'oserais espérer que vous le lisiez; ce serait trop de temps perdu à une personne qui l'emploie si utilement que vous faites et qui a bien d'autres choses à faire. Je serai assez récompensé de mon livre si vous daignez seulement le recevoir et si vous croyez sur ma parole, puisque c'est tout ce qui me reste, que je suis de toute mon âme,

Monseigneur,

Votre très humble, très obéissant
et très-obligé serviteur,

SCARRON.

AU LECTEUR SCANDALISÉ
DES FAUTES D'IMPRESSION QUI SONT DANS MON LIVRE [3]

Je ne te donne point d'autre *Errata* de mon livre que mon livre même, qui est tout plein de fautes. L'Imprimeur y a moins failli que moi, qui ai la mauvaise coutume de ne faire bien souvent ce que je donne à imprimer que la veille du jour que l'on imprime. Tellement qu'ayant encore dans la tête ce qu'il y a si peu de temps que j'ai composé, je relis les feuilles que l'on m'apporte à corriger à peu près de la même façon que je récitais au collège la leçon que je n'avais pas eu le temps d'apprendre : je veux dire en parcourant des yeux quelque ligne et passant par-dessus ce que je n'avais pas encore oublié. Si tu es en peine de savoir pourquoi je me presse tant, c'est ce que je ne te veux pas dire ; et si tu ne te soucies pas de le savoir, je me soucie encore moins de te l'apprendre. Ceux qui savent discerner le bon et le mauvais de ce qu'ils lisent reconnaîtront bientôt les fautes que j'aurai été capable de faire et ceux qui n'entendent pas ce qu'ils lisent ne remarqueront pas que j'aurai failli. Voilà, Lecteur Bénévole*, ou Malévole, tout ce que j'ai à te dire ; si mon livre te plaît assez pour te faire souhaiter de le voir plus correct, achètes-en assez pour le faire imprimer une seconde fois, et je te promets que tu le verras revu, augmenté et corrigé.

SCARRON.

* L'astérisque renvoie au glossaire, p. 361.

PREMIÈRE PARTIE

CHAPITRE PREMIER

UNE TROUPE DE COMÉDIENS
ARRIVE DANS LA VILLE DU MANS

Le soleil avait achevé plus de la moitié de sa course et
son char, ayant attrapé le penchant du monde, roulait plus
vite qu'il ne voulait. Si ses chevaux eussent voulu profiter
de la pente du chemin, ils eussent achevé ce qui restait du
jour en moins d'un demi-quart d'heure ; mais, au lieu de
tirer de toute leur force, ils ne s'amusaient qu'à faire des
courbettes, respirant un air marin qui les faisait hennir et
les avertissait que la mer était proche, où l'on dit que leur
maître se couche toutes les nuits[4]. Pour parler plus humainement et plus intelligiblement, il était entre cinq et
six quand une charrette entra dans les halles du Mans[5].
Cette charrette était attelée de quatre bœufs fort maigres,
conduits par une jument poulinière dont le poulain allait
et venait à l'entour de la charrette comme un petit fou
qu'il était. La charrette était pleine de coffres, de malles
et de gros paquets de toiles peintes qui faisaient comme
une pyramide au haut de laquelle paraissait une demoiselle* habillée moitié ville, moitié campagne. Un jeune
homme, aussi pauvre d'habits que riche de mine, marchait à côté de la charrette. Il avait un grand emplâtre sur
le visage[6], qui lui couvrait un œil et la moitié de la joue,
et portait un grand fusil sur son épaule, dont il avait
assassiné* plusieurs pies, geais et corneilles, qui lui faisaient comme une bandoulière au bas de laquelle pen-
daient par les pieds une poule et un oison qui avaient bien
la mine d'avoir été pris à la petite guerre[7]. Au lieu de
chapeau, il n'avait qu'un bonnet de nuit entortillé de
jarretières de différentes couleurs, et cet habillement de

tête était une manière de turban qui n'était encore
qu'ébauché et auquel on n'avait pas encore donné la
dernière main. Son pourpoint était une casaque* de grisette* ceinte avec une courroie, laquelle lui servait aussi à
soutenir une épée qui était si longue qu'on ne s'en pouvait
aider adroitement sans fourchette*. Il portait des chausses
troussées à bas d'attaches*, comme celles des comédiens
quand ils représentent un héros de l'Antiquité, et il avait,
au lieu de souliers, des brodequins à l'antique que les
boues avaient gâtés jusqu'à la cheville du pied. Un vieillard vêtu plus régulièrement, quoique très mal, marchait à
côté de lui. Il portait sur ses épaules une basse de viole et,
parce qu'il se courbait un peu en marchant, on l'eût pris
de loin pour une grosse tortue qui marchait sur les jambes
de derrière. Quelque critique murmurera de la comparaison, à cause du peu de proportion qu'il y a d'une tortue à
un homme ; mais j'entends parler des grandes tortues qui
se trouvent dans les Indes et, de plus, je m'en sers de ma
seule autorité. Retournons à notre caravane. Elle passa
devant le tripot de la Biche [8], à la porte duquel étaient
assemblés quantité des plus gros bourgeois de la ville. La
nouveauté de l'attirail et le bruit de la canaille qui s'était
assemblée autour de la charrette furent cause que tous ces
honorables bourgmestres* jetèrent les yeux sur nos inconnus. Un lieutenant de prévôt, entre autres, nommé La
Rappinière [9], les vint accoster et leur demanda avec une
autorité de magistrat quelles gens ils étaient. Le jeune
homme dont je vous viens de parler prit la parole et, sans
mettre les mains au turban, parce que de l'une il tenait
son fusil et de l'autre la garde de son épée, de peur qu'elle
ne lui battît les jambes, lui dit qu'ils étaient Français de
naissance, comédiens de profession ; que son nom de
théâtre était Le Destin, celui de son vieil camarade, La
Rancune, et celui de la demoiselle qui était juchée comme
une poule au haut de leur bagage, La Caverne [10]. Ce nom
bizarre fit rire quelques-uns de la compagnie ; sur quoi le
jeune comédien ajouta que le nom de Caverne ne devait
pas sembler plus étrange à des hommes d'esprit que ceux
de La Montagne, La Vallée, La Rose ou L'Épine. La
conversation finit par quelques coups de poing et jure-

ments de Dieu que l'on entendit au devant de la charrette. C'était le valet du tripot qui avait battu le charretier sans dire gare, parce que ses bœufs et sa jument usaient trop librement d'un amas de foin qui était devant la porte. On apaisa la noise, et la maîtresse du tripot, qui aimait la comédie plus que sermon ni vêpres, par une générosité inouïe en une maîtresse de tripot, permit au charretier de faire manger ses bêtes tout leur soûl. Il accepta l'offre qu'elle lui fit et, cependant que ses bêtes mangèrent, l'auteur se reposa quelque temps et se mit à songer à ce qu'il dirait dans le second chapitre.

CHAPITRE II

QUEL HOMME ÉTAIT LE SIEUR DE LA RAPPINIÈRE

Le sieur de La Rappinière était lors le rieur de la ville du Mans. Il n'y a point de petite ville qui n'ait son rieur. La ville de Paris n'en a pas pour un [11], elle en a dans chaque quartier, et moi-même qui vous parle, je l'aurais été du mien si j'avais voulu ; mais il y a longtemps, comme tout le monde sait, que j'ai renoncé à toutes les vanités du monde. Pour revenir au sieur de La Rappinière, il renoua bientôt la conversation que les coups de poing avaient interrompue et demanda au jeune comédien si leur troupe n'était composée que de mademoiselle de La Caverne, de M. de La Rancune et de lui. «Notre troupe est aussi complète que celle du prince d'Orange [12] ou de Son Altesse d'Épernon [13], lui répondit-il ; mais par une disgrâce qui nous est arrivée à Tours, où notre étourdi de portier a tué un des fusiliers* de l'intendant de la province, nous avons été contraints de nous sauver un pied chaussé et l'autre nu, en l'équipage que vous nous voyez. — Ces fusiliers de M. l'intendant en ont fait autant à La Flèche, dit La Rappinière. — Que le feu saint Antoine [14] les arde ! dit la tripotière*, ils sont cause que nous n'aurons pas la comédie. — Il ne tiendrait pas à

nous, répondit le vieil comédien, si nous avions les clefs
de nos coffres pour avoir nos habits ; et nous divertirions
quatre ou cinq jours MM. de la ville, devant* que de
gagner Alençon, où le reste de la troupe a le rendez-
vous. » La réponse du comédien fit ouvrir les oreilles à
tout le monde. La Rappinière offrit une vieille robe de sa
femme à La Caverne, et la tripotière deux ou trois paires
d'habits, qu'elle avait en gage, à Destin et à La Rancune.
« Mais, ajouta quelqu'un de la compagnie, vous n'êtes
que trois. — J'ai joué une pièce moi seul, dit La Rancune, et ai fait en même temps le roi, la reine et l'ambassadeur. Je parlais en fausset quand je faisais la reine ; je
parlais du nez pour l'ambassadeur, et me tournais vers ma
couronne que je posais sur une chaise ; et pour le roi, je
reprenais mon siège, ma couronne et ma gravité, et gros-
sissais un peu ma voix. Et qu'ainsi ne soit, si vous voulez
contenter* notre charretier et payer notre dépense en
l'hôtellerie, fournissez vos habits, et nous jouerons devant que la nuit vienne, ou bien nous irons boire, avec
votre permission, et nous reposer, car nous avons fait une
grande journée *. » Le parti plut à la compagnie, et le
diable de La Rappinière, qui s'avisait toujours de quelque
malice, dit qu'il ne fallait point d'autres habits que ceux
de deux jeunes hommes de la ville qui jouaient une partie
dans le tripot et que mademoiselle de La Caverne, en son
habit d'ordinaire, pourrait passer pour tout ce que l'on
voudrait en une comédie. Aussitôt dit, aussitôt fait : en
moins d'un demi-quart d'heure, les comédiens eurent bu
chacun deux ou trois coups, furent travestis, et l'assemblée qui s'était grossie ayant pris place en une chambre
haute, on vit, derrière un drap sale que l'on leva, le
comédien Destin couché sur un matelas, un corbillon*
dans la tête, qui lui servait de couronne, se frottant un peu
les yeux comme un homme qui s'éveille et récitant du ton
de Mondory [15] le rôle d'Hérode, qui commence par

Fantôme injurieux qui trouble mon repos [16].

   L'emplâtre qui lui couvrait la moitié du visage ne
l'empêcha pas de faire voir qu'il était excellent comé-

dien. Mademoiselle de La Caverne fit des merveilles dans
les rôles de Marianne et de Salomé[17]; La Rancune satisfit
tout le monde dans les autres rôles de la pièce[18], et elle
s'en allait être conduite à bonne fin quand le diable, qui
ne dort jamais, s'en mêla et fit finir la tragédie, non pas
par la mort de Marianne et par les désespoirs d'Hérode,
mais par mille coups de poing, autant de soufflets, un
nombre effroyable de coups de pied, des jurements qui ne
se peuvent compter et ensuite une belle information que
fit faire le sieur de La Rappinière, le plus expert de tous
les hommes en pareille matière.

CHAPITRE III

LE DÉPLORABLE SUCCÈS* QU'EUT LA COMÉDIE

Dans toutes les villes subalternes du royaume, il y a
d'ordinaire un tripot où s'assemblent tous les jours les
fainéants de la ville, les uns pour jouer, les autres pour
regarder ceux qui jouent; c'est là que l'on rime richement
en Dieu[19], que l'on épargne fort peu le prochain et que
les absents sont assassinés* à coups de langue. On n'y
fait quartier à personne, tout le monde y vit de Turc à
More[20] et chacun y est reçu pour railler selon le talent
qu'il en a eu du Seigneur. C'est en un de ces tripots-là, si
je m'en souviens, que j'ai laissé trois personnes comiques, récitant la Marianne devant une honorable compagnie à laquelle présidait le sieur de La Rappinière. Au
même temps qu'Hérode et Marianne s'entredisaient leurs
vérités, les deux jeunes hommes de qui l'on avait pris si
librement les habits entrèrent dans la chambre en caleçons
et chacun sa raquette en sa main. Ils avaient négligé de se
faire frotter[21] pour venir entendre la comédie. Leurs
habits, que portaient Hérode et Phérore, leur ayant
d'abord frappé la vue, le plus colère des deux s'adressant
au valet du tripot : « Fils de chienne, lui dit-il, pourquoi
as-tu donné mon habit à ce bateleur*? » Ce valet, qui le

connaissait pour un grand brutal, lui dit en toute humilité
que ce n'était pas lui. « Et qui donc, barbe de cocu ? »
ajouta-t-il. Le pauvre valet n'osait en accuser La Rappinière en sa présence ; mais lui, qui était le plus insolent de
tous les hommes, lui dit en se levant de sa chaise : « C'est
moi : qu'en voulez-vous dire ? — Que vous êtes un sot »,
repartit l'autre en lui déchargeant un démesuré coup de sa
raquette sur les oreilles. La Rappinière fut si surpris
d'être prévenu d'un coup, lui qui avait accoutumé d'en
user ainsi, qu'il demeura comme immobile, ou d'admiration*, ou parce qu'il n'était pas encore assez en colère et
qu'il lui en fallait beaucoup pour se résoudre à se battre,
ne fût-ce qu'à coups de poing ; et peut-être que la chose
en fût demeurée là si son valet, qui avait plus de colère
que lui, ne se fût jeté sur l'agresseur en lui donnant dans
le beau milieu du visage un coup de poing avec toutes ses
circonstances, et ensuite une grande quantité d'autres où
ils purent aller. La Rappinière le prit en queue [22] et se mit
à travailler sur lui en coups de poing, comme un homme
qui a été offensé le premier ; un parent de son adversaire
prit La Rappinière de la même façon. Ce parent fut
investi* par un ami de La Rappinière pour faire diversion ; celui-ci le fut d'un autre et celui-là d'un autre ; enfin
tout le monde prit parti dans la chambre. L'un jurait,
l'autre injuriait, tous s'entrebattaient. La tripotière, qui
voyait rompre ses meubles, emplissait l'air de cris pitoyables. Vraisemblablement ils devaient tous périr par
coups d'escabeaux, de pieds et de poings, si quelques-uns
des magistrats de la ville, qui se promenaient sous les
halles avec le sénéchal du Maine [23], ne fussent accourus à
la rumeur. Quelques-uns furent d'avis de jeter deux ou
trois seaux d'eau sur les combattants, et le remède eût
peut-être réussi ; mais ils se séparèrent de lassitude, outre
que deux pères capucins, qui se jetèrent par charité dans
le champ de bataille, mirent entre les combattants, non
pas une paix bien affermie, mais firent au moins accorder
quelques trêves, pendant lesquelles on put négocier, sans
préjudice des informations qui se firent de part et d'autre.
Le comédien Destin fit des prouesses à coups de poing,
dont l'on parle encore dans la ville du Mans, suivant ce

qu'en ont raconté les deux jouvenceaux, auteurs de la querelle, avec lesquels il eut particulièrement affaire et qu'il pensa rouer de coups, outre quantité d'autres du parti contraire qu'il mit hors de combat du premier coup. Il perdit son emplâtre durant la mêlée, et l'on remarqua qu'il avait le visage aussi beau que la taille riche. Les museaux sanglants furent lavés d'eau fraîche, les collets* déchirés furent changés, on appliqua quelques cataplasmes et même l'on fit quelques points d'aiguille, et les meubles furent aussi remis en leur place, non pas du tout si entiers qu'alors qu'on les désarrangea. Enfin, un moment après, il ne resta plus rien du combat, que beaucoup d'animosité qui paraissait sur le visage des uns et des autres. Les pauvres comédiens sortirent avec La Rappinière, qui verbalisa* le dernier. Comme ils passaient du tripot sous les halles, ils furent investis* par sept ou huit braves, l'épée à la main. La Rappinière, selon sa coutume, eut grande peur et pensa bien avoir quelque chose de pis, si Destin ne se fût généreusement jeté au-devant d'un coup d'épée qui lui allait passer au travers du corps ; il ne put pourtant si bien le parer qu'il ne reçut une légère blessure dans le bras. Il mit l'épée à la main en même temps et en moins de rien fit voler à terre deux épées, ouvrit deux ou trois têtes, donna force coups sur les oreilles et déconfit si bien MM. de l'embuscade que tous les assistants avouèrent qu'ils n'avaient jamais vu un si vaillant homme. Cette partie ainsi avortée avait été dressée à La Rappinière par deux petits nobles, dont l'un avait épousé la sœur de celui qui commença le combat par un grand coup de raquette ; et vraisemblablement La Rappinière était gâté* sans le vaillant défenseur que Dieu lui suscita en notre vaillant comédien. Le bienfait trouva place en son cœur de roche ; et, sans vouloir permettre que ces pauvres restes d'une troupe délabrée allassent loger en une hôtellerie, il les emmena chez lui où le charretier déchargea le bagage comique et s'en retourna à son village.

CHAPITRE IV

DANS LEQUEL ON CONTINUE A PARLER DU SIEUR
DE LA RAPPINIÈRE ET DE CE QUI ARRIVA
LA NUIT EN SA MAISON

Mademoiselle* de La Rappinière [24] reçut la compagnie avec force compliments, comme elle était la femme du monde qui se plaisait le plus à en faire. Elle n'était pas laide, quoique si maigre et si sèche qu'elle n'avait jamais mouché de chandelle avec les doigts que le feu n'y prît ; j'en pourrais dire cent choses rares, que je laisse de peur d'être trop long. En moins de rien les deux dames furent si grandes camarades qu'elles s'entr'appelèrent ma chère et ma fidèle. La Rappinière, qui avait de la mauvaise gloire autant que barbier de la ville, dit en entrant qu'on allât à la cuisine et à l'office faire hâter le souper. C'était une pure rodomontade* : outre son vieil valet, qui pansait même ses chevaux, il n'y avait dans le logis qu'une jeune servante et une autre vieille boiteuse, et qui avait du mal comme un chien. Sa vanité fut punie par une grande confusion. Il mangeait d'ordinaire au cabaret aux dépens des sots, et sa femme et son train si réglés étaient réduits au potage aux choux, selon la coutume du pays. Voulant paraître devant ses hôtes et les régaler, il pensa couler par derrière son dos quelque monnaie à son valet pour aller quérir de quoi souper ; par la faute du valet ou du maître, l'argent tomba sur la chaise où il était assis, et de la chaise en bas. La Rappinière en devint tout violet, sa femme en rougit, le valet en jura, La Caverne en sourit, La Rancune n'y prit peut-être pas garde et, pour Destin, je n'ai pas bien su l'effet que cela fit sur son esprit. L'argent fut ramassé et, en attendant le souper, on fit conversation. La Rappinière demanda au Destin pourquoi il se déguisait le visage d'un emplâtre. Il lui dit qu'il en avait sujet et que, se voyant travesti par accident, il avait voulu ôter aussi la connaissance de son visage à quelques ennemis qu'il avait. Enfin le souper vint, bon ou mau-

vais ; La Rappinière but tant qu'il s'enivra et La Rancune
s'en donna aussi jusques aux gardes [25]. Le Destin soupa
fort sobrement en honnête homme, La Caverne en comédienne affamée et mademoiselle de La Rappinière en
femme qui veut profiter de l'occasion, c'est-à-dire tant
qu'elle en fut dévoyée *. Tandis que les valets mangèrent
et que l'on dressa les lits, La Rappinière les accabla de
cent contes pleins de vanité. Destin coucha seul en une
petite chambre, La Caverne avec la fille de chambre,
dans un cabinet et La Rancune avec le valet, je ne sais où.
Ils avaient tous envie de dormir, les uns de lassitude, les
autres d'avoir trop soupé et cependant ils ne dormirent
guère, tant il est vrai qu'il n'y a rien de certain en ce
monde. Après le premier sommeil, mademoiselle de La
Rappinière eut envie d'aller où les rois ne peuvent aller
qu'en personne ; son mari se réveilla bientôt après et,
quoiqu'il fût bien soûl, sentit bien qu'il était seul. Il
appela sa femme et on ne lui répondit point. Avoir quelque soupçon, se mettre en colère, se lever de furie, ce ne
fût qu'une même chose. A la sortie de sa chambre, il
entendit marcher devant lui, il suivit quelque temps le
bruit qu'il entendait et, au milieu d'une petite galerie qui
conduisait à la chambre de Destin, il se trouva si près de
ce qu'il suivait qu'il crut lui marcher sur les talons. Il
pensa se jeter sur sa femme et la saisir en criant : « Ah !
putain ! » Ses mains ne trouvèrent rien et, ses pieds rencontrant quelque chose, il donna du nez en terre et se
sentit enfoncer dans l'estomac quelque chose de pointu. Il
cria effroyablement « au meurtre ! » et « on m'a poi-
gnardé ! » sans quitter sa femme qu'il pensait tenir par les
cheveux et qui se débattait sous lui. A ses cris, ses injures
et ses jurements, toute la maison fut en rumeur et tout le
monde vint à son aide en même temps : la servante, avec
une chandelle, La Rancune et le valet en chemises sales,
La Caverne en jupe fort méchante, Le Destin l'épée à la
main et mademoiselle de La Rappinière vint la dernière et
fut bien étonnée, aussi bien que les autres, de trouver son
mari tout furieux, luttant contre une chèvre qui allaitait,
dans la maison, les petits d'une chienne morte en couche.
Jamais homme ne fut plus confus que La Rappinière. Sa

femme, qui se douta bien de la pensée qu'il avait eue, lui
demanda s'il était fou. Il répondit, sans savoir quasi ce
qu'il disait, qu'il avait pris la chèvre pour un voleur. Le
Destin devina ce qu'il en était ; chacun regagna son lit et
crut ce qu'il voulut de l'aventure, et la chèvre fut renfer-
mée avec ses petits chiens.

CHAPITRE V

QUI NE CONTIENT PAS GRAND-CHOSE

Le comédien La Rancune un des principaux héros de
notre roman (car il n'y en aura pas pour un[26] dans ce
livre-ci ; et puisqu'il n'y a rien de plus parfait qu'un héros
de livre, demi-douzaine de héros ou soi-disant tels feront
plus d'honneur au mien qu'un seul qui serait peut-être
celui dont on parlerait le moins, comme il n'y a qu'heur
et malheur en ce monde), La Rancune donc était de ces
misanthropes qui haïssent tout le monde et qui ne s'aiment pas eux-mêmes, et j'ai su de beaucoup de personnes
qu'on ne l'avait jamais vu rire. Il avait assez d'esprit et
faisait assez bien de méchants vers ; d'ailleurs, nullement
homme d'honneur, malicieux comme un vieil singe et
envieux comme un chien. Il trouvait à redire en tous ceux
de sa profession. Bellerose[27] était trop affecté, Mondory
rude, Floridor[28] trop froid, et ainsi des autres ; et je crois
qu'il eût aisément laissé conclure qu'il avait été le seul
comédien sans défaut ; et cependant il n'était plus souffert
dans la troupe qu'à cause qu'il avait vieilli dans le métier.
Au temps qu'on était réduit aux pièces de Hardy[29], il
jouait en fausset[30] et, sous les masques, les rôles de
nourrice[31]. Depuis qu'on commença à mieux faire la
comédie, il était le surveillant du portier[32], jouait les
rôles de confidents, ambassadeurs et recors*, quand il
fallait accompagner un roi, prendre ou assassiner*
quelqu'un, ou donner bataille ; il chantait une méchante
taille* aux trios, du temps qu'on en chantait, et se farinait
à la farce[33]. Sur ces beaux talents-là, il avait fondé une

vanité insupportable, laquelle était jointe à une raillerie
continuelle, une médisance qui ne s'épuisait point et une
humeur querelleuse qui était pourtant soutenue par quelque valeur. Tout cela le faisait craindre à ses compagnons; avec le seul Destin il était doux comme un agneau
et se montrait devant lui raisonnable autant que son naturel le pouvait permettre. On a voulu dire qu'il en avait été
battu; mais ce bruit-là n'a pas duré longtemps, non plus
que celui de l'amour qu'il avait pour le bien d'autrui
jusqu'à s'en saisir furtivement; avec tout cela, le meilleur
homme du monde. Je vous ai dit, ce me semble, qu'il
coucha avec le valet de La Rappinière, qui s'appelait
Doguin. Soit que le lit où il coucha ne fût pas bon ou que
Doguin ne fût pas bon coucheur, il ne put dormir de toute
la nuit. Il se leva dès le point du jour, aussi bien que
Doguin, qui fut appelé par son maître; et, passant devant
la chambre de La Rappinière, lui alla donner le bonjour.
La Rappinière reçut son compliment avec un faste de
prévôt provincial et ne lui rendit pas la dixième partie des
civilités qu'il en reçut; mais, comme les comédiens
jouent toutes sortes de personnages, il ne s'en émut
guère. La Rappinière lui fit cent questions sur la comédie
et, de fil en aiguille (il me semble que ce proverbe est ici
fort bien appliqué), lui demanda depuis quand ils avaient
Le Destin dans leur troupe et ajouta qu'il était excellent
comédien. «Ce qui reluit n'est pas or, repartit La Rancune; du temps que je jouais les premiers rôles, il n'eût
joué que les pages : comment saurait-il un métier qu'il n'a
jamais appris? Il y a fort peu de temps qu'il est dans la
comédie : on ne devient pas comédien comme un cham-
pignon; parce qu'il est jeune, il plaît; si vous le connais-
siez comme moi, vous en rabattriez plus de la moitié. Au
reste, il·fait l'entendu comme s'il était sorti de la côte de
Saint Louis [34] et cependant il ne découvre point qui il est,
ni d'où il est, non plus qu'une belle Cloris qui l'accompagne, qu'il appelle sa sœur, et Dieu veuille qu'elle le
soit! Tel que je suis, je lui ai sauvé la vie dans Paris, aux
dépens de deux bons coups d'épée; et il en a été si
méconnaissant qu'au lieu de me suivre quand on me porta
à quatre chez un chirurgien, il passa la nuit à chercher

dans les boues je ne sais quel bijou de diamants qui n'était
peut-être que d'Alençon [35] et qu'il disait que ceux qui
nous attaquèrent lui avaient pris.» La Rappinière demanda à La Rancune comment ce malheur-là lui était
arrivé. «Ce fut le jour des Rois, sur le Pont-Neuf»,
répondit La Rancune. Ces dernières paroles troublèrent
extrêmement La Rappinière et son valet Doguin; ils pâ-
lirent et rougirent l'un et l'autre; et La Rappinière changea de discours si vite et avec un si grand désordre
d'esprit que La Rancune s'en étonna. Le bourreau de la
ville et quelques archers, qui entrèrent dans la chambre,
rompirent la conversation et firent grand plaisir à La
Rancune, qui sentait bien que ce qu'il avait dit avait
frappé La Rappinière en quelque endroit bien tendre sans
pouvoir deviner la part qu'il y pouvait prendre. Cependant* le pauvre Destin, qui avait été si bien sur le tapis,
était bien en peine; La Rancune le trouva avec mademoiselle de La Caverne, bien empêché à faire avouer à un
vieil tailleur qu'il avait mal ouï et encore plus mal tra-
vaillé. Le sujet de leur différend était qu'en déchargeant
le bagage comique, Le Destin avait trouvé deux pourpoints et un haut-de-chausses fort usés; qu'il les avait
donnés à ce vieil tailleur pour en tirer une manière d'habit
plus à la mode que les chausses de pages [36] qu'il portait et
que le tailleur, au lieu d'employer un des pourpoints pour
raccommoder l'autre et le haut-de-chausses aussi, par une
faute de jugement indigne d'un homme qui avait rac-
commodé des vieilles hardes toute sa vie, avait rhabillé
les deux pourpoints des meilleurs morceaux du haut-de-
chausses, tellement que le pauvre Destin, avec tant de
pourpoints et si peu de haut-de-chausses, se trouvait réduit à garder la chambre ou à faire courir les enfants après
lui, comme il avait fait déjà avec son habit comique. La
libéralité de La Rappinière répara la faute du tailleur, qui
profita des deux pourpoints rhabillés*, et Le Destin fut
régalé* de l'habit d'un voleur qu'il avait fait rouer depuis
peu. Le bourreau, qui s'y trouva présent et qui avait laissé
cet habit en garde à la servante de La Rappinière, dit fort
insolemment que l'habit était à lui, mais La Rappinière le
menaça de lui faire perdre sa charge. L'habit se trouva

assez juste pour Le Destin, qui sortit avec La Rappinière
et La Rancune. Ils dînèrent en un cabaret aux dépens d'un
bourgeois qui avait affaire[37] de La Rappinière. Mademoiselle de La Caverne s'amusa à savonner son collet*
sale et tint compagnie à son hôtesse. Le même jour,
Doguin fut rencontré par un des jeunes hommes qu'il
avait battus le jour de devant dans le tripot et revint au
logis avec deux bons coups d'épée et force coups de
bâton; et, à cause qu'il était bien blessé, La Rancune,
après avoir soupé, alla coucher dans une hôtellerie voisine, fort lassé d'avoir couru toute la ville, accompa-
gnant, avec son camarade Destin, le sieur de La Rappinière qui voulait avoir raison de son valet assassiné*.

CHAPITRE VI

L'AVENTURE DU POT DE CHAMBRE.
LA MAUVAISE NUIT QUE LA RANCUNE
DONNA À L'HÔTELLERIE.
L'ARRIVÉE D'UNE PARTIE DE LA TROUPE.
MORT DE DOGUIN, ET AUTRES CHOSES MÉMORABLES.

La Rancune entra dans l'hôtellerie un peu plus que
demi-ivre. La servante de La Rappinière, qui le conduisait, dit à l'hôtesse qu'on lui dressât un lit. « Voici le reste
de notre écu[38], dit l'hôtesse : si nous n'avions point
d'autre pratique* que celle-là, notre louage* serait mal
payé. — Taisez-vous, sotte, dit son mari, M. de La
Rappinière nous fait trop d'honneur; que l'on dresse un
lit à ce gentilhomme. — Voire qui en aurait[39], dit l'hôtesse; il ne m'en restait qu'un, que je viens de donner à
un marchand du bas Maine. » Le marchand entra là-dessus et, ayant appris le sujet de la contestation, offrit la
moitié de son lit à La Rancune, soit qu'il eût affaire à La
Rappinière ou qu'il fût obligeant de son naturel. La Rancune l'en remercia autant que sa sécheresse de civilité le
put permettre. Le marchand soupa, l'hôte lui tint compa-

gnie et La Rancune ne se fit pas prier deux fois pour faire
le troisième et se mettre à boire sur nouveaux frais. Ils
parlèrent des impôts, pestèrent contre les maltôtiers*,
réglèrent l'État et se réglèrent si peu eux-mêmes, et l'hôte
tout le premier qu'il tira sa bourse de sa pochette et
demanda à compter [40], ne se souvenant plus qu'il était
chez lui. Sa femme et sa servante l'entraînèrent par les
épaules dans sa chambre et le mirent sur un lit tout
habillé. La Rancune dit au marchand qu'il était affligé
d'une difficulté d'urine et qu'il était bien fâché d'être
contraint de l'incommoder; à quoi le marchand lui répondit qu'une nuit était bientôt passée. Le lit n'avait point de
ruelle* et joignait la muraille; La Rancune s'y jeta le
premier, et le marchand s'y étant mis après, en la bonne
place, La Rancune lui demanda le pot de chambre. « Et
qu'en voulez-vous faire? dit le marchand. — Le mettre
auprès de moi de peur de vous incommoder, dit La
Rancune. » Le marchand lui répondit qu'il [le] lui donnerait quand il en aurait affaire; et La Rancune n'y
consentit qu'à peine*, lui protestant qu'il était au désespoir de l'incommoder. Le marchand s'endormit sans lui
répondre; et à peine commença-t-il à dormir de toute sa
force que le malicieux comédien, qui était homme à
s'éborgner pour faire perdre un œil à un autre, tira le
pauvre marchand par le bras en lui criant: «Monsieur,
oh! monsieur!» Le marchand tout endormi lui demanda
en bâillant: «Que vous plaît-il? — Donnez-moi un peu le
pot de chambre» dit La Rancune. Le pauvre marchand se
pencha hors du lit, et prenant le pot de chambre le mit
entre les mains de La Rancune qui se mit en devoir de
pisser; et après avoir fait cent efforts, ou fait semblant de
les faire, juré cent fois entre ses dents et s'être bien plaint
de son mal, il rendit le pot de chambre au marchand sans
avoir pissé une seule goutte. Le marchand le remit à terre
et dit, ouvrant la bouche aussi grande qu'un four à force
de bâiller: « Vraiment, monsieur, je vous plains bien », et
se rendormit tout aussitôt. La Rancune le laissa embar-
quer bien avant dans le sommeil; et, quand il le vit ronfler
comme s'il n'eût fait autre chose toute sa vie, le perfide
l'éveilla encore et lui demanda le pot de chambre aussi

méchamment que la première fois. Le marchand le lui mit
entre les mains aussi bonnement qu'il avait déjà fait; et
La Rancune le porta à l'endroit par où l'on pisse avec
aussi peu d'envie de pisser que de laisser dormir le
marchand. Il cria encore plus fort qu'il n'avait fait et fut
deux fois plus longtemps à ne point pisser, conjurant le
marchand de ne prendre plus la peine de lui donner le pot
de chambre et ajoutant que ce n'était pas la raison[41], et
qu'il le prendrait bien. Le pauvre marchand, qui eût lors
donné tout son bien pour dormir son soûl, lui répondit
toujours en bâillant qu'il en usât comme il lui plairait et
remit le pot de chambre en sa place. Ils se donnèrent le
bonsoir fort civilement et le pauvre marchand eût parié
tout son bien qu'il allait faire le plus beau somme qu'il
eût fait de sa vie. La Rancune, qui savait bien ce qui en
devait arriver, le laissa dormir de plus belle et, sans faire
conscience d'éveiller un homme qui dormait si bien, il lui
alla mettre le coude dans le creux de l'estomac, l'acca-
blant de tout son corps et avançant l'autre bras hors du lit,
comme on fait quand on veut amasser * quelque chose qui
est à terre. Le malheureux marchand, se sentant étouffer
et écraser la poitrine, s'éveilla en sursaut, criant horri-
blement : « Eh! morbleu, monsieur, vous me tuez! » La
Rancune, d'une voix aussi douce et posée que celle du
marchand avait été véhémente, lui répondit : « Je vous
demande pardon, je voulais prendre le pot de chambre.
— Ah! vertubleu! s'écria l'autre, j'aime bien mieux vous
le donner et ne dormir de toute la nuit; vous m'avez fait
un mal dont je me sentirai toute ma vie. » La Rancune ne
lui répondit rien et se mit à pisser si largement et si roide
que le bruit seul du pot de chambre eût pu réveiller le
marchand. Il emplit le pot de chambre, bénissant le Seigneur avec une hypocrisie de scélérat. Le pauvre marchand le félicitait le mieux qu'il pouvait de sa copieuse
éjaculation d'urine qui lui faisait espérer un sommeil qui
ne serait plus interrompu, quand le maudit La Rancune,
faisant semblant de vouloir remettre le pot de chambre à
terre, lui laissa tomber et le pot de chambre et tout ce qui
était dedans sur le visage, sur la barbe et sur l'estomac en
criant en hypocrite : « Eh! monsieur, je vous demande

pardon ! » Le marchand ne répondit rien à sa civilité ; car
aussitôt qu'il se sentit noyer de pissat, il se leva, hurlant
comme un homme furieux et demandant de la chandelle.
La Rancune, avec une froideur capable de faire renier un
théatin [42], lui disait : « Voilà un grand malheur ! » Le marchand continua ses cris ; l'hôte, l'hôtesse, les servantes et
les valets y vinrent. Le marchand leur dit qu'on l'avait
fait coucher avec un diable et pria qu'on lui fît du feu
autre part. On lui demanda ce qu'il avait ; il ne répondit
rien, tant il était en colère, prit ses habits et ses hardes, et
s'alla sécher dans la cuisine où il passa le reste de la nuit
sur un banc, le long du feu. L'hôte demanda à La Rancune ce qu'il lui avait fait. Il lui dit, feignant une grande
ingénuité : « Je ne sais de quoi il se peut plaindre ; il s'est
éveillé et m'a réveillé, criant au meurtre ; il faut qu'il ait
fait quelque mauvais songe ou qu'il soit fou ; et de plus il
a pissé au lit. » L'hôtesse y porta la main et dit qu'il était
vrai que son matelas était tout percé et jura son grand
Dieu qu'il le payerait [43]. Ils donnèrent le bonsoir à La
Rancune, qui dormit toute la nuit aussi paisiblement
qu'aurait fait un homme de bien et se récompensa de celle
qu'il avait mal passée chez La Rappinière. Il se leva
pourtant plus matin qu'il ne pensait, parce que la servante
de La Rappinière le vint quérir à la hâte pour venir voir
Doguin qui se mourait et qui demandait à le voir devant*
que de mourir. Il y courut, bien en peine de savoir ce que
lui voulait un homme qui se mourait et qui ne le connaissait que du jour précédent. Mais la servante s'était trompée : ayant ouï demander le comédien au pauvre mori-
bond, elle avait pris La Rancune pour Le Destin, qui
venait d'entrer dans la chambre de Doguin quand La
Rancune arriva, et qui s'y était enfermé, ayant appris du
prêtre qui l'avait confessé que le blessé avait quelque
chose à lui dire qu'il lui importait de savoir. Il n'y fut pas
plus d'un demi-quart d'heure que La Rappinière revint de
la ville, où il était allé dès la pointe du jour pour quelques
affaires. Il apprit en arrivant que son valet se mourait,
qu'on ne lui pouvait arrêter le sang parce qu'il avait un
gros vaisseau coupé et qu'il avait demandé à voir le
comédien Destin devant* que de mourir. « Et l'a-t-il

vu ? » demanda tout ému la Rappinière. On lui répondit
qu'ils étaient enfermés ensemble. Il fut frappé de ces
paroles comme d'un coup de massue et s'en courut,
tout transporté, frapper à la porte de la chambre où
Doguin se mourait, au même temps que Le Destin
l'ouvrait pour avertir que l'on vînt secourir le malade
qui venait de tomber en faiblesse. La Rappinière lui
demanda tout troublé ce que lui voulait son fou de valet. « Je crois qu'il rêve, répondit froidement Le Destin,
car il m'a demandé cent fois pardon et je ne pense pas
qu'il m'ait jamais offensé ; mais qu'on prenne garde à
lui, car il se meurt. » On s'approcha du lit de Doguin
sur le point qu'il rendait le dernier soupir, dont La
Rappinière parut plus gai que triste. Ceux qui le
connaissaient crurent que c'était à cause qu'il devait les
gages à son valet. Le seul Destin savait bien ce qu'il
en devait croire. Là-dessus deux hommes entrèrent
dans le logis, qui furent reconnus par notre comédien
pour être de ses camarades, desquels nous parlerons
plus amplement au suivant chapitre.

CHAPITRE VII

L'AVENTURE DES BRANCARDS*

Le plus jeune des comédiens qui entrèrent chez La
Rappinière était valet de Destin. Il apprit de lui que le reste
de la troupe était arrivé, à la réserve de mademoiselle de
L'Étoile, qui s'était démis un pied à trois lieues du Mans.
« Qui vous a fait venir ici, et qui vous a dit que nous y
étions ? lui demanda Le Destin. — La peste qui était à
Alençon nous a empêchés d'y aller, et nous a arrêtés à
Bonnétable [44], répondit l'autre comédien, qui s'appelait
L'Olive, et quelques habitants de cette ville que nous
avons trouvés nous ont dit que vous aviez joué ici, que
vous vous étiez battu et que vous aviez été blessé : made-

moiselle de L'Étoile en est fort en peine et vous prie de lui envoyer un brancard*. » Le maître de l'hôtellerie voisine, qui était venu là au bruit de la mort de Doguin, dit qu'il y avait un brancard chez lui et, pourvu qu'on le payât bien, qu'il serait en état de partir sur le midi, porté par deux bons chevaux. Les comédiens arrêtèrent le brancard à un écu et des chambres dans l'hôtellerie pour la troupe comique. La Rappinière se chargea d'obtenir du lieutenant général permission de jouer ; et, sur le midi, Le Destin et ses camarades prirent le chemin de Bonnétable. Il faisait un grand chaud ; La Rancune dormait dans le brancard, L'Olive était monté sur le cheval de derrière et un valet de l'hôte conduisait celui de devant. Le Destin allait de son pied, un fusil sur l'épaule, et son valet lui contait ce qui leur était arrivé depuis le Château-du-Loir [45] jusqu'à un village auprès de Bonnétable, où mademoiselle de L'Étoile s'était démis un pied en descendant de cheval, quand deux hommes bien montés et qui se cachèrent le nez de leur manteau en passant auprès de Destin, s'approchèrent du brancard, du côté qu'il était découvert ; et, n'y trouvant qu'un vieil homme qui dormait, le mieux monté de ces deux inconnus dit à l'autre : « Je crois que tous les diables sont aujourd'hui déchaînés contre moi et se sont déguisés en brancards pour me faire enrager. » Cela dit, il poussa son cheval à travers les champs, et son camarade le suivit. L'Olive appela Le Destin, qui était un peu éloigné, et lui conta l'aventure, en laquelle il ne put rien comprendre et dont il ne se mit pas beaucoup en peine. A un quart de lieue de là, le conducteur du brancard, que l'ardeur du soleil avait assoupi, alla planter le brancard dans un bourbier où La Rancune pensa se répandre* ; les chevaux y brisèrent leurs harnais et il les en fallut tirer par le cou et par la queue, après qu'on les eut dételés. Ils ramassèrent les débris du naufrage et gagnèrent le prochain village le mieux qu'ils purent. L'équipage du brancard avait grand besoin de réparation ; tandis qu'on y travailla, La Rancune, L'Olive et le valet de Destin burent un coup à la porte d'une hôtellerie qui se trouva dans le village. Là-dessus il arriva un autre brancard conduit par deux hommes de pied [46], qui s'arrêta aussi devant l'hôtellerie. A peine fut-il arrivé qu'il en parut un autre qui venait cent pas après du même côté. « Je crois que tous les brancards de la province se sont ici donné rendez-vous pour une affaire d'importance ou pour un chapitre général, dit La Rancune, et je suis d'avis qu'ils commencent leur conférence, car il n'y a pas d'apparence qu'il y en arrive davantage. — En voici pourtant un qui n'en quittera pas sa part », dit l'hôtesse ; et en effet, ils en virent un quatrième qui venait du côté du Mans. Cela les fit rire de bon courage*, excepté La Rancune qui ne riait jamais, comme je vous ai déjà dit. Le dernier brancard s'arrêta avec les autres. Jamais on ne vit tant de brancards ensemble. « Si les chercheurs de brancards que nous avons trouvés tantôt étaient ici, ils auraient contentement, dit le conducteur du premier venu. — J'en ai trouvé aussi », dit le second. Celui des comédiens dit la même chose et le dernier venu ajouta qu'il en avait pensé être battu. « Et pourquoi ? » lui demanda Le Destin. « A cause, lui répondit-il, qu'ils en voulaient à une demoiselle qui s'était démis un pied et que nous avons menée au Mans. Je n'ai jamais vu des gens si colère ; ils se prenaient à moi de ce qu'ils n'avaient pas trouvé ce qu'ils cherchaient. » Cela fit ouvrir les oreilles aux comédiens et, en deux ou trois interrogations qu'ils firent au brancardier, ils surent que la femme du seigneur du village où mademoiselle de L'Étoile s'était blessée, lui avait rendu visite et l'avait fait conduire au Mans avec grand soin. La conversation dura encore quelque temps entre les brancards et ils surent les uns des autres qu'ils avaient été reconnus en chemin par les mêmes hommes que les comédiens avaient vus. Le premier brancard portait le curé de Domfront [47], qui venait des eaux de Bellème [48] et passait au Mans pour faire faire une consultation de médecins sur sa maladie. Le second portait un gentilhomme blessé, qui revenait de l'armée. Les brancards se séparèrent ; celui des comédiens et celui du curé de Domfront retournèrent au Mans de compagnie et les autres où ils avaient à aller. Le curé malade descendit en la même hôtellerie des comédiens, qui était la sienne. Nous le laisserons reposer dans sa chambre et verrons dans le suivant chapitre ce qui se passait en celle des comédiens.

CHAPITRE VIII

La troupe comique était composée de Destin, de L'Olive et de La Rancune, qui avaient chacun un valet prétendant à devenir un jour comédien en chef. Parmi ces valets, il y en avait quelques-uns qui récitaient déjà sans rougir et sans se défaire*, celui de Destin entre autres faisait assez bien, entendait assez ce qu'il disait et avait de l'esprit. Mademoiselle de L'Étoile et la fille de mademoiselle de La Caverne récitaient les premiers rôles. La Caverne représentait les reines et les mères, et jouait à la farce. Ils avaient de plus un poète ou plutôt un auteur, car toutes les boutiques d'épiciers du royaume étaient pleines de ses œuvres tant en vers qu'en prose [49]. Ce bel esprit s'était donné à la troupe quasi malgré elle; et, parce qu'il ne partageait [50] point et mangeait quelque argent avec les comédiens, on lui donnait les derniers rôles dont il s'acquittait très mal. On voyait bien qu'il était amoureux de l'une des deux comédiennes; mais il était si discret, quoiqu'un peu fou, qu'on n'avait pu découvrir encore laquelle des deux il devait suborner, sous espérance de l'immortalité. Il menaçait les comédiens de quantité de pièces; mais il leur avait fait grâce jusqu'à l'heure. On savait seulement par conjecture qu'il en faisait une, intitulée *Martin Luther,* dont on avait trouvé un cahier qu'il avait pourtant désavoué quoiqu'il fût de son écriture. Quand nos comédiens arrivèrent, la chambre des comédiennes était déjà pleine des plus échauffés godelureaux * de la ville dont quelques-uns étaient déjà refroidis du maigre accueil qu'on leur avait fait. Ils parlaient tous ensemble de la comédie, des bons vers, des auteurs et des romans. Jamais on n'ouït plus de bruit en une chambre, à moins que de s'y quereller. Le poète, sur tous les autres, environné de deux ou trois qui devaient être les beaux

esprits de la ville, se tuait de leur dire qu'il avait vu
Corneille, qu'il avait fait la débauche [51] avec Saint-
Amant [52] et Beys [53] et qu'il avait perdu un bon ami en feu
Rotrou [54]. Mademoiselle de La Caverne et mademoiselle
Angélique [55] sa fille arrangeaient leurs hardes avec une
aussi grande tranquillité que s'il n'y eût eu personne dans
la chambre. Les mains d'Angélique étaient quelquefois
serrées ou baisées, car les provinciaux sont fort endéme-
nés * et patineurs * ; mais un coup de pied dans l'os des
jambes, un soufflet ou un coup de dent, selon qu'il était à
propos, la délivraient bientôt de ces galants à toute ou-
trance. Ce n'est pas qu'elle fût dévergondée ; mais son
humeur enjouée et libre l'empêchait d'observer beaucoup
de cérémonies ; d'ailleurs, elle avait de l'esprit et était très
honnête fille. Mademoiselle de L'Étoile était d'une humeur toute contraire : il n'y avait pas au monde de fille plus
modeste et d'une humeur plus douce, et elle fut lors si
complaisante qu'elle n'eut pas la force de chasser tous ces
grâcieuzeux * hors de sa chambre, quoiqu'elle souffrît
beaucoup au pied qu'elle s'était démis et qu'elle eût grand
besoin d'être en repos. Elle était tout habillée sur un lit,
environnée de quatre ou cinq des plus doucereux, étourdie
de quantité d'équivoques qu'on appelle pointes [56] dans les
provinces et souriant bien souvent à des choses qui ne lui
plaisaient guère. Mais c'est une des grandes incommodités
du métier, laquelle, jointe à celle d'être obligé de pleurer et
de rire lorsqu'on a envie de faire tout autre chose, diminue
beaucoup le plaisir qu'ont les comédiens d'être quelquefois empereurs et impératrices, et être appelés beaux
comme le jour, quand il s'en faut plus de la moitié, et jeune
beauté, bien qu'ils aient vieilli sur le théâtre et que leurs
cheveux et leurs dents fassent une partie de leurs hardes *.
Il y a bien d'autres choses à dire sur ce sujet ; mais il faut les
ménager et les placer en divers endroits de mon livre pour
diversifier. Revenons à la pauvre mademoiselle de
L'Étoile, obsédée * de provinciaux, la plus incommode
nation du monde, tous grands parleurs, quelques-uns très
impertinents, et entre lesquels il s'en trouvait de nouvel-
lement sortis du collège. Il y avait entre autres un petit
homme veuf, avocat de profession, qui avait une petite

charge dans une petite juridiction voisine. Depuis la mort
de sa petite femme, il avait menacé les femmes de la ville
de se remarier et le clergé de la province de se faire prêtre et
même de se faire prélat à beaux sermons comptants.
C'était le plus grand petit fou qui ait couru les champs
depuis Roland [57]. Il avait étudié toute sa vie ; et, quoique
l'étude aille à la connaissance de la vérité, il était menteur
comme un valet, présomptueux et opiniâtre comme un
pédant et assez mauvais poète pour être étouffé s'il y avait
de la police dans le royaume. Quand Le Destin et ses
compagnons entrèrent dans la chambre, il s'offrit de leur
lire, sans leur donner le temps de se reconnaître, une pièce
de sa façon, intitulée *Les Faits et Gestes de Charlemagne,
en vingt-quatre journées* [58]. Cela fit dresser les cheveux en
la tête à tous les assistants ; et Le Destin, qui conserva un
peu de jugement dans l'épouvante générale où la proposition avait mis la compagnie, lui dit, en souriant, qu'il n'y
avait pas apparence de lui donner audience devant le
souper. « Eh bien, ce dit-il, je m'en vais vous conter une
histoire tirée d'un livre espagnol qu'on m'a envoyé de
Paris [59], dont je veux faire une pièce dans les règles. » On
changea de discours deux ou trois fois pour se garantir
d'une histoire que l'on croyait devoir être une imitation de
Peau d'âne [60] ; mais le petit homme ne se rebuta point et, à
force de recommencer son histoire autant de fois que l'on
l'interrompait, il se fit donner audience, dont on ne se
repentit point, parce que l'histoire se trouva assez bonne et
démentit la mauvaise opinion que l'on avait de tout ce qui
venait de Ragotin [61] : c'était le nom du godenot*. Vous
allez voir cette histoire dans le suivant chapitre, non telle
que la conta Ragotin, mais comme je la pourrai conter
d'après un des auditeurs qui me l'a apprise. Ce n'est donc
pas Ragotin qui parle, c'est moi.

CHAPITRE IX

HISTOIRE DE L'AMANTE INVISIBLE [62]

Dom Carlos d'Aragon était un jeune gentilhomme de la maison dont il portait le nom. Il fit des merveilles de sa personne dans les spectacles publics que le vice-roi de Naples donna au peuple, aux noces de Philippe second, troisième ou quatrième, car je ne sais pas lequel. Le lendemain d'une course de bague* dont il avait emporté l'honneur, le vice-roi permit aux dames d'aller par la ville déguisées, et de porter des masques à la française [63] pour la commodité des étrangères que ces réjouissances avaient attirées dans la ville. Ce jour-là dom Carlos s'habilla le mieux qu'il put et se trouva avec quantité d'autres tyrans des cœurs dans l'église de la galanterie. On profane les églises en ce pays-là aussi bien qu'au nôtre et le temple de Dieu sert de rendez-vous aux godelureaux* et aux coquettes, à la honte de ceux qui ont la maudite ambition d'achalander* leurs églises et de s'ôter la pratique les uns aux autres ; on y devrait donner ordre et établir des chasse-godelureaux et des chasse-coquettes dans les églises, comme des chasse-chiens* et des chasse-chiennes. On dira ici de quoi je me mêle : vraiment on en verra bien d'autres ! Sache le sot qui s'en scandalise que tout homme est sot en ce bas monde, aussi bien que menteur, les uns plus et les autres moins ; et moi qui vous parle, peut-être plus sot que les autres, quoique j'aie plus de franchise à l'avouer et que mon livre n'étant qu'un ramas de sottises, j'espère que chaque sot y trouvera un petit caractère de ce qu'il est, s'il n'est pas trop aveuglé de l'amour-propre. Dom Carlos donc, pour reprendre mon conte, était dans une église avec quantité d'autres gentils-hommes italiens et espagnols, qui se miraient dans leurs belles plumes comme des paons, lorsque trois dames masquées l'accostèrent au milieu de tous ces Cupidons déchaînés, l'une desquelles lui dit ceci, ou quelque chose qui en approche : « Seigneur dom Carlos, il y a une dame

en cette ville à qui vous êtes bien obligé; dans tous les
combats de barrière* et toutes les courses de bague, elle
vous a souhaité d'en emporter l'honneur, comme vous
avez fait. — Ce que je trouve de plus avantageux en ce
que vous me dites, répondit dom Carlos, c'est que je
l'apprends de vous qui paraissez une dame de mérite; et
je vous avoue que, si j'eusse espéré que quelque dame se
fût déclarée pour moi, j'aurais apporté plus de soin que je
n'ai fait à mériter son approbation.» La dame inconnue
lui dit qu'il n'avait rien oublié de tout ce qui le pouvait
faire paraître un des plus adroits hommes du monde, mais
qu'il avait fait voir par ses livrées* de noir et de blanc
qu'il n'était point amoureux. «Je n'ai jamais bien su ce
que signifiaient les couleurs[64], répondit dom Carlos;
mais je sais bien que c'est moins par insensibilité que je
n'aime point que par la connaissance que j'ai que je ne
mérite pas d'être aimé.» Ils se dirent encore cent belles
choses, que je ne vous dirai point, parce que je ne les sais
pas et que je n'ai garde de vous en composer d'autres, de
peur de faire tort à dom Carlos et à la dame inconnue, qui
avaient bien plus d'esprit que je n'en ai, comme j'ai su
depuis peu d'un honnête Napolitain qui les a connus l'un
et l'autre. Tant y a que la dame masquée déclara à dom
Carlos que c'était elle qui avait eu inclination pour lui. Il
demanda à la voir; elle lui dit qu'il n'en était pas encore
là, qu'elle en chercherait les occasions et que, pour lui
témoigner qu'elle ne craignait point de se trouver avec lui
seul à seul, elle lui donnait un gage. En disant cela, elle
découvrit à l'Espagnol la plus belle main du monde et lui
présenta une bague qu'il reçut, si surpris de l'aventure
qu'il oublia quasi à lui faire la révérence lorsqu'elle le
quitta. Les autres gentilshommes, qui s'étaient éloignés
de lui par discrétion, s'en approchèrent. Il leur conta ce
qui lui était arrivé et leur montra la bague, qui était d'un
prix assez considérable. Chacun dit là-dessus ce qu'il en
croyait et dom Carlos demeura aussi piqué de la dame
inconnue que s'il l'eût vue au visage, tant l'esprit a de
pouvoir sur ceux qui en ont. Il fut bien huit jours sans
avoir des nouvelles de la dame et je n'ai jamais su s'il
s'en inquiéta bien fort. Cependant il allait tous les jours se

divertir chez un capitaine d'infanterie, où plusieurs
hommes de condition s'assemblaient souvent pour jouer.
Un soir qu'il n'avait point joué et qu'il se retirait de
meilleure heure qu'il n'avait accoutumé, il fut appelé par
son nom d'une chambre basse d'une grande maison. Il
s'approcha de la fenêtre, qui était grillée, et reconnut à la
voix que c'était son amante invisible, qui lui dit d'abord :
« Approchez-vous, dom Carlos, je vous attends ici pour
vider le différend que nous avons ensemble. — Vous
n'êtes qu'une fanfaronne, lui dit dom Carlos ; vous défiez
avec insolence et vous vous cachez huit jours pour ne
paraître qu'à une fenêtre grillée. — Nous nous verrons de
plus près quand il en sera temps, lui dit-elle ; ce n'est
point faute de cœur que j'ai différé de me trouver avec
vous ; j'ai voulu vous connaître devant* que de me laisser
voir. Vous savez que dans les combats assignés [65] il se
faut battre avec armes pareilles ; si votre cœur n'était pas
aussi libre que le mien, vous vous battriez avec avantage ;
et c'est pour cela que j'ai voulu m'informer de vous. —
Et qu'avez-vous appris de moi ? lui dit dom Carlos. —
Que nous sommes assez l'un pour l'autre », répondit la
dame invisible. Dom Carlos lui dit que la chose n'était
pas égale ; « car, ajouta-t-il, vous me voyez et savez qui je
suis et moi je ne vous vois point et ne sais qui vous êtes.
Quel jugement pensez-vous que je puisse faire du soin
que vous apportez à vous cacher ? On ne se cache guère
quand on n'a que de bons desseins et on peut aisément
tromper une personne qui ne se tient pas sur ses gardes ;
mais on ne la trompe pas deux fois. Si vous vous servez
de moi pour donner de la jalousie à un autre, je vous
avertis que je n'y suis pas propre et que vous ne devez pas
vous servir de moi à autre chose qu'à vous aimer. —
Avez-vous assez fait de jugements téméraires ? lui dit
l'invisible. — Ils ne sont pas sans apparence, répondit
dom Carlos. — Sachez, lui dit-elle, que je suis très
véritable, que vous me reconnaîtrez telle dans tous les
procédés que nous aurons ensemble et que je veux que
vous le soyez aussi. — Cela est juste, lui dit dom Carlos,
mais il est juste aussi que je vous voie et que je sache qui
vous êtes. — Vous le saurez bientôt, lui dit l'invisible, et

cependant espérez sans impatience ; c'est par là que vous
pouvez mériter ce que vous prétendez de moi, qui vous
assure (afin que votre galanterie ne soit pas sans fondement et sans espoir de récompense) que je vous égale en
condition, que j'ai assez de bien pour vous faire vivre
avec autant d'éclat que le plus grand prince du royaume,
que je suis jeune, que je suis plus belle que laide ; et, pour
de l'esprit, vous en avez trop pour n'avoir pas découvert
si j'en ai ou non. » Elle se retira en achevant ces paroles,
laissant dom Carlos la bouche ouverte et prêt à répondre,
si surpris de la brusque déclaration, si amoureux d'une
personne qu'il ne voyait point et si embarrassé de ce
procédé étrange et qui pouvait aller à quelque tromperie
que sans sortir [de la] place il fut un grand quart d'heure à
faire divers jugements sur une aventure si extraordinaire.
Il savait bien qu'il y avait plusieurs princesses et dames
de condition dans Naples, mais il savait bien aussi qu'il y
avait force courtisanes affamées, fort âpres après les
étrangers, grandes friponnes et d'autant plus dangereuses
qu'elles étaient belles [66]. Je ne vous dirai point exactement s'il avait soupé et s'il se coucha sans manger,
comme font quelques faiseurs de romans qui règlent toutes les heures du jour de leurs héros, les font lever de bon
matin, conter leur histoire jusqu'à l'heure du dîner*,
dîner fort légèrement et après dîner reprendre leur histoire
ou s'enfoncer dans un bois pour y parler tout seul, si ce
n'est quand ils ont quelque chose à dire aux arbres et aux
rochers ; à l'heure du souper, se trouver à point nommé
dans le lieu où l'on mange, où ils soupirent et rêvent au
lieu de manger, et puis s'en vont faire des châteaux en
Espagne sur quelque terrasse qui regarde la mer, tandis
qu'un écuyer révèle que son maître est un tel, fils d'un roi
tel et qu'il n'y a pas un meilleur prince au monde et
qu'encore qu'il soit pour lors le plus beau des mortels,
qu'il était encore tout autre chose devant* que l'amour
l'eût défiguré. Pour revenir à mon histoire, dom Carlos se
trouva le lendemain à son poste. L'invisible était déjà au
sien. Elle lui demanda s'il n'avait pas été bien embarrassé
de la conversation passée et s'il n'était pas vrai qu'il avait
douté de tout ce qu'elle avait dit. Dom Carlos, sans

répondre à sa demande, la pria de lui dire quel danger il y
avait pour elle à ne se montrer point, puisque les choses
étaient égales de part et d'autre et que leur galanterie ne
se proposait qu'une fin qui serait approuvée de tout le
monde. « Le danger y est tout entier, comme vous saurez
avec le temps, lui dit l'invisible ; contentez-vous, encore
un coup, que je suis véritable* et que, dans la relation que
je vous ai faite de moi-même, j'ai été très modeste. »
Dom Carlos ne la pressa pas davantage. Leur conversation dura encore quelque temps ; ils s'entre-donnèrent de
l'amour encore plus qu'ils n'avaient fait et se séparèrent
avec promesse de part et d'autre de se trouver tous les
jours à l'assignation*. Le jour d'après il y eut un grand
bal chez le vice-roi. Dom Carlos espéra d'y reconnaître
son invisible et tâcha cependant d'apprendre à qui était la
maison où l'on lui donnait de si favorables audiences. Il
apprit des voisins que la maison était à une vieille dame
fort retirée, veuve d'un capitaine espagnol et qu'elle
n'avait ni filles ni nièces. Il demanda à la voir : elle lui fit
dire que, depuis la mort de son mari, elle ne voyait
personne ; ce qui l'embarrassa encore davantage. Dom
Carlos se trouva le soir chez le vice-roi, où vous pouvez
penser que l'assemblée* fut fort belle. Il observa exactement toutes les dames de l'assemblée qui pouvaient être
son inconnue. Il fit conversation avec celles qu'il put
joindre et n'y trouva pas ce qu'il cherchait. Enfin, il se
tint à la fille d'un marquis de je ne sais quel marquisat ;
car c'est la chose du monde dont je voudrais le moins
jurer en un temps où tout le monde se marquise de
soi-même, je veux dire de son chef[67]. Elle était jeune et
belle, et avait bien quelque chose du ton de voix de celle
qu'il cherchait ; mais à la longue il trouva si peu de
rapport entre son esprit et celui de son invisible qu'il se
repentit d'avoir en si peu de temps assez avancé ses
affaires auprès de cette belle personne pour pouvoir
croire, sans se flatter, qu'il n'était pas mal avec elle. Ils
dansèrent souvent ensemble ; et, le bal étant fini avec peu
de satisfaction de dom Carlos, il se sépara de sa captive
qu'il laissa toute glorieuse* d'avoir occupé seule, et en
une si belle assemblée*, un cavalier qui était envié de

tous les hommes et estimé de toutes les femmes. A la
sortie du bal il s'en alla à la hâte en son logis prendre des
armes, et de son logis à sa fatale grille, qui n'en était pas
beaucoup éloignée. Sa dame, qui y était déjà, lui demanda des nouvelles du bal, encore qu'elle y eût été. Il
lui dit ingénument qu'il avait dansé plusieurs fois avec
une fort belle personne et qu'il l'avait entretenue tant que
le bal avait duré. Elle lui fit là-dessus plusieurs questions
qui découvrirent assez qu'elle était jalouse. Dom Carlos,
de son côté, lui fit connaître qu'il avait quelque scrupule
de ce qu'elle ne s'était point trouvée au bal et que cela le
faisait douter de sa condition. Elle s'en aperçut; et, pour
lui remettre l'esprit en repos, jamais elle ne fut si charmante et elle le favorisa autant que l'on le peut en une
conversation qui se fait au travers d'une grille, jusqu'à lui
promettre qu'elle lui serait bientôt visible. Ils se sépare-
rent là-dessus, lui fort en doute s'il la devait croire, et elle
un peu jalouse de la belle personne qu'il avait entretenue
tant que le bal avait duré. Le lendemain, dom Carlos,
étant allé ouïr la messe en je ne sais quelle église, présenta de l'eau bénite à deux dames masquées qui en
voulaient prendre en même temps que lui. La mieux
vêtue de ces deux dames lui dit qu'elle ne recevait point
de civilité d'une personne à qui elle voulait faire un
éclaircissement*. «Si vous n'êtes point trop pressée, lui
dit dom Carlos, vous pouvez vous satisfaire tout à
l'heure. — Suivez-moi donc dans la prochaine chapelle»,
lui répondit la dame inconnue. Elle s'y en alla la première, et dom Carlos la suivit, fort en doute si c'était sa
dame, quoiqu'il la vît de même taille, parce qu'il trouvait
quelque différence en leurs voix, celle-ci parlant un peu
gras [68]. Voici ce qu'elle lui dit, après s'être enfermée
avec lui dans la chapelle: «Toute la ville de Naples,
seigneur dom Carlos, est pleine de la haute réputation que
vous y avez acquise depuis le peu de temps que vous y
êtes et vous y passez pour un des plus honnêtes hommes
du monde; on trouve seulement étrange que vous ne vous
soyez point aperçu qu'il y a en cette ville des dames de
condition et de mérite qui ont pour vous une estime
particulière. Elles vous l'ont témoignée autant que la

bienséance le peut permettre ; et, bien qu'elles souhaitent
ardemment de vous le faire croire, elles aiment pourtant
mieux que vous ne l'ayez pas reconnu par insensibilité
que si vous le dissimuliez par indifférence. Il y en a une
entre autres de ma connaissance, qui vous estime assez
pour vous avertir, au péril de tout ce qu'on en pourra dire,
que vos aventures de nuit sont découvertes, que vous
vous engagez imprudemment à aimer ce que vous ne
connaissez point ; et puisque votre maîtresse se cache,
qu'il faut qu'elle ait honte de vous aimer, ou peur de
n'être pas assez aimable. Je ne doute point que votre
amour de contemplation n'ait pour objet une dame de
grande qualité et de beaucoup d'esprit et qu'il ne se soit
figuré une maîtresse tout adorable ; mais, seigneur dom
Carlos, ne croyez pas votre imagination aux dépens de
votre jugement ; défiez-vous d'une personne qui se cache
et ne vous engagez pas plus avant dans ces conversations
nocturnes. Mais pourquoi me déguiser davantage ? C'est
moi qui suis jalouse de votre fantôme, qui trouve mauvais
que vous lui parliez ; et, puisque je me suis déclarée, qui
vais si bien lui rompre tous ses desseins que j'emporterai
sur elle une victoire que j'ai droit de lui disputer, puisque
je ne lui suis point inférieure ni en beauté, ni en richesses,
ni en qualité, ni en tout ce qui rend une personne aimable ;
profitez de l'avis si vous êtes sage. » Elle s'en alla en
disant ces dernières paroles, sans donner le temps à dom
Carlos de lui répondre. Il la voulut suivre ; mais il trouva
à la porte de l'église un homme de condition qui l'engagea en une conversation qui dura assez longtemps et dont
il ne se put défendre. Il rêva le reste du jour à cette
aventure et soupçonna d'abord la demoiselle* du bal
d'être la dernière dame masquée qui lui était apparue ;
mais, songeant qu'elle lui avait fait voir beaucoup d'esprit et se souvenant que l'autre n'en avait guère, il ne sut
plus ce qu'il en devait croire et souhaita quasi de n'être
point engagé avec son obscure maîtresse pour se donner
tout entier à celle qui venait de le quitter ; mais enfin,
venant à considérer qu'elle ne lui était pas plus connue
que son invisible, de qui l'esprit l'avait charmé dans les
conversations qu'il avait eues avec elle, il ne balança

point dans le parti qu'il devait prendre et ne se mit pas
beaucoup en peine des menaces qu'on lui avait faites,
n'étant pas homme à être poussé par là. Ce jour-là même
il ne manqua pas de se trouver à sa grille à l'heure
accoutumée et il ne manqua pas aussi au fort de la
conversation qu'il eut avec son invisible, d'être saisi par
quatre hommes masqués, assez forts pour le désarmer et
le porter quasi à force de bras dans un carrosse qui les
attendait au bout de la rue. Je laisse à juger au lecteur les
injures qu'il leur dit et les reproches qu'il leur fit de
l'avoir pris à leur avantage [69]. Il essaya même de les
gagner par promesses ; mais, au lieu de les persuader, il
ne les obligea qu'à prendre un peu plus garde à lui et à lui
ôter tout à fait l'espérance de pouvoir s'aider de son
courage et de sa force. Cependant le carrosse allait toujours au grand trot de quatre chevaux ; il sortit de la ville
et, au bout d'une heure, il entra dans une superbe maison,
dont l'on tenait la porte ouverte pour le recevoir. Les
quatre mascarades* descendirent du carrosse avec dom
Carlos, le tenant par-dessous les bras, comme un ambassadeur introduit à saluer le Grand Seigneur [70]. On le
monta jusqu'au premier étage avec la même cérémonie,
et là deux demoiselles masquées le vinrent recevoir à la
porte d'une grande salle, chacune un flambeau à la main.
Les hommes masqués le laissèrent en liberté et se retirèrent après lui avoir fait une profonde révérence. Il y a
apparence qu'ils ne lui laissèrent ni pistolet ni épée et
qu'il ne les remercia pas de la peine qu'ils avaient prise à
le bien garder. Ce n'est pas qu'il ne fût fort civil ; mais on
peut bien pardonner un manquement de civilité à un
homme surpris. Je ne vous dirai point si les flambeaux
que tenaient les demoiselles étaient d'argent ; c'est pour le
moins [71] : ils étaient plutôt de vermeil doré ciselé, et la
salle était la plus magnifique du monde et, si vous voulez,
aussi bien meublée que quelques appartements de nos
romans, comme le vaisseau de Zelmandre dans le *Polexandre* [72], le palais d'Ibrahim dans l'*Illustre Bassa* [73],
ou la chambre où le roi d'Assyrie reçut Mandane, dans le
Cyrus [74], qui est sans doute, aussi bien que les autres que
j'ai nommés, le livre du monde le mieux meublé. Repré-

sentez-vous donc si notre Espagnol ne fut pas bien étonné
[de se voir] dans ce superbe appartement, avec deux
demoiselles masquées qui ne parlaient point et qui le
conduisirent dans une chambre voisine, encore mieux
meublée que la salle, où elles le laissèrent tout seul. S'il
eût été de l'humeur de dom Quichotte, il eût trouvé là de
quoi s'en donner jusqu'aux gardes[75] et il se fût cru pour
le moins Esplandian[76] ou Amadis[77]; mais notre Espagnol ne s'en émut non plus que s'il eût été en son
hôtellerie ou auberge; il est vrai qu'il regretta beaucoup
son invisible et que, songeant continuellement en elle, il
trouva cette belle chambre plus triste qu'une prison, que
l'on ne trouve jamais belle que par dehors. Il crut facilement qu'on ne lui voulait point de mal où l'on l'avait si
bien logé et ne douta point que la dame qui lui avait parlé
le jour d'auparavant dans l'église ne fût la magicienne de
tous ces enchantements. Il admira en lui-même l'humeur
des femmes et combien tôt elles exécutent leurs résolutions et il se résolut aussi, de son côté, à attendre patiemment la fin de l'aventure et de garder fidélité à sa maîtresse de la grille, quelques promesses et quelques menaces qu'on lui pût faire. A quelque temps de là, des
officiers* masqués et fort bien vêtus vinrent mettre le
couvert et l'on servit ensuite le souper. Tout en fut magnifique; la musique et les cassolettes n'y furent pas
oubliées et notre dom Carlos, outre les sens de l'odorat et
de l'ouïe, contenta aussi celui du goût, plus que je n'aurais pensé en l'état où il était, je veux dire qu'il soupa fort
bien; mais que ne peut un grand courage*? J'oubliais à
vous dire que je crois qu'il se lava la bouche, car j'ai su
qu'il avait grand soin de ses dents. La musique dura
encore quelque temps après le souper; et, tout le monde
s'étant retiré, dom Carlos se promena longtemps, rêvant à
tous ces enchantements ou à autre chose. Deux demoiselles masquées et un nain masqué, après avoir dressé une
superbe toilette[78], le vinrent déshabiller sans savoir de lui
s'il avait envie de se coucher. Il se soumit à tout ce que
l'on voulut; les demoiselles firent la couverture et se
retirèrent; le nain le déchaussa ou débotta et puis le
déshabilla. Dom Carlos se mit au lit, et tout cela sans que

l'on proférât la moindre parole de part et d'autre. Il
dormit assez bien pour un amoureux. Les oiseaux d'une
volière le réveillèrent au point du jour ; le nain masqué se
présenta pour le servir et lui fit prendre le plus beau linge
du monde, le mieux blanchi et le plus parfumé. Ne disons
point, si vous voulez, ce qu'il fit jusqu'au dîner*, qui
valut bien le souper, et allons jusqu'à la rupture du
silence que l'on avait gardé jusques à l'heure. Ce fut une
demoiselle masquée qui le rompit en lui demandant s'il
aurait agréable de voir la maîtresse du palais enchanté. Il
dit qu'elle serait la bienvenue. Elle entra bientôt après,
suivie de quatre demoiselles fort richement vêtues :

> Telle n'est point la Cythérée,
> Quand, d'un nouveau feu s'allumant, ·
> Elle sort pompeuse et parée
> Pour la conquête d'un amant [79].

Jamais notre Espagnol n'avait vu une personne de
meilleure mine que cette Urgande la déconnue [80]. Il en fut
si ravi et si étonné en même temps que toutes les révérén-
ces et les pas qu'il fit en lui donnant la main jusqu'à une
chambre prochaine où elle le fit entrer furent autant de
bronchades*. Tout ce qu'il avait vu de beau dans la salle
et dans la chambre dont je vous ai déjà parlé n'était rien à
comparaison de ce qu'il trouva en celle-ci, et tout cela
recevait encore du lustre de la dame masquée. Ils passè-
rent sur la plus riche estrade* que l'on ait jamais vue
depuis qu'il y a des estrades au monde. L'Espagnol y fut
mis en un fauteuil, en dépit qu'il en eût ; et la dame
s'étant assise sur je ne sais combien de riches carreaux*
vis-à-vis de lui, elle lui fit entendre une voix aussi douce
qu'un clavecin, en lui disant à peu près ce que je vais
vous dire : « Je ne doute point, seigneur dom Carlos, que
vous ne soyez fort surpris de tout ce qui vous est arrivé
depuis hier en ma maison ; et si cela n'a pas fait grand
effet sur vous, au moins aurez-vous vu par là que je sais
tenir ma parole et, par ce que j'ai déjà fait, vous aurez pu
juger de tout ce que je suis capable de faire. Peut-être que
ma rivale, par ses artifices et par le bonheur de vous avoir
attaqué la première, s'est déjà rendue maîtresse absolue

de la place que je lui dispute en votre cœur, mais une femme ne se rebute pas du premier coup et si ma fortune, qui n'est pas à mépriser, et tout ce que l'on peut posséder avec moi, ne peuvent vous persuader de m'aimer, j'aurai la satisfaction de ne m'être point cachée par honte ou par finesse* et d'avoir mieux aimé me faire mépriser par mes défauts que me faire aimer par mes artifices. » En disant ces dernières paroles, elle se démasqua et fit voir à dom Carlos les cieux ouverts ou, si vous voulez, le ciel en petit, la plus belle tête du monde, soutenue par un corps de la plus riche taille qu'il eût jamais admirée ; enfin, tout cela joint ensemble, une personne toute divine. A la fraîcheur de son visage on ne lui eût pas donné plus de seize ans ; mais à je ne sais quel air galant et majestueux tout ensemble, que les jeunes personnes n'ont pas encore, on connaissait qu'elle pouvait être en sa vingtième année. Dom Carlos fut quelque temps sans lui répondre, se fâchant quasi contre sa dame invisible, qui l'empêchait de se donner tout entier à la plus belle personne qu'il eût jamais vue, et hésitant en ce qu'il devait dire et en ce qu'il devait faire. Enfin, après un combat intérieur, qui dura assez longtemps pour mettre en peine la dame du palais enchanté, il prit une forte résolution de ne lui point cacher ce qu'il avait dans l'âme ; et ce fut sans doute une des plus belles actions qu'il eût jamais faites. Voici la réponse qu'il lui fit, que plusieurs personnes ont trouvée bien crue : « Je ne vous puis nier, madame, que je ne fusse trop heureux de vous plaire, si je le pouvais être assez pour vous pouvoir aimer. Je vois bien que je quitte la plus belle personne du monde pour une autre qui ne l'est peut-être que dans mon imagination. Mais, madame, m'auriez-vous trouvé digne de votre affection si vous m'aviez cru capable d'être infidèle ? Et pourrais-je être fidèle si je vous pouvais aimer ? Plaignez-moi donc, madame, sans me blâmer ou plutôt, plaignons-nous ensemble, vous de ne pouvoir obtenir ce que vous désirez et moi de ne voir point ce que j'aime. » Il dit cela d'un air si triste que la dame put aisément remarquer qu'il parlait selon ses véritables sentiments. Elle n'oublia rien de ce qui le pouvait persuader ; il fut sourd à ses prières et ne fut point touché

de ses larmes. Elle revint à la charge plusieurs fois : à
bien attaqué, bien défendu[81]. Enfin, elle en vint aux
injures et aux reproches et lui dit

> Tout ce que fait dire la rage
> Quand elle est maîtresse des sens[82],

et le laissa là, non pas pour reverdir[83], mais pour maudire
cent fois son malheur, qui ne lui venait que de trop de
bonnes fortunes. Une demoiselle lui vint dire un peu
après qu'il avait la liberté de s'aller promener dans le
jardin. Il traversa tous ces beaux appartements sans trouver personne jusqu'à l'escalier, au bas duquel il vit dix
hommes masqués qui gardaient la porte, armés de pertui-
sanes * et de carabines. Comme il traversait la cour pour
s'aller promener dans ce jardin, qui était aussi beau que le
reste de la maison, un de ces archers de la garde passa à
côté de lui sans le regarder et lui dit, comme ayant peur
d'être ouï, qu'un vieil gentilhomme l'avait chargé d'une
lettre pour lui et qu'il avait promis de la lui donner en
main propre, quoiqu'il y allât de la vie s'il était découvert ; mais qu'un présent de vingt pistoles et la promesse
d'autant lui avaient fait tout hasarder. Dom Carlos lui
promit d'être secret et entra vitement dans le jardin pour
lire cette lettre.

« Depuis que je vous ai perdu, vous avez pu juger de la
« peine où je suis par celle où vous devez être si vous
« m'aimez autant que je vous aime. Enfin, je me trouve
« un peu consolée depuis que j'ai découvert le lieu où
« vous êtes. C'est la princesse Porcia qui vous a enlevé.
« Elle ne considère rien quand il va de se contenter et
« vous n'êtes pas le premier Renaud de cette dangereuse
« Armide[84] ; mais je romprai tous ses enchantements et
« vous tirerai bientôt d'entre ses bras pour vous donner,
« entre les miens, ce que vous méritez si vous êtes aussi
« constant que je le souhaite.

                                        « LA DAME INVISIBLE. »

Dom Carlos fut si ravi d'apprendre des nouvelles de sa
dame, dont il était véritablement amoureux, qu'il baisa
cent fois la lettre et revint trouver à la porte du jardin celui

qui la lui avait donnée pour le récompenser d'un diamant
qu'il avait au doigt. Il se promena encore quelque temps
dans le jardin, ne se pouvant assez étonner de cette
princesse Porcia, dont il avait souvent ouï parler comme
d'une jeune dame fort riche et pour être de l'une des
meilleures maisons du royaume, et comme il était fort
vertueux, il conçut une telle aversion pour elle qu'il
résolut au péril de la vie de faire tout ce qu'il pourrait
pour se tirer hors de sa prison. Au sortir du jardin, il
trouva une demoiselle démasquée (car on ne se masquait
plus dans le palais) qui lui venait demander s'il aurait
agréable que sa maîtresse mangeât ce jour-là avec lui. Je
vous laisse à penser s'il dit qu'elle serait la bienvenue. On
servit quelque temps après pour souper ou pour dîner, car
je ne me souviens plus lequel ce doit être. Porcia y parut
plus belle, je vous ai tantôt dit, que la Cythérée; il n'y a
point d'inconvénient de dire ici, pour diversifier : plus
belle que le jour ou que l'aurore. Elle fut toute charmante
tandis qu'ils furent à table et fit paraître tant d'esprit à
l'Espagnol qu'il eut un secret déplaisir de voir, en une
dame de si grande condition, tant d'excellentes qualités si
mal employées. Il se contraignit le mieux qu'il put pour
paraître de belle humeur, quoiqu'il songeât continuellement en son inconnue et qu'il brûlât d'un violent désir de
se revoir à sa grille. Aussitôt que l'on eut desservi, on les
laissa seuls; et dom Carlos ne parlant point, ou par
respect, ou pour obliger la dame de parler la première,
elle rompit le silence en ces termes : « Je ne sais si je dois
espérer quelque chose de la gaieté que je pense avoir
remarquée sur votre visage et si le mien, que je vous ai
fait voir, ne vous a point semblé assez beau pour vous
faire douter si celui que l'on vous cache est plus capable
de vous donner de l'amour. Je n'ai point déguisé ce que je
vous ai voulu donner, parce que je n'ai point voulu que
vous vous pussiez repentir de l'avoir reçu; et, quoiqu'une
personne accoutumée à recevoir des prières se puisse
aisément offenser d'un refus, je n'aurai aucun ressentiment de celui que j'ai déjà reçu de vous, pourvu que vous
le répariez en me donnant ce que je crois mieux mériter
que votre invisible. Faites-moi donc savoir votre dernière

résolution afin que, si elle n'est pas à mon avantage, je
cherche dans la mienne des raisons assez fortes pour
combattre celles que je pense avoir eues de vous aimer. »
Dom Carlos attendit quelque temps qu'elle reprît la parole ; et, voyant qu'elle ne parlait plus et que, les yeux
baissés contre terre, elle attendait l'arrêt qu'il allait pro-
noncer, il suivit la résolution qu'il avait déjà prise de lui
parler franchement et de lui ôter toute sorte d'espérance
qu'il pût jamais être à elle. Voici comme il s'y prit :
« Madame, devant* que de répondre à ce que vous voulez
savoir de moi, il faut qu'avec la même franchise que vous
voulez que je parle, vous me découvriez sincèrement vos
sentiments sur ce que je vais vous dire. Si vous aviez
obligé une personne à vous aimer, ajouta-t-il, et que, par
toutes les faveurs que peut accorder une dame sans faire
tort à sa vertu, vous l'eussiez obligée à vous jurer une
fidélité inviolable, ne le tiendriez-vous pas pour le plus
lâche et le plus traître de tous les hommes s'il manquait à
ce qu'il vous aurait promis ? Et ne serais-je pas ce lâche et
ce traître si je quittais pour vous une personne qui doit
croire que je l'aime ? » Il allait mettre quantité de beaux
arguments en forme pour la convaincre, mais elle ne lui
en donna pas le temps ; elle se leva brusquement en lui
disant qu'elle voyait bien où il en voulait venir, qu'elle ne
pouvait s'empêcher d'admirer sa constance quoiqu'elle
fût si contraire à son repos ; qu'elle le remettait en liberté
et que, s'il la voulait obliger, il attendrait que la nuit fût
venue pour s'en retourner de la même façon qu'il était
venu. Elle tint son mouchoir devant ses yeux tandis
qu'elle parla, comme pour cacher ses larmes, et laissa
l'Espagnol un peu interdit et pourtant si ravi de joie de se
voir en liberté qu'il n'eût pu la cacher, quand même il eût
été le plus grand hypocrite du monde ; et je crois que, si la
dame y eût pris garde, elle n'eût pu s'empêcher de le
quereller. Je ne sais si la nuit fut longue à venir ; car,
comme je vous ai déjà dit, je ne prends plus la peine de
remarquer ni le temps ni les heures ; vous saurez seulement qu'elle vint et qu'il se mit en un carrosse fermé, qui
le laissa en son logis après un assez long chemin. Comme
il était le meilleur maître du monde, ses valets pensèrent

mourir de joie quand ils le virent et l'étouffer à force de
l'embrasser ; mais ils n'en jouirent pas longtemps. Il prit
des armes et, accompagné de deux des siens qui n'étaient
pas gens à se laisser battre, il alla bien vite à sa grille et si
vite que ceux qui l'accompagnaient eurent bien de la
peine à le suivre. Il n'eut pas plutôt fait le signal accoutumé que sa déité invisible se communiqua à lui. Ils se
dirent mille choses si tendres que j'en ai les larmes aux
yeux toutes les fois que j'y pense. Enfin l'invisible lui dit
qu'elle venait de recevoir un déplaisir sensible dans la
maison où elle était, qu'elle avait envoyé quérir un carrosse pour en sortir et, parce qu'il serait longtemps à
venir et que le sien pourrait être plus tôt prêt qu'elle le
priait de l'envoyer quérir pour la mener en un lieu où elle
ne lui cacherait plus son visage. L'Espagnol ne se fit pas
dire la chose deux fois ; il courut comme un fou à ses gens
qu'il avait laissés au bout de la rue et envoya quérir son
carrosse. Le carrosse venu, l'invisible tint sa parole et se
mit dedans avec lui. Elle conduisit le carrosse elle-même,
enseignant au cocher le chemin qu'il devait prendre et le
fit arrêter auprès d'une grande maison dans laquelle il
entra à la lueur de plusieurs flambeaux qui furent allumés
à leur arrivée. Le cavalier monta avec la dame, par un
grand escalier, dans une salle haute où il ne fut pas sans
inquiétude, voyant qu'elle ne se démasquait point encore.
Enfin, plusieurs demoiselles richement parées les étant
venues recevoir, chacune un flambeau à la main, l'invisible ne le fut plus, et, ôtant son masque, fit voir à dom
Carlos que la dame de la grille et la princesse Porcia
n'étaient qu'une même personne. Je ne vous représenterai
point l'agréable surprise de dom Carlos. La belle Napo-
litaine lui dit qu'elle l'avait enlevé une seconde fois pour
savoir sa dernière résolution ; que la dame de la grille lui
avait cédé les prétentions qu'elle avait sur lui, et ajouta
ensuite cent choses aussi galantes que spirituelles. Dom
Carlos se jeta à ses pieds, embrassa ses genoux et lui
pensa manger les mains à force de les baiser, s'exemptant
par là de lui dire toutes les impertinences que l'on dit
quand on est trop aise. Après que ces premiers transports
furent passés, il se servit de tout son esprit et de toute sa

cajolerie pour exagérer* l'agréable caprice de sa maîtresse et s'en acquitta en des façons de parler si avantageuses pour elle qu'elle en fut encore plus assurée de ne
s'être point trompée en son choix. Elle lui dit qu'elle ne
s'était pas voulu fier à une autre personne qu'à elle-même
d'une chose sans laquelle elle n'eût jamais pu l'aimer et
qu'elle ne se fût jamais donnée à un homme moins
constant que lui. Là-dessus les parents de la princesse
Porcia, ayant été avertis de son dessein, arrivèrent.
Comme elle était une des plus considérées personnes du
royaume et dom Carlos homme de condition, on n'avait
pas eu grand-peine à avoir dispense de l'archevêque pour
leur mariage. Ils furent mariés la même nuit par le curé de
la paroisse, qui était un bon prêtre et grand prédicateur;
et, cela étant, il ne faut pas demander s'il fit une belle
exhortation. On dit qu'ils se levèrent bien tard le lendemain; ce que je n'ai pas grand-peine à croire. La nouvelle
en fut bientôt divulguée, dont le vice-roi, qui était proche
parent de dom Carlos, fut si aise que les réjouissances
publiques recommencèrent dans Naples, où l'on parle
encore de dom Carlos d'Aragon et de son amante invisible.

CHAPITRE X

COMMENT RAGOTIN
EUT UN COUP DE BUSC SUR LES DOIGTS

L'histoire de Ragotin fut suivie de l'applaudissement
de tout le monde; il en devint aussi fier que si elle eût été
de son invention; et cela ajouté à son orgueil naturel, il
commença à traiter les comédiens de haut en bas et,
s'approchant des comédiennes, leur prit les mains sans
leur consentement, voulut un peu patiner*, galanterie
provinciale qui tient plus du satyre que de l'honnête
homme. Mademoiselle de L'Étoile se contenta de retirer
ses mains blanches d'entre les siennes crasseuses et ve-
lues, et sa compagne, mademoiselle Angélique, lui déchargea un grand coup de busc* sur les doigts. Il les

quitta sans rien dire, tout rouge de dépit et de honte et rejoignit la compagnie, où chacun parlait de toute sa force sans entendre ce que disaient les autres. Ragotin en fit taire la plus grande partie, tant il haussa sa voix pour leur demander ce qu'ils disaient de son histoire. Un jeune homme, dont j'ai oublié le nom, lui répondit qu'elle n'était pas à lui plutôt qu'à un autre puisqu'il l'avait prise dans un livre ; et, en disant cela, il en fit voir un qui sortait à demi hors de la pochette* de Ragotin et s'en saisit brusquement. Ragotin lui égratigna toutes les mains pour le ravoir ; mais, malgré Ragotin, il le mit entre les mains d'un autre que Ragotin saisit aussi vainement que le premier. Le livre ayant déjà convolé en troisième main, il passa de la même façon en cinq ou six mains différentes, auxquelles Ragotin ne put atteindre parce qu'il était le plus petit de la compagnie. Enfin, s'étant allongé cinq ou six fois fort inutilement, ayant déchiré autant de manchettes et égratigné autant de mains, et le livre se promenant toujours dans la moyenne région [85] de la chambre, le pauvre Ragotin, qui vit que tout le monde s'éclatait de rire à ses dépens, se jeta tout furieux sur le premier auteur de sa confusion et lui donna quelques coups de poing dans le ventre et dans les cuisses, ne pouvant pas aller plus haut. Les mains de l'autre, qui avaient l'avantage du lieu, tombèrent à plomb cinq ou six fois sur le haut de sa tête et si pesamment qu'elle entra dans son chapeau jusques au menton. dont le pauvre petit homme eut le siège de la raison si ébranlé qu'il ne savait plus où il en était. Pour dernier accablement, son adversaire, en le quittant, lui donna un coup de pied au haut de la tête, qui le fit aller choir sur le cul au pied des comédiennes après une rétrogradation [86] fort précipitée. Représentez-vous, je vous prie, quelle doit être la fureur d'un petit homme plus glorieux* lui seul que tous les barbiers du royaume [87], en un temps où il se faisait tout blanc [88] de son épée, c'est-à-dire de son histoire, et devant des comédiennes dont il voulait devenir amoureux ; car, comme vous verrez tantôt, il ignorait encore laquelle lui touchait le plus au cœur. En vérité, son petit corps tombé sur le cul témoigna si bien la fureur de son âme par les divers mouvements de

ses bras et de ses jambes qu'encore que l'on ne pût voir
son visage, à cause que sa tête était emboîtée dans son
chapeau, tous ceux de la compagnie jugèrent à propos de
se joindre ensemble et de faire comme une barrière entre
Ragotin et celui qui l'avait offensé, que l'on fit sauver,
tandis que les charitables comédiennes relevèrent le petit
homme, qui hurlait cependant comme un taureau dans
son chapeau parce qu'il lui bouchait les yeux et la bouche
et lui empêchait la respiration. La difficulté fut de le lui
ôter. Il était en forme de pot de beurre et, l'entrée en étant
plus étroite que le ventre, Dieu sait si une tête, qui y était
entrée de force et dont le nez était très grand, en pouvait
sortir comme elle y était entrée. Ce malheur-là fut cause
d'un grand bien, car vraisemblablement il était au plus
haut point de sa colère, qui eût sans doute produit un effet
digne d'elle si son chapeau, qui le suffoquait, ne l'eût fait
songer à sa conservation plutôt qu'à la destruction d'un
autre. Il ne pria point qu'on le secourût, car il ne pouvait
parler; mais, quand on vit qu'il portait vainement ses
mains tremblantes à sa tête pour se la mettre en liberté et
qu'il frappait des pieds contre le plancher, de rage qu'il
avait de se rompre inutilement les ongles, on ne songea
plus qu'à le secourir. Les premiers efforts que l'on fit
pour le décoiffer furent si violents qu'il crut qu'on lui
voulait arracher la tête. Enfin, n'en pouvant plus, il fit
signe avec les doigts que l'on coupât son habillement de
tête avec des ciseaux. Mademoiselle de La Caverne détacha ceux de sa ceinture; et La Rancune, qui fut l'opérateur de cette belle cure, après avoir fait semblant de faire
l'incision vis-à-vis du visage (ce qui ne lui fit pas une
petite peur), fendit le feutre par-derrière la tête depuis le
bas jusqu'en haut. Aussitôt que l'on eut donné l'air à son
visage, toute la compagnie s'éclata de rire de le voir aussi
bouffi que s'il eût été prêt à crever pour la quantité
d'esprits* qui lui étaient montés au visage et, de plus, de
ce qu'il avait le nez écorché. La chose en fût pourtant
demeurée là, si un méchant railleur ne lui eût dit qu'il
fallait faire rentraire* son chapeau. Cet avis hors de
saison ralluma si bien sa colère, qui n'était pas tout à fait
éteinte, qu'il saisit un des chenets de la cheminée et,

faisant semblant de le jeter au travers de toute la troupe,
causa une telle frayeur aux plus hardis que chacun tâcha
de gagner la porte pour éviter le coup de chenet ; tellement qu'ils se pressèrent si fort qu'il n'y en eut qu'un qui
put sortir, encore fut-ce en tombant, ses jambes éperon-
nées s'étant embarrassées dans celles des autres. Ragotin
se mit à rire à son tour, ce qui rassura tout le monde ; on
lui rendit son livre et les comédiens lui prêtèrent un vieil
chapeau. Il s'emporta furieusement contre celui qui
l'avait si maltraité ; mais, comme il était plus vain que
vindicatif, il dit aux comédiens, comme s'il leur eût
promis quelque chose de rare, qu'il voulait faire une
comédie de son histoire et que, de la façon qu'il la
traiterait, il était assuré d'aller d'un seul saut où les autres
poètes n'étaient parvenus que par degrés. Le Destin lui
dit que l'histoire qu'il avait contée était fort agréable,
mais qu'elle n'était pas bonne pour le théâtre. « Je crois
que vous me l'apprendrez, dit Ragotin, ma mère était
filleule du poète Garnier [89] ; et moi qui vous parle, j'ai
encore chez moi son écritoire. » Le Destin lui dit que le
poète Garnier lui-même n'en viendrait pas à son honneur.
« Et qu'y trouvez-vous de si difficile ? lui demanda Ragotin. — Que l'on n'en peut faire une comédie dans les
règles sans beaucoup de fautes contre la bienséance et
contre le jugement, répondit Le Destin. — Un homme
comme moi peut faire des règles quand il voudra [90], dit
Ragotin. Considérez, je vous prie, ajouta-t-il, si ce ne
serait pas une chose nouvelle et magnifique tout ensemble
de voir un grand portail d'église au milieu d'un théâtre,
devant lequel une vingtaine de cavaliers, tant plus que
moins, avec autant de demoiselles, feraient mille galanteries : cela ravirait tout le monde. Je suis de votre avis,
continua-t-il, qu'il ne faut rien faire contre la bienséance
ou les bonnes mœurs, et c'est pour cela que je ne voudrais
pas faire parler mes acteurs au-dedans de l'église. » Le
Destin l'interrompit pour lui demander où il pourrait
trouver tant de cavaliers et tant de dames. « Et comment
fait-on dans les collèges où on donne des batailles [91] ? dit
Ragotin. J'ai joué à La Flèche [92] la déroute du Pont-
de-Cé [93], ajouta-t-il ; plus de cent soldats du parti de la

reine mère parurent sur le théâtre, sans ceux de l'armée
du roi, qui étaient encore en plus grand nombre ; et il me
souvient qu'à cause d'une grande pluie qui troubla la fête,
on disait que toutes les plumes de la noblesse du pays,
que l'on avait empruntées, n'en relèveraient jamais. »
Destin, qui prenait plaisir à lui faire dire des choses si
judicieuses, lui repartit que les collèges avaient assez
d'écoliers pour cela, et pour eux qu'ils n'étaient que sept
ou huit, quand leur troupe était bien forte. La Rancune
qui ne valait rien, comme vous savez, se mit du côté de
Ragotin pour aider à le jouer et dit à son camarade qu'il
n'était pas de son avis, qu'il était plus vieil comédien que
lui, qu'un portail d'église serait la plus belle décoration
de théâtre que l'on eût jamais vue et, pour la quantité
nécessaire de cavaliers et de dames, qu'on en louerait une
partie et l'autre serait faite de carton. Ce bel expédient de
carton de La Rancune fit rire toute la compagnie ; Ragotin
en rit aussi et jura qu'il le savait bien, mais qu'il ne l'avait
pas voulu dire. « Et le carrosse, ajouta-t-il, quelle nouveauté serait-ce dans une comédie ? J'ai fait autrefois le
chien de Tobie [94] et je le fis si bien que toute l'assistance
en fut ravie ; et pour moi, continua-t-il, si l'on doit juger
des choses par l'effet qu'elles font dans l'esprit, toutes les
fois que j'ai vu jouer Pyrame et Thisbé [95], je n'ai pas été
tant touché de la mort de Pyrame qu'effrayé du lion. » La
Rancune appuya les raisons de Ragotin par d'autres aussi
ridicules et se mit par là si bien en son esprit que Ragotin
l'emmena souper avec lui. Tous les autres importuns
laissèrent aussi les comédiens en liberté, qui avaient plus
envie de souper que d'entretenir les fainéants de la ville.

CHAPITRE XI

QUI CONTIENT CE QUE VOUS VERREZ,
SI VOUS PRENEZ LA PEINE DE LE LIRE

Ragotin mena La Rancune dans un cabaret où il se fit
donner tout ce qu'il y avait de meilleur. On a cru qu'il ne

le mena pas chez lui, à cause que son ordinaire* n'était pas trop bon; mais je n'en dirai rien, de peur de faire des jugements téméraires, et je n'ai point voulu approfondir l'affaire parce qu'elle n'en vaut pas la peine et que j'ai des choses à écrire qui sont bien d'une autre conséquence. La Rancune, qui était homme de grand discernement et qui connaissait d'abord* son monde, ne vit pas plus tôt servir deux perdrix et un chapon pour deux personnes, qu'il se douta que Ragotin ne le traitait pas si bien pour son seul mérite ou pour le payer de la complaisance qu'il avait eue pour lui en soutenant que son histoire était un beau sujet de théâtre, mais qu'il avait quelque autre dessein. Il se prépara donc à ouïr quelque nouvelle extravagance de Ragotin, qui ne découvrit pas d'abord ce qu'il avait dans l'âme et continua à parler de son histoire. Il récita force vers satiriques qu'il avait faits contre la plupart de ses voisins, contre des cocus qu'il ne nommait point et contre des femmes. Il chanta des chansons à boire et lui montra quantité d'anagrammes[96], car d'ordinaire les rimailleurs, par de semblables productions de leur esprit mal fait, commencent à incommoder les honnêtes gens. La Rancune acheva de le gâter*. Il exagéra tout ce qu'il ouït en levant les yeux au ciel; il jura, comme un homme qui perd, qu'il n'avait jamais rien ouï de plus beau et fit même semblant de s'en arracher les cheveux, tant il était transporté. Il lui disait de temps en temps : « Vous êtes bien malheureux et nous aussi, que vous ne vous donnez tout entier au théâtre; dans deux ans on ne parlerait non plus de Corneille que l'on fait à cette heure de Hardy[97]. Je ne sais que c'est que de flatter, ajouta-t-il; mais, pour vous donner courage, il faut que je vous avoue qu'en vous voyant j'ai bien connu que vous étiez un grand poète, et vous pouvez savoir de mes camarades ce que je leur en ai dit. Je ne m'y trompe guère, je sens un poète de demi-lieue loin : aussi d'abord* que je vous ai vu, vous ai-je connu comme si je vous avais nourri. » Ragotin avalait cela doux comme lait, conjointement avec plusieurs verres de vin qui l'enivraient encore plus que les louanges de La Rancune qui, de son côté, mangeait et buvait d'une grande force,

s'écriant de temps en temps : « Au nom de Dieu, monsieur Ragotin, faites profiter le talent ; encore un coup
vous êtes un méchant homme de ne vous enrichir pas et
nous aussi. Je brouille un peu du papier aussi bien que les
autres ; mais si je faisais des vers aussi bons la moitié que
ceux que vous me venez de lire, je ne serais pas réduit à
tirer le diable par la queue et je vivrais de mes rentes aussi
bien que Mondory [98]. Travaillez donc, monsieur Ragotin,
travaillez ; et si dès cet hiver nous ne jetons de la poudre
aux yeux de messieurs de l'hôtel de Bourgogne et du
Marais [99], je veux ne monter jamais sur le théâtre que je
ne me rompe un bras ou une jambe ; après cela je n'ai
plus rien à dire, et buvons. » Il tint sa parole et, ayant
donné double charge à un verre, il porta la santé de
monsieur Ragotin à monsieur Ragotin même qui lui fit
raison et renvia* de la santé des comédiennes qu'il but
tête nue et avec un si grand transport qu'en remettant son
verre sur la table, il en rompit la patte sans s'en aviser,
tellement qu'il tâcha deux ou trois fois de le redresser,
pensant l'avoir mis lui-même sur le côté. Enfin il le jeta
par-dessus sa tête et tira La Rancune par le bras afin qu'il
y prît garde, pour ne perdre pas la réputation d'avoir
cassé un verre. Il fut un peu attristé de ce que La Rancune
n'en rit point ; mais, comme je vous ai déjà dit, il était
plutôt animal envieux qu'animal risible*. La Rancune lui
demanda ce qu'il disait de leurs comédiennes. Le petit
bonhomme rougit sans lui répondre et, La Rancune lui
demandant encore la même chose, enfin bégayant, rougissant et s'exprimant très mal, il fit entendre à La Rancune qu'une des comédiennes lui plaisait infiniment. « Et
laquelle ? » lui dit La Rancune. Le petit homme était si
troublé d'en avoir tant dit qu'il répondit : « Je ne sais. —
Ni moi aussi », dit La Rancune. Cela le troubla encore
davantage et lui fit ajouter tout interdit : « C'est…
c'est… » Il répéta quatre ou cinq fois le même mot dont le
comédien, s'impatientant, lui dit : « Vous avez raison ;
c'est une fort belle fille. » Cela acheva de le défaire*. Il
ne put jamais dire celle à qui il en voulait, et peut-être
qu'il n'en savait rien encore et qu'il avait moins d'amour
que de vice. Enfin, La Rancune lui nommant mademoi-

selle de L'Étoile, il dit que c'était elle dont il était amoureux ; et, pour moi, je crois que, s'il lui eût nommé Angélique ou sa mère La Caverne, qu'il eût oublié le coup de busc de l'une et l'âge de l'autre et se serait donné corps et âme à celle que La Rancune lui aurait nommée, tant le bouquin* avait la conscience troublée. Le comédien lui fit boire un grand verre de vin qui lui fit passer une partie de sa confusion et en but un autre de son côté, après lequel il lui dit, parlant bas par mystère et regardant par toute la chambre, quoiqu'il n'y eût personne : « Vous n'êtes pas blessé à mort et vous vous êtes adressé à un homme qui vous peut guérir pourvu que vous le vouliez croire et que vous soyez secret. Ce n'est pas que vous n'entrepreniez une chose bien difficile : mademoiselle de L'Étoile est une tigresse et son frère Destin un lion, mais elle ne voit pas toujours des hommes qui vous ressemblent et je sais bien ce que je sais faire ; achevons notre vin et demain il sera jour. » Un verre de vin bu de part et d'autre interrompit quelque temps la conversation. Ragotin reprit la parole le premier, conta toutes ses perfections et ses richesses, dit à La Rancune qu'il avait un neveu commis d'un financier ; que ce neveu avait fait grande amitié avec le partisan* La Rallière [100], durant le temps qu'il avait été au Mans pour établir une maltôte* et voulut faire espérer à La Rancune de lui faire donner une pension pareille à celle des comédiens du roi par le crédit de ce neveu. Il lui dit encore que, s'il avait des parents qui eussent des enfants, il leur ferait donner des bénéfices parce que sa nièce avait épousé le frère d'une femme qui était entretenue du maître d'hôtel d'un abbé de la province qui avait de bons bénéfices à sa collation*. Tandis que Ragotin contait ses prouesses, La Rancune, qui s'était altéré à force de boire, ne faisait autre chose qu'emplir les deux verres qui étaient vidés en même temps, Ragotin n'osant rien refuser de la main d'un homme qui lui devait faire tant de bien. Enfin, à force d'avaler, ils s'emplirent. La Rancune n'en fut que plus sérieux, selon sa coutume ; et Ragotin en fut si hébété et si pesant qu'il se pencha sur la table et s'y endormit. La Rancune appela une servante pour se faire dresser un lit

parce qu'on était couché à son hôtellerie. La servante lui
dit qu'il n'y aurait point de danger d'en dresser deux et
qu'en l'état où était M. Ragotin, il n'avait pas besoin
d'être veillé. Il ne veillait pas cependant et jamais on n'a
mieux dormi ni ronflé. On mit des draps à deux lits, de
trois qui étaient dans la chambre, sans qu'il s'éveillât. Il
dit cent injures à la servante et menaça de la battre quand
elle l'avertit que son lit était prêt. Enfin, La Rancune
l'ayant tourné dans sa chaise devers le feu que l'on avait
allumé pour chauffer les draps, il ouvrit les yeux et se
laissa déshabiller sans rien dire. On le monta sur son lit le
mieux que l'on put et La Rancune se mit dans le sien
après avoir fermé la porte. A une heure de là, Ragotin se
leva et sortit hors de son lit, je n'ai pas bien su pourquoi ;
il s'égara si bien dans la chambre qu'après en avoir
renversé tous les meubles et s'être renversé lui-même
plusieurs fois sans pouvoir trouver son lit, enfin il trouva
celui de La Rancune et l'éveilla en le découvrant. La
Rancune lui demanda ce qu'il cherchait. « Je cherche mon
lit, dit Ragotin. — Il est à la main gauche du mien », dit
La Rancune. Le petit ivrogne prit à la droite et s'alla
fourrer entre la couverture et la paillasse du troisième, qui
n'avait ni matelas ni lit de plume, où il acheva de dormir
fort paisiblement. La Rancune s'habilla devant que Ragotin fût éveillé. Il demanda au petit ivrogne si c'était par
mortification qu'il avait quitté son lit pour dormir sur une
paillasse. Ragotin soutint qu'il ne s'était point levé et
qu'assurément il revenait des esprits dans la chambre. Il
eut querelle avec le cabaretier, qui prit le parti de sa
maison et le menaça de le mettre en justice pour l'avoir
décriée. Mais il n'y a que trop longtemps que je vous
ennuie de la débauche* de Ragotin ; retournons à l'hôtellerie des comédiens.

CHAPITRE XII

COMBAT DE NUIT

Je suis trop homme d'honneur pour n'avertir pas le lecteur bénévole * que, s'il est scandalisé de toutes les badineries* qu'il a vues jusques ici dans le présent livre, il fera fort bien de n'en lire pas davantage; car en conscience il n'y verra pas d'autre chose, quand le livre serait aussi gros que le *Cyrus* [101] ; et si, par ce qu'il a déjà vu, il a de la peine à se douter de ce qu'il verra, peut-être que j'en suis logé là aussi bien que lui, qu'un chapitre attire l'autre et que je fais dans mon livre comme ceux qui mettent la bride sur le col de leurs chevaux et les laissent aller sur leur bonne foi. Peut-être aussi que j'ai un dessein arrêté et que, sans emplir mon livre d'exemples à imiter, par des peintures d'actions et de choses tantôt ridicules, tantôt blâmables, j'instruirai en divertissant de la même façon qu'un ivrogne donne de l'aversion pour son vice et peut quelquefois donner du plaisir par les impertinences* que lui fait faire son ivrognerie. Finissons la moralité et reprenons nos comédiens que nous avons laissés dans l'hôtellerie. Aussitôt que leur chambre fut débarrassée et que Ragotin eut emmené La Rancune, le portier qu'ils avaient laissé à Tours entra dans l'hôtellerie, conduisant un cheval chargé de bagages. Il se mit à table avec eux ; et, par sa relation et par ce qu'ils apprirent les uns des autres, on sut de quelle façon l'intendant de la province ne leur avait pu faire de mal, ayant lui-même bien eu de la peine à se retirer des mains du peuple, lui et ses fusiliers *. Le Destin conta à ses camarades de quelle façon il s'était sauvé avec son habit à la turque, dont il pensait représenter le Soliman de Mairet [102], et qu'ayant appris que la peste était à Alençon, il était venu au Mans avec La Caverne et La Rancune, en l'équipage que l'on a pu voir dans le commencement de ces très véritables et très peu héroïques aventures. Mademoiselle de L'Étoile leur apprit aussi les assistances qu'elle avait reçues d'une dame

de Tours, dont le nom n'est pas venu à ma connaissance ;
et comme par son moyen elle avait été conduite jusqu'à
un village proche de Bonnétable, où elle s'était démis un
pied en tombant de cheval. Elle ajouta qu'ayant appris
que la troupe était au Mans, elle s'y était fait porter dans
la litière * de la dame du village qui la lui avait libéralement prêtée. Après le souper, Le Destin seul demeura
dans la chambre des dames. La Caverne l'aimait comme
son propre fils ; mademoiselle de L'Étoile ne lui était pas
moins chère ; et Angélique, sa fille et son unique héritière, aimait Le Destin et la L'Étoile comme son frère et
sa sœur. Elle ne savait pas encore au vrai ce qu'ils étaient
et pourquoi ils faisaient la comédie ; mais elle avait bien
reconnu, quoiqu'ils s'appelassent mon frère et ma sœur,
qu'ils étaient plus grands amis que proches parents ; que
Le Destin vivait avec L'Étoile dans le plus grand respect
du monde ; qu'elle était fort sage et que, si Le Destin avait
bien de l'esprit et faisait voir qu'il avait été bien élevé,
mademoiselle de L'Étoile paraissait plutôt fille de condition qu'une comédienne de campagne. Si Le Destin et
L'Étoile étaient aimés de La Caverne et de sa fille, ils
s'en rendaient dignes par une amitié réciproque qu'ils
avaient pour elles ; et ils n'y avaient pas beaucoup de
peine puisqu'elles méritaient d'être aimées autant que
comédiennes de France, quoique par malheur plutôt que
faute de mérite elles n'eussent jamais eu l'honneur de
monter sur le théâtre de l'hôtel de Bourgogne ou du
Marais, qui sont et l'un et l'autre le *non plus ultra* des
comédiens. Ceux qui n'entendront pas ces trois petits
mots latins (à qui je n'ai pu refuser place ici tant ils se
sont présentés à propos) se les feront expliquer s'il leur
plaît. Pour finir la digression, Le Destin et L'Étoile ne se
cachèrent point des deux comédiennes pour se caresser *
après une longue absence. Ils s'exprimèrent le mieux
qu'ils purent les inquiétudes qu'ils avaient eues l'un pour
l'autre. Le Destin apprit à mademoiselle de L'Étoile qu'il
croyait avoir vu, la dernière fois qu'ils avaient représenté
à Tours, leur ancien persécuteur ; qu'il l'avait discerné
dans la foule de leurs auditeurs, quoiqu'il se cachât le
visage de son manteau ; et que pour cette raison-là il

s'était mis un emplâtre sur le visage à la sortie de Tours pour se rendre méconnaissable à son ennemi, ne se trouvant pas alors en état de s'en défendre s'il en était attaqué la force à la main. Il lui apprit ensuite le grand nombre de brancards * qu'ils avaient trouvés en allant au-devant d'elle et qu'il se trompait fort si leur même ennemi n'était un homme inconnu qui avait exactement visité * les brancards, comme l'on a pu voir dans le septième chapitre. Tandis que Le Destin parlait, la pauvre L'Étoile ne put s'empêcher de répandre quelques larmes. Destin en fut extrêmement touché et, après l'avoir consolée le mieux qu'il put, il ajouta que, si elle voulait lui permettre d'apporter autant de soin à chercher leur ennemi commun qu'il en avait eu jusques alors à l'éviter, elle se verrait bientôt délivrée de ses persécutions ou qu'il y perdrait la vie. Ces dernières paroles l'affligèrent encore davantage ; Le Destin n'eut pas l'esprit assez fort pour ne s'affliger pas aussi ; et La Caverne et sa fille, très pitoyables de leur naturel, s'affligèrent par complaisance ou par contagion et je crois même qu'elles en pleurèrent. Je ne sais si Le Destin pleura, mais je sais bien que les comédiennes et lui furent assez longtemps à ne se rien dire, et cependant * pleura qui voulut. Enfin, La Caverne finit la pause que les larmes avaient fait faire et reprocha à Destin et à L'Étoile que, depuis le temps qu'ils étaient ensemble, ils avaient pu reconnaître jusqu'à quel point elle était de leurs amies ; et toutefois qu'ils avaient eu si peu de confiance en elle et en sa fille qu'elles ignoraient encore leur véritable condition. Et elle ajouta qu'elle avait été assez persécutée en sa vie pour conseiller des malheureux tels qu'ils paraissaient être. A quoi Destin répondit que ce n'était point par défiance qu'ils ne s'étaient pas encore découverts à elle, mais qu'il avait cru que le récit de leurs malheurs ne pouvait être que fort ennuyeux. Il lui offrit après cela de l'en entretenir quand elle voudrait et quand elle aurait quelque temps à perdre. La Caverne ne différa pas davantage de satisfaire sa curiosité, et sa fille, qui souhaitait ardemment la même chose, s'étant assise auprès d'elle, sur le lit de L'Étoile, Le Destin allait commencer son histoire quand ils entendirent une grande rumeur dans la chambre voisine. Destin prêta l'oreille quelque temps, mais le bruit et la noise, au lieu de cesser, augmentèrent et même l'on cria : « au meurtre ! à l'aide ! on m'assassine ! » Le Destin en trois sauts fut hors de la chambre, aux dépens de son pourpoint que lui déchirèrent La Caverne et sa fille en voulant le retenir. Il entra dans la chambre d'où venait la rumeur, où il ne vit goutte et où les coups de poing, les soufflets et plusieurs voix confuses d'hommes et de femmes qui s'entre-battaient, mêlées au bruit sourd de plusieurs pieds nus qui trépignaient dans la chambre, faisaient une rumeur épouvantable. Il s'alla mêler parmi les combattants imprudemment et reçut d'abord* un coup de poing d'un côté et un soufflet de l'autre. Cela lui changea la bonne intention qu'il avait de séparer ces lutins en un violent désir de se venger ; il se mit à jouer des mains et fit un moulinet de ses deux bras, qui maltraita plus d'une mâchoire, comme il parut depuis à ses mains sanglantes. La mêlée dura encore assez longtemps pour lui faire recevoir une vingtaine de coups et en donner deux fois autant. Au plus fort du combat, il se sentit mordre au gras de la jambe ; il y porta ses mains et, rencontrant quelque chose de pelu*, il crut être mordu d'un chien ; mais La Caverne et sa fille, qui parurent à la porte de la chambre avec de la lumière, comme le feu Saint-Elme [103] après une tempête, virent Destin et lui firent voir qu'il était au milieu de sept personnes en chemise, qui se défaisaient* l'une l'autre très cruellement et qui se décramponnèrent d'elles-mêmes aussitôt que la lumière parut. Le calme ne fut pas de longue durée. L'hôte qui était un de ces sept pénitents blancs, se reprit avec le poète ; L'Olive, qui en était aussi, fut attaqué par le valet de l'hôte, autre pénitent. Le Destin les voulut séparer, mais l'hôtesse, qui était la bête qui l'avait mordu et qu'il avait prise pour un chien, à cause qu'elle avait la tête nue et les cheveux courts, lui sauta aux yeux, assistée de deux servantes aussi nues et aussi décoiffées qu'elle. Les cris recommencèrent ; les soufflets et les coups de poing sonnèrent de plus belle et la mêlée s'échauffa encore plus qu'elle n'avait fait. Enfin plusieurs personnes, qui s'étaient éveillées à ce bruit, entrè-

rent dans le champ de bataille, déprirent les combattants
les uns d'avec les autres, et furent cause de la seconde
suspension d'armes. Il fut question de savoir la cause de
la querelle et quel était le différend qui avait assemblé
sept personnes nues en une même chambre. L'Olive, qui
paraissait le moins ému, dit que le poète était sorti de la
chambre et qu'il l'avait vu revenir plus vite que le pas,
suivi de l'hôte qui le voulait battre ; que la femme de
l'hôte avait suivi son mari et s'était jetée sur le poète ;
que, les ayant voulu séparer, un valet et deux servantes
s'étaient jetés sur lui et que la lumière, qui s'était éteinte
là-dessus, était cause que l'on s'était battu plus longtemps
que l'on n'eût fait. Ce fut au poète à plaider sa cause ; il
dit qu'il avait fait les deux plus belles stances que l'on eût
jamais ouïes depuis que l'on en fait et que, de peur de les
perdre, il avait été demander de la chandelle aux servantes de l'hôtellerie qui s'étaient moquées de lui ; que l'hôte
l'avait appelé danseur de corde et que, pour ne pas demeurer sans repartie, il l'avait appelé cocu. Il n'eût pas
plutôt lâché le mot que l'hôte, qui était en mesure*, lui
appliqua un soufflet. On eût dit qu'ils s'étaient concertés
ensemble ; car, tout aussitôt que le soufflet fut donné, la
femme de l'hôte, son valet et ses servantes se jetèrent sur
les comédiens qui les reçurent à beaux coups de poing.
Cette dernière rencontre fut plus rude et dura plus longtemps que les autres. Le Destin, s'étant acharné sur une
grosse servante qu'il avait troussée, lui donna plus de
cent claques sur les fesses. L'Olive, qui vit que cela
faisait rire la compagnie, en fit autant à une autre. L'hôte
était occupé par le poète ; et l'hôtesse, qui était la plus
furieuse, avait été saisie par quelques-uns des spectateurs, dont elle se mit en si grande colère qu'elle cria aux
voleurs. Ses cris éveillèrent La Rappinière, qui logeait
vis-à-vis de l'hôtellerie. Il en fit ouvrir les portes ; et ne
croyant pas, selon le bruit qu'il avait entendu, qu'il n'y
eût pour le moins sept ou huit personnes sur le carreau, il
fit cesser les coups au nom du roi ; et, ayant appris la
cause de tout le désordre, il exhorta le poète de ne faire
plus de vers la nuit et pensa battre l'hôte et l'hôtesse parce
qu'ils chantèrent cent injures aux pauvres comédiens, les

appelant bateleurs et baladins et jurant de les faire déloger
le lendemain. Mais La Rappinière, à qui l'hôte devait de
l'argent, le menaça de le faire exécuter* et par cette
menace lui ferma la bouche. La Rappinière s'en retourna
chez lui, les autres s'en retournèrent dans leur chambre,
et Destin dans celle des comédiennes, où La Caverne le
pria de ne différer pas davantage de lui apprendre ses
aventures et celles de sa sœur. Il leur dit qu'il ne demandait pas mieux et commença son histoire de la façon que
vous allez voir dans le suivant chapitre.

CHAPITRE XIII

PLUS LONG QUE LE PRÉCÉDENT.
HISTOIRE DE DESTIN
ET DE MADEMOISELLE DE L'ÉTOILE

« Je suis né dans un village auprès de Paris. Je vous
ferais bien croire, si je voulais, que je suis d'une maison
très illustre, comme il est fort aisé à ceux que l'on ne
connaît point ; mais j'ai trop de sincérité pour nier la
bassesse de ma naissance. Mon père était des premiers et
des plus accommodés* de son village. Je lui ai ouï dire
qu'il était né pauvre gentilhomme et qu'il avait été à la
guerre en sa jeunesse où, n'ayant gagné que des coups, il
s'était fait écuyer [104] ou meneur d'une dame de Paris
assez riche ; et qu'ayant amassé quelque chose avec elle,
parce qu'il était aussi maître d'hôtel et faisait la dépense,
c'est-à-dire ferrait peut-être la mule [105], il s'était marié
avec une vieille demoiselle* de la maison, qui était morte
quelque temps après et l'avait fait son héritier. Il se lassa
bientôt d'être veuf et, n'étant guère moins las de servir, il
épousa en secondes noces une femme des champs, qui
fournissait de pain la maison de sa maîtresse, et c'est de
ce dernier mariage que je suis sorti. Mon père s'appelait
Garigues ; je n'ai jamais su de quel pays il était ; et, pour
le nom de ma mère, il ne fait rien à mon histoire. Il suffit
qu'elle était plus avare que mon père, et mon père plus

avare qu'elle, et l'une et l'autre de conscience assez
large. Mon père a l'honneur d'avoir le premier retenu son
haleine en se faisant prendre la mesure d'un habit, afin
qu'il y entrât moins d'étoffe [106]. Je vous pourrais bien
apprendre cent autres traits de lésine qui lui ont acquis à
bon titre la réputation d'être homme d'esprit et d'invention ; mais, de peur de vous ennuyer, je me contenterai de
vous en conter deux très difficiles à croire, et néanmoins
très véritables. Il avait ramassé quantité de blé pour le
vendre bien cher durant une année mauvaise. L'abondance ayant été universelle et le blé étant amendé*, il fut
si possédé de désespoir et si abandonné de Dieu qu'il se
voulut pendre. Une de ses voisines, qui se trouva dans la
chambre quand il y entra pour ce noble dessein, et qui
s'était cachée de peur d'être vue, je ne sais pas bien
pourquoi, fut fort étonnée quand elle le vit pendu à un
chevron de sa chambre. Elle courut à lui, criant au secours, coupa la corde et, à l'aide de ma mère qui arriva
là-dessus, la lui ôta du cou. Elles se repentirent peut-être
d'avoir fait une bonne action, car il les battit l'une et
l'autre comme plâtre et fit payer à cette pauvre femme la
corde qu'elle avait coupée en lui retenant quelque argent
qu'il lui devait. L'autre prouesse n'est pas moins étrange.
Cette même année que la cherté fut si grande que les
vieilles gens du village ne se souviennent pas d'en avoir
vu une plus grande, il avait regret à tout ce qu'il mangeait ; et, sa femme étant accouchée d'un garçon, il se mit
en la tête qu'elle avait assez de lait pour nourrir son fils et
pour le nourrir lui-même aussi, et espéra que, tétant sa
femme, il épargnerait du pain et se nourrirait d'un aliment
aisé à digérer [107]. Ma mère avait moins d'esprit que lui, et
n'avait pas moins d'avarice, tellement qu'elle n'inventait
pas les choses comme mon père ; mais, les ayant une fois
conçues, elle les exécutait encore plus exactement que
lui. Elle tâcha donc de nourrir de son lait son fils et son
mari en même temps et hasarda* aussi de s'en nourrir
soi-même avec tant d'opiniâtreté que le petit innocent
mourut martyr de pure faim ; et mon père et ma mère
furent si affaiblis et ensuite si affamés qu'ils mangèrent
trop et eurent chacun une longue maladie. Ma mère

devint grosse de moi quelque temps après et, ayant ac-
couché heureusement d'une très malheureuse créature,
mon père alla à Paris pour prier sa maîtresse de tenir [108]
son fils avec un honnête ecclésiastique qui se tenait dans
son village où il avait un bénéfice. Comme il s'en retournait la nuit pour éviter la chaleur du jour et qu'il passait
par une grande rue du faubourg, dont la plupart des
maisons se bâtissaient encore [109], il aperçut de loin, aux
rayons de la lune, quelque chose de brillant qui traversait
la rue. Il ne se mit pas beaucoup en peine de ce que
c'était; mais, ayant entendu quelques gémissements
comme d'une personne qui souffre, au même lieu où ce
qu'il avait vu de loin s'était dérobé à sa vue, il entra
hardiment dans un grand bâtiment qui n'était pas encore
achevé, où il trouva une femme assise contre terre. Le
lieu où elle était recevait assez de clarté de la lune pour
faire discerner à mon père qu'elle était fort jeune et fort
bien vêtue; et c'était ce qui avait brillé de loin à ses yeux,
son habit étant de toile d'argent [110]. Vous ne devez point
douter que mon père, qui était assez hardi de son naturel,
ne fût moins surpris que cette jeune demoiselle; mais elle
était en un état où il ne lui pouvait rien arriver de pis que
ce qu'elle avait. C'est ce qui la rendit assez hardie pour
parler la première et pour dire à mon père que, s'il était
chrétien, il eût pitié d'elle; qu'elle était prête d'accoucher; que, se sentant pressée de son mal et ne voyant
point revenir une servante qui lui était allé quérir une
sage-femme affidée*, elle s'était sauvée heureusement de
sa maison sans avoir éveillé personne, sa servante ayant
laissé la porte ouverte pour pouvoir rentrer sans faire de
bruit. A peine achevait-elle sa courte relation qu'elle
accoucha heureusement d'un enfant que mon père reçut
dans son manteau. Il fit la sage-femme le mieux qu'il put
et cette jeune fille le conjura d'emporter vitement la petite
créature, d'en avoir soin et de ne pas manquer à deux
jours de là d'aller voir un vieil homme d'église qu'elle lui
nomma, qui lui donnerait de l'argent et tous les ordres
nécessaires pour la nourriture de son enfant. A ce mot
d'argent, mon père, qui avait l'âme avare, voulut dé-
ployer son éloquence d'écuyer; mais elle ne lui en donna

pas le temps. Elle lui mit entre les mains une bague pour
servir d'enseigne * au prêtre qu'il devait aller trouver de
sa part, lui fit envelopper son enfant dans son mouchoir
de cou et le fit partir avec grande précipitation, quelque
résistance qu'il fit pour ne l'abandonner pas dans l'état où
elle était. Je veux croire qu'elle eut bien de la peine à
regagner son logis. Pour mon père, il s'en retourna à son
village, mit l'enfant entre les mains de sa femme et ne
manqua pas deux jours après d'aller trouver le vieil prêtre
et de lui montrer la bague. Il apprit de lui que la mère de
l'enfant était une fille de fort bonne maison et fort riche ;
qu'elle l'avait eu d'un seigneur écossais qui était allé en
Irlande lever des troupes pour le service du roi et que ce
seigneur étranger lui avait promis mariage. Ce prêtre lui
dit de plus qu'à cause de son accouchement précipité, elle
s'était trouvée malade jusqu'à faire douter de sa vie et
qu'en cette extrémité elle avait tout déclaré à son père et à
sa mère, qui l'avaient consolée au lieu de s'emporter
contre elle, parce qu'elle était leur fille unique ; que la
chose était ignorée dans le logis ; et ensuite il assura mon
père que, pourvu qu'il eût soin de l'enfant et qu'il fût
secret, sa fortune était faite. Là-dessus il lui donna cinquante écus et un petit paquet de toutes les hardes nécessaires à un enfant. Mon père s'en retourna en son village
après avoir bien dîné* avec le prêtre. Je fus mis en
nourrice et l'étranger fut mis en la place du fils de la
maison. A un mois de là le seigneur écossais revint et,
ayant trouvé sa maîtresse en un si mauvais état qu'elle
n'avait plus guère à vivre, il l'épousa un jour devant *
qu'elle mourût et ainsi fut aussitôt veuf que marié. Il vint
deux ou trois jours après en notre village, avec le père et
la mère de sa femme. Les pleurs recommencèrent et on
pensa étouffer l'enfant à force de le baiser. Mon père eut
sujet de se louer de la libéralité du seigneur écossais et les
parents de l'enfant ne l'oublièrent pas. Ils s'en retournèrent à Paris fort satisfaits du soin que mon père et ma
mère avaient de leur fils, qu'ils ne voulurent point faire
venir à Paris encore parce que le mariage était tenu secret
pour des raisons que je n'ai pas sues. Aussitôt que je pus
marcher, mon père me retira en sa maison pour tenir

compagnie au petit comte des Glaris (c'est ainsi que l'on
l'appela, du nom de son père). L'antipathie que l'on dit
avoir été entre Jacob et Esaü dès le ventre de leur mère ne
peut avoir été plus grande que celle qui se trouva entre le
jeune comte et moi. Mon père et ma mère l'aimaient
tendrement et avaient de l'aversion pour moi, quoique je
donnasse autant d'espérance d'être un jour honnête
homme que Glaris en donnait peu. Il n'y avait rien que de
très commun en lui. Pour moi, je paraissais être ce que je
n'étais pas, et bien moins le fils de Garigues que celui
d'un comte. Et si je ne me trouve enfin qu'un malheureux
comédien, c'est sans doute que la fortune s'est voulu
venger de la nature, qui avait voulu faire quelque chose
de moi sans son consentement, ou, si vous voulez, que la
nature prend quelquefois plaisir à favoriser ceux que la
fortune a pris en aversion. Je passerai toute l'enfance de
deux petits paysans, car Glaris l'était d'inclination plus
que moi, et aussi bien nos plus belles aventures ne furent
que force coups de poing. En toutes les querelles que
nous avions ensemble, j'avais toujours de l'avantage, si
ce n'est lorsque mon père et ma mère se mettaient de la
partie ; ce qu'ils faisaient si souvent et avec tant de passion que mon parrain, qui s'appelait M. de Saint-Sauveur, s'en scandalisa et me demanda à mon père. Il lui fit
don de moi avec grand-joie et ma mère eut encore moins
de regret que lui à me perdre de vue. Me voilà donc chez
mon parrain, bien vêtu, bien nourri, fort caressé* et point
battu. Il n'épargna rien à me faire apprendre à lire et à
écrire et, sitôt que je fus assez avancé pour apprendre le
latin, il obtint du seigneur du village, qui était un fort
honnête gentilhomme et fort riche, que j'étudierais avec
deux fils qu'il avait, sous un homme savant qu'il avait
fait venir de Paris et à qui il donnait de bons gages. Ce
gentilhomme, qui s'appelait le baron d'Arques, faisait
élever ses enfants avec grand soin. L'aîné avait nom
Saint-Far, assez bien fait de sa personne, mais brutal*
sans remède s'il y en eut jamais au monde ; et le cadet, en
récompense, outre qu'il était mieux fait que son frère,
avait la vivacité de l'esprit et la grandeur de l'âme égales
à la beauté du corps. Enfin, je ne crois pas que l'on puisse

voir un garçon donner de plus grandes espérances de
devenir un fort honnête homme qu'en donnait en ce
temps-là ce jeune gentilhomme, qui s'appelait Verville. Il
m'honora de son amitié et moi je l'aimai comme un frère
et je le respectai toujours comme un maître. Pour Saint-
Far, il n'était capable que des passions mauvaises et je ne
puis mieux vous exprimer les sentiments qu'il avait dans
l'âme pour son frère et pour moi qu'en vous disant qu'il
n'aimait pas son frère plus que moi qui lui étais fort
indifférent, et qu'il ne me haïssait pas plus que son frère
qu'il n'aimait guère. Ses divertissements étaient différents des nôtres. Il n'aimait que la chasse et haïssait fort
l'étude. Verville n'allait que rarement à la chasse et
prenait grand plaisir à étudier, en quoi nous avions ensemble une conformité merveilleuse aussi bien qu'en
toute autre chose. Et je puis dire que, pour m'accommoder à son humeur, je n'avais pas besoin de beaucoup de
complaisance et n'avais qu'à suivre mon inclination. Le
baron d'Arques avait une bibliothèque de romans fort
ample. Notre précepteur, qui n'en avait jamais lu dans le
pays latin [111], qui nous en avait d'abord défendu la lecture et qui les avait cent fois blâmés devant le baron
d'Arques, pour les lui rendre aussi odieux qu'il les trouvait divertissants, en devint lui-même si féru qu'après
avoir dévoré les vieux et les modernes, il avoua que la
lecture des bons romans instruisait en divertissant et qu'il
ne les croyait pas moins propres à donner de beaux
sentiments aux jeunes gens que la lecture de Plutarque. Il
nous porta donc à les lire autant qu'il nous en avait
détournés et nous proposa d'abord de lire les modernes;
mais ils n'étaient pas encore selon notre goût, et jusqu'à
l'âge de quinze ans, nous nous plaisions bien plus à lire
les *Amadis de Gaule* [112] que les *Astrées* [113] et les autres
beaux romans que l'on a faits depuis, par lesquels les
Français ont fait voir, aussi bien que par mille autres
choses, que, s'ils n'inventent pas tant que les autres
nations, ils perfectionnent davantage. Nous donnions
donc à la lecture des romans la plus grande partie du
temps que nous avions pour nous divertir. Pour Saint-Far,
il nous appelait les liseurs, et s'en allait à la chasse ou

battre des paysans, à quoi il réussissait admirablement
bien. L'inclination que j'avais à bien faire m'acquit la
bienveillance du baron d'Arques et il m'aima autant que
si j'eusse été son proche parent. Il ne voulut point que je
quittasse ses enfants quand il les envoya à l'académie[114];
et ainsi j'y fus mis avec eux, plutôt comme un camarade
que comme un valet. Nous y apprîmes nos exercices; on
nous en tira au bout de deux ans; et, à la sortie de
l'académie, un homme de condition, parent du baron
d'Arques, faisant des troupes pour les Vénitiens, Saint-
Far et Verville persuadèrent si bien leur père qu'il les
laissa aller à Venise avec son parent. Le bon gentilhomme voulut que je les accompagnasse encore; et monsieur de Saint-Sauveur, mon parrain, qui m'aimait extrêmement, me donna libéralement une lettre de change
assez considérable pour m'en servir si j'en avais besoin et
pour n'être pas à charge à ceux que j'avais l'honneur
d'accompagner. Nous prîmes le plus long chemin pour
voir Rome et les autres belles villes d'Italie, dans chacune
desquelles nous fîmes quelque séjour, hormis dans celles
dont les Espagnols sont les maîtres. Dans Rome je tombai
malade et les deux frères poursuivirent leur voyage, celui
qui les menait ne pouvant laisser échapper l'occasion des
galères du pape, qui allaient joindre l'armée des Vénitiens au passage des Dardanelles où elle attendait celle
des Turcs[115]. Verville eut tous les regrets du monde de
me quitter, et moi je pensai désespérer d'être séparé de lui
en un temps où j'aurais pu, par mes services, me rendre
digne de l'amitié qu'il me portait. Pour Saint-Far, je crois
qu'il me quitta comme s'il ne m'eût jamais vu et je ne
songeai en lui qu'à cause qu'il était frère de Verville, qui
me laissa, en se séparant de moi, le plus d'argent qu'il
put; je ne sais pas si ce fut du consentement de son frère.
Me voilà donc malade dans Rome, sans autre connaissance que celle de mon hôte, qui était un apothicaire
flamand et de qui je reçus toutes les assistances imagina-
bles durant ma maladie. Il n'était pas ignorant de la
médecine; et, autant que je fus capable d'en juger, je l'y
trouvais plus entendu que le médecin italien qui me venait
voir. Enfin je guéris et repris assez de mes forces pour

visiter les lieux remarquables de Rome, où les étrangers
trouvent amplement de quoi satisfaire à leur curiosité. Je
me plaisais extrêmement à visiter les vignes (c'est ainsi
que l'on appelle plusieurs jardins plus beaux que le
Luxembourg ou les Tuileries ; les cardinaux et autres
personnes de condition les font entretenir avec grand
soin, plutôt par vanité que par plaisir qu'ils y prennent,
n'y allant jamais, au moins fort rarement). Un jour que je
me promenais dans une des plus belles, je vis au détour
d'une allée deux femmes assez bien vêtues, que deux
jeunes Français avaient arrêtées et ne voulaient pas laisser
passer outre que [116] la plus jeune ne levât un voile qui lui
couvrait le visage. Un de ces Français, qui paraissait être
le maître de l'autre, fut même assez insolent pour lui
découvrir le visage par force, cependant que celle qui
n'était point voilée était retenue par son valet. Je ne
consultai point ce que j'avais à faire ; je dis d'abord à ces
incivils que je ne souffrirais point la violence qu'ils voulaient faire à ces femmes. Ils se trouvèrent assez étonnés
et l'un et l'autre, me voyant parler avec assez de résolution pour les embarrasser, quand ils auraient eu leurs
épées, comme j'avais la mienne. Les deux femmes se
rangèrent auprès de moi et ce jeune Français, préférant le
déplaisir d'un affront à celui de se faire battre, me dit en
se séparant : « Monsieur le brave*, nous nous verrons
autre part, où les épées ne seront pas toutes d'un côté. » Je
lui répondis que je ne me cacherais pas ; son valet le suivit
et je demeurai avec ces deux femmes. Celle qui n'était
point voilée paraissait avoir quelque trente-cinq ans. Elle
me remercia en français qui ne tenait rien de l'italien et
me dit, entre autres choses, que, si tous ceux de ma
nation me ressemblaient, les femmes italiennes ne feraient point de difficulté de vivre à la française [117]. Après
cela, comme pour me récompenser du service que je lui
avais rendu, elle ajouta qu'ayant empêché que l'on ne vît
sa fille malgré elle, il était juste que je la visse de son bon
gré. « Levez donc votre voile, Léonore, afin que monsieur sache que nous ne sommes pas tout à fait indignes
de l'honneur qu'il nous a fait de nous protéger. » Elle
n'eut pas plus tôt achevé de parler que sa fille leva son

voile, ou plutôt m'éblouit. Je n'ai jamais rien vu de plus
beau. Elle leva deux ou trois fois les yeux sur moi comme
à la dérobée et, rencontrant toujours les miens, il lui
monta au visage un rouge qui la fit plus belle qu'un ange.
Je vis bien que la mère l'aimait extrêmement, car elle me
parut participer au plaisir que je prenais à regarder sa
fille. Comme je n'étais pas accoutumé à pareilles rencontres et que les jeunes gens se défont* aisément en
compagnie, je ne leur fis que de fort mauvais compliments quand elles s'en allèrent et je leur donnai peut-être
mauvaise opinion de mon esprit. Je me voulus mal de ne
leur avoir pas demandé leur demeure et de ne m'être pas
offert à les y conduire ; mais il n'y avait plus d'apparence
de courir après. Je voulus m'enquérir du concierge s'il les
connaissait. Nous fûmes longtemps sans nous entendre
parce qu'il ne savait pas mieux le français que moi l'italien. Enfin, plutôt par signes qu'autrement, il me fit
savoir qu'elles lui étaient inconnues, ou bien il ne voulut
pas m'avouer qu'il les connaissait. Je m'en retournai chez
mon apothicaire flamand tout autre que je n'en étais sorti,
c'est-à-dire fort amoureux et fort en peine de savoir si
cette belle Léonore était courtisane ou honnête fille et si
elle avait autant d'esprit que sa mère m'avait témoigné
d'en avoir. Je m'abandonnai à la rêverie et me flattai de
mille belles espérances qui me divertirent un peu de
temps et m'inquiétèrent beaucoup après que j'en eus
considéré l'impossibilité. Après avoir fait mille desseins
inutiles, je m'arrêtai à celui de les chercher exactement,
ne pouvant m'imaginer qu'elles pussent être longtemps
invisibles en une ville si peu peuplée que Rome [118] et à un
homme si amoureux que moi. Dès le jour même, je
cherchai partout où je crus les pouvoir trouver et m'en
revins au logis plus las et plus chagrin que je n'en étais
parti. Le lendemain, je cherchai encore avec plus de soin
et je ne fis que me lasser et m'inquiéter davantage. De la
façon que j'observais les jalousies* et les fenêtres et de
l'impétuosité avec laquelle je courais après toutes les
femmes qui avaient quelque rapport avec ma Léonore, on
me prit cent fois, dans les rues et dans les églises, pour le
plus fou de tous les Français qui ont le plus contribué

dans Rome à décréditer leur nation. Je ne sais comment je
pus reprendre mes forces en un temps où j'étais une vraie
âme damnée *. Je me guéris pourtant le corps parfaitement, tandis que mon esprit demeura malade et si partagé
entre l'honneur qui m'appelait en Candie [119] et l'amour
qui me retenait à Rome que je doutai quelquefois si
j'obéirais aux lettres que je recevais souvent de Verville,
qui me conjurait par notre amitié de l'aller trouver sans se
servir du droit qu'il avait de me commander. Enfin, ne
pouvant avoir nouvelles de mes inconnues, quelque diligence que j'y apportasse, je payai mon hôte et préparai
mon petit équipage pour partir. La veille de mon départ,
le seigneur Stéphano Vanbergue (c'est ainsi que s'appelait mon hôte) me dit qu'il me voulait donner à dîner chez
une de ses amies et me faire avouer qu'il ne l'avait pas
mal choisie pour un Flamand, ajoutant qu'il ne m'y avait
voulu mener qu'à la veille de mon départ parce qu'il en
était un peu jaloux. Je lui promis d'y aller par complaisance plutôt qu'autrement et nous y allâmes à l'heure du
dîner. Le logis où nous entrâmes n'avait ni la mine ni les
meubles de celui de la maîtresse d'un apothicaire. Nous
traversâmes une salle bien meublée, au sortir de laquelle
j'entrai le premier dans une chambre fort magnifique où
je fus reçus par Léonore et par sa mère. Vous pouvez
vous imaginer combien cette surprise me fut agréable. La
mère de cette belle fille se présenta à moi pour être saluée
à la française [120] et je vous avoue qu'elle me baisa plutôt
que je ne la baisai. J'étais si interdit que je ne voyais
goutte et que je n'entendis rien du compliment qu'elle me
fit. Enfin, l'esprit et la vue me revinrent et je vis Léonore
plus belle et plus charmante que je ne l'avais encore vue,
mais je n'eus pas l'assurance de la saluer. Je reconnus ma
faute aussitôt que je l'eus faite et, sans songer à la
réparer, la honte fit monter autant de rouge à mon visage
que la pudeur avait fait monter d'incarnat en celui de
Léonore. Sa mère me dit que, devant que je partisse, elle
avait voulu me remercier du soin que j'avais eu de chercher sa demeure et ce qu'elle me dit augmenta encore
davantage ma confusion. Elle me traîna dans une ruelle *
parée à la française, où sa fille ne nous accompagna

point, me trouvant sans doute trop sot pour en valoir la peine. Elle demeura avec le seigneur Stéphano, tandis que je faisais auprès de sa mère mon vrai personnage, c'est-à-dire le paysan. Elle eut la bonté de fournir à la conversation toute seule et s'en acquitta avec beaucoup d'esprit, quoiqu'il n'y ait rien de si difficile que d'en faire paraître avec une personne qui n'en a point. Pour moi, je n'en eus jamais moins qu'en cette rencontre et, si elle ne s'ennuya pas alors, elle ne s'est jamais ennuyée avec personne. Elle me dit après plusieurs choses auxquelles à peine répondis-je oui et non, qu'elle était française de naissance, et que je saurais du seigneur Stéphano les raisons qui la retenaient dans Rome. Il fallut aller dîner * et me traîner encore dans la salle comme on avait fait dans la ruelle, car j'étais si troublé que je ne savais pas marcher. Je fus toujours le même stupide devant * et après le dîner, durant lequel je ne fis rien avec assurance que regarder incessamment Léonore. Je crois qu'elle en fut importunée et que, pour me punir, elle eut toujours les yeux baissés. Si la mère n'eût toujours parlé, le dîner se fût passé à la chartreuse [121] ; mais elle discourut avec le seigneur Stéphano des affaires de Rome, au moins je me l'imagine, car je ne donnai pas assez d'attention à ce qu'elle dit pour en pouvoir parler avec certitude. Enfin, on sortit de table pour le soulagement de tout le monde, excepté de moi, qui empirais à vue d'œil. Quand il fallut s'en aller, elles me dirent cent choses obligeantes, à quoi je ne répondis que ce que l'on met à la fin des lettres. Ce que je fis en sortant de plus que je n'avais fait en arrivant, c'est que je baisai Léonore et que je m'achevai de perdre. Stéphano n'eut pas le crédit de tirer une parole de moi en tout le temps que nous mîmes à retourner en son logis. Je m'enfermai dans ma chambre où je me jetai sur mon lit sans quitter mon manteau ni mon épée. Là, je fis réflexion sur tout ce qui m'était arrivé. Léonore se présenta à mon imagination plus belle qu'elle n'avait fait à ma vue. Je me ressouvins du peu d'esprit que j'avais témoigné devant la mère et la fille et, toutes les fois que cela me venait dans l'esprit, la honte me mettait le visage tout en feu. Je souhaitai d'être riche ; je m'affligeai de ma

basse naissance; je me forgeai cent belles aventures
avantageuses à ma fortune et à mon amour. Enfin, ne
songeant plus qu'à chercher un honnête prétexte de ne
m'en aller pas, et n'en trouvant aucun qui me contentât,
je fus assez désespéré pour souhaiter de retomber malade,
à quoi je n'étais déjà que trop disposé. Je lui voulus
écrire, mais tout ce que j'écrivis ne me satisfit point et je
remis dans mes poches le commencement d'une lettre que
je n'aurais peut-être osé envoyer quand je l'aurais achevée. Après m'être bien tourmenté, ne pouvant plus rien
faire que songer à Léonore, je voulus revoir le jardin où
elle m'apparut la première fois pour m'abandonner tout
entier à ma passion et je fis aussi dessein de repasser
encore devant son logis. Ce jardin était en un lieu des plus
écartés de la ville, au milieu de plusieurs vieux bâtiments
inhabitables. Comme je passais en rêvant sous les ruines
d'un portique, j'entendis marcher derrière moi et en
même temps je me sentis donner un coup d'épée au-dessous des reins. Je me retournai brusquement, mettant
l'épée à la main, et, me trouvant en tête [122] le valet du
jeune Français dont je vous ai tantôt parlé, je pensais bien
lui rendre pour le moins le coup qu'il m'avait donné en
trahison; mais, comme je le poussai assez loin sans le
pouvoir joindre, parce qu'il lâchait le pied en parant, son
maître sortit d'entre les ruines du portique et, m'attaquant
par-derrière, me donna un grand coup sur la tête et un
autre dans la cuisse qui me fit tomber. Il n'y avait pas
apparence que j'échappasse de leurs mains, ayant été
surpris de la sorte; mais comme, en une mauvaise action,
on ne conserve pas toujours beaucoup de jugement, le
valet blessa le maître à la main droite et, en même temps,
deux pères minimes de la Trinité du Mont [123], qui passaient auprès de là, et qui virent de loin qu'on m'assassinait *, étant accourus à mon secours, mes assassins se
sauvèrent et me laissèrent blessé de trois coups d'épée.
Ces bons religieux étaient français, pour mon grand bonheur; car, en un lieu si écarté, un Italien qui m'aurait vu
en si mauvais état se serait éloigné de moi plutôt que de
me secourir, de peur qu'étant trouvé en me rendant ce
bon office, on ne le soupçonnât d'être lui-même mon

assassin. Tandis que l'un de ces deux charitables religieux me confessa, l'autre courut en mon logis avertir
mon hôte de ma disgrâce *. Il vint aussitôt à moi et me fit
porter demi-mort dans mon lit. Avec tant de blessures et
tant d'amour, je ne fus pas longtemps sans avoir une
fièvre très violente. On désespéra de ma vie et je n'en
espérais pas mieux que les autres. Cependant, l'amour de
Léonore ne me quittait point ; au contraire, il augmentait
toujours à mesure que mes forces diminuèrent. Ne pouvant donc plus supporter un fardeau si pesant sans m'en
décharger, ni me résoudre à mourir sans faire savoir à
Léonore que je n'aurais voulu vivre que pour elle, je
demandai une plume et de l'encre. On crut que je rêvais ;
mais je le fis avec une si grande instance et je protestai si
bien que l'on me mettrait au désespoir si l'on me refusait
ce que je demandais que le seigneur Stéphano, qui avait
bien reconnu ma passion et qui était assez clairvoyant
pour se douter à peu près de mon dessein, me fit donner
tout ce qu'il fallait pour écrire ; et, comme s'il eût su mon
intention, il demeura seul dans ma chambre. Je relus les
papiers que j'avais écrits un peu auparavant pour me
servir des pensées que j'avais déjà eues sur le même
sujet. Enfin, voici ce que j'écrivis à Léonore :
« Aussitôt que je vous vis, je ne pus m'empêcher de vous
« aimer. Ma raison ne s'y opposa point ; elle me dit, aussi
« bien que mes yeux, que vous étiez la plus aimable
« personne du monde, au lieu de me représenter que je
« n'étais pas digne de vous aimer. Mais elle n'eût fait
« qu'irriter mon mal par des remèdes inutiles et, après
« m'avoir fait faire quelque résistance, il aurait toujours
« fallu céder à la nécessité de vous aimer que vous impo-
« sez à tous ceux qui vous voient. Je vous ai donc aimée,
« belle Léonore, et d'un amour si respectueux que vous
« ne m'en devez pas haïr, bien que j'aie la hardiesse de
« vous le découvrir. Mais le moyen de mourir pour vous
« et de ne s'en glorifier pas ! et quelle peine pouvez-vous
« avoir à me pardonner un crime que vous aurez si peu de
« temps à me reprocher ? Il est vrai que vous avoir pour la
« cause de sa mort est une récompense qui ne se peut
« mériter que par un grand nombre de services et vous

« avez peut-être regret de m'avoir fait ce bien-là sans y
« penser. Ne me le plaignez point, aimable Léonore,
« puisque vous ne me le pouvez plus faire perdre et que
« c'est la seule faveur que j'aie jamais reçue de la for-
« tune, laquelle ne pourra jamais s'acquitter de ce qu'elle
« doit à votre mérite qu'en vous donnant des adorateurs
« autant au-dessus de moi que toutes les beautés du
« monde sont au-dessous de la vôtre. Je ne suis donc pas
« assez vain pour espérer que le moindre sentiment de
« pitié... »

Je ne pus achever ma lettre ; tout d'un coup les forces
me manquèrent et la plume me tomba de la main, mon
corps ne pouvant suivre mon esprit qui allait si vite. Sans
cela, ce long commencement de lettre que je viens de
vous réciter n'aurait été que la moindre partie de la
mienne, tant la fièvre et l'amour m'avaient échauffé
l'imagination. Je demeurai longtemps évanoui sans donner aucun signe de vie. Le seigneur Stéphano, qui s'en
aperçut, ouvrit la porte de la chambre pour envoyer quérir
un prêtre. Au même temps Léonore et sa mère me vinrent
voir. Elles avaient appris que j'avais été assassiné * ; et,
parce qu'elles crurent que cela ne m'était arrivé que pour
les avoir voulu servir, et ainsi qu'elles étaient la cause
innocente de ma mort, elles n'avaient point fait difficulté
de me venir voir en l'état où j'étais. Mon évanouissement
dura si longtemps qu'elles s'en allèrent devant * que je
fusse revenu à moi, fort affligées, à ce que l'on put juger,
et dans la croyance que je n'en reviendrais pas. Elles
lurent ce que j'avais écrit et la mère, plus curieuse que la
fille, lut aussi les papiers que j'avais laissés sur mon lit,
entre lesquels il y avait une lettre de mon père Garigues.
Je fus longtemps entre la mort et la vie, mais enfin la
jeunesse fut la plus forte. En quinze jours, je fus hors de
danger et au bout de cinq ou six semaines je commençai à
marcher par la chambre. Mon hôte me disait souvent des
nouvelles de Léonore ; il m'apprit la charitable visite que
sa mère et elle m'avaient rendue, dont j'eus une extrême
joie et, si je fus un peu en peine de ce qu'on avait lu la
lettre de mon père, je fus d'ailleurs fort satisfait de ce que
la mienne avait été lue aussi. Je ne pouvais parler d'autre

chose que de Léonore, toutes les fois que je me trouvais seul avec Stéphano. Un jour, me souvenant que la mère de Léonore m'avait dit qu'il me pourrait apprendre qui elle était et ce qui la retenait dans Rome, je le priai de me faire part de ce qu'il en savait. Il me dit qu'elle s'appelait mademoiselle de La Boissière ; qu'elle était venue à Rome avec la femme de l'ambassadeur de France ; qu'un homme de condition, proche parent de l'ambassadeur, était devenu amoureux d'elle ; qu'elle ne l'avait pas haï et que d'un mariage clandestin il en avait eu cette belle Léonore. Il m'apprit, de plus, que ce seigneur en avait été brouillé avec toute la maison de l'ambassadeur ; que cela l'avait obligé de quitter Rome et d'aller demeurer quelque temps à Venise, avec cette mademoiselle de La Boissière, pour laisser passer le temps de l'ambassade ; que, l'ayant ramenée dans Rome, il lui avait meublé une maison et donné tous les ordres nécessaires pour la faire vivre en personne de condition, tandis qu'il serait en France, où son père le faisait revenir et où il n'avait osé mener sa maîtresse ou, si vous voulez, sa femme, sachant bien que son mariage ne serait approuvé de personne. Je vous avoue que je ne pus m'empêcher de souhaiter quelquefois que ma Léonore ne fût pas fille légitime d'un homme de condition, afin que le défaut de sa naissance eût plus de rapport avec la bassesse de la mienne. Mais je me repentais bientôt d'une pensée si criminelle et lui souhaitais une fortune aussi avantageuse qu'elle la méritait, quoique cette dernière pensée me causât un désespoir étrange ; car, l'aimant plus que ma vie, je prévoyais bien que je ne pourrais jamais être heureux sans la posséder, ni la posséder sans la rendre malheureuse. Lorsque j'achevais de me guérir et que, d'un si grand mal, il ne me restait que beaucoup de pâleur sur le visage, causée par la grande quantité de sang que j'avais perdu, mes jeunes maîtres revinrent de l'armée des Vénitiens, la peste qui infectait tout le Levant ne leur ayant pas permis d'y exercer plus longtemps leur courage. Verville m'aimait encore comme il m'a toujours aimé et Saint-Far ne me témoignait point encore qu'il me haït, comme il a fait depuis. Je leur fis le récit de tout ce qui m'étais arrivé, à la réserve de l'amour

que j'avais pour Léonore. Ils témoignèrent une extrême
envie de la connaître et je la leur augmentai en leur
exagérant le mérite de la mère et de la fille. Il ne faut
jamais louer la personne que l'on aime devant ceux qui
peuvent l'aimer aussi, puisque l'amour entre dans l'âme
aussi bien par les oreilles que par les yeux. C'est un
emportement qui a souvent bien fait du mal à ceux qui s'y
sont laissés aller et vous allez voir si j'en puis parler par
expérience. Saint-Far me demandait tous les jours quand
je le mènerais chez mademoiselle de La Boissière. Un
jour qu'il me pressait plus qu'il n'avait jamais fait, je lui
dis que je ne savais pas si elle l'aurait agréable, parce
qu'elle vivait fort retirée. «Je vois bien que vous êtes
amoureux de sa fille», me repartit-il; et, ajoutant qu'il
irait bien la voir sans moi, il me rompit si rudement en
visière * et je parus si étonné * qu'il ne douta plus de ce
que peut-être il ne soupçonnait pas encore. Il me fit
ensuite cent mauvaises railleries et me mit en un tel
désordre que Verville en eut pitié. Il me tira d'auprès de
ce brutal * et me mena au cours [124], où je fus extrêmement triste, quelque peine que prit Verville à me divertir
par une bonté extraordinaire à une personne de son âge et
d'une condition si éloignée à la mienne. Cependant son
brutal de frère travaillait à sa satisfaction ou plutôt à ma
ruine. Il s'en alla chez mademoiselle de La Boissière, où
l'on le prit d'abord pour moi, parce qu'il avait avec lui le
valet de mon hôte qui m'y avait accompagné plusieurs
fois; et je crois que sans cela on ne l'y aurait pas reçu.
Mademoiselle de La Boissière fut fort surprise de voir un
homme inconnu. Elle dit à Saint-Far que, ne le connaissant point, elle ne savait à quoi attribuer l'honneur qu'il
lui faisait de la visiter. Saint-Far lui dit sans marchander*
qu'il était le maître d'un jeune garçon qui avait été assez
heureux pour avoir été blessé en lui rendant un petit
service. Ayant débuté par une nouvelle qui ne plut ni à la
mère ni à la fille, comme j'ai su depuis, et ces deux
spirituelles personnes ne se souciant pas beaucoup de
hasarder la réputation de leur esprit avec un homme qui
leur avait d'abord* fait voir qu'il n'en avait guère, le
brutal se divertit fort peu avec elles et elles s'ennuyèrent

beaucoup avec lui. Ce qui le pensa faire enrager, c'est
qu'il n'eut pas seulement la satisfaction de voir Léonore
au visage, quelque instante prière qu'il lui fit de lever le
voile qu'elle portait d'ordinaire, comme font à Rome les
filles de condition qui ne sont pas encore mariées. Enfin
ce galant homme s'ennuya de les ennuyer; il les délivra
de sa fâcheuse visite et s'en retourna chez le seigneur
Stéphano, remportant fort peu d'avantage du mauvais
office qu'il m'avait rendu. Depuis ce temps-là, comme
les brutaux sont fort portés à vouloir du mal à ceux à qui
ils en ont fait, il eut pour moi des mépris si insupportables
et me désobligea si souvent que j'eusse cent fois perdu le
respect que je devais à sa condition, si Verville, par des
bontés continuelles, ne m'eût aidé à souffrir les brutalités
de son frère. Je ne savais point encore le mal qu'il
m'avait fait, quoique j'en ressentisse souvent les effets.
Je trouvais bien mademoiselle de La Boissière plus froide
qu'elle n'était au commencement de notre connaissance;
mais étant également civile, je ne remarquai point que je
lui fusse à charge. Pour Léonore, elle me paraissait fort
rêveuse devant sa mère et, quand elle n'en était pas
observée, il me semblait qu'elle en avait le visage moins
triste et que j'en recevais des regards plus favorables. »

Le Destin contait ainsi son histoire et les comédiennes
l'écoutaient attentivement sans témoigner qu'elles eussent envie de dormir lorsque deux heures après minuit
sonnèrent. Mademoiselle de La Caverne fit souvenir Le
Destin qu'il devait le lendemain tenir compagnie à La
Rappinière jusqu'à une maison qu'il avait à deux ou trois
lieues de la ville, où il avait promis de leur donner le
plaisir de la chasse. Le Destin prit donc congé des comédiennes et se retira dans sa chambre où il y a apparence
qu'il se coucha. Les comédiennes firent la même chose;
et ce qui restait de la nuit se passa fort paisiblement dans
l'hôtellerie, le poète par bonheur n'ayant point enfanté de
nouvelles stances.

CHAPITRE XIV

ENLÈVEMENT DU CURÉ DE DOMFRONT

Ceux qui auront eu assez de temps à perdre pour l'avoir
employé à lire les chapitres précédents doivent savoir,
s'ils ne l'ont oublié, que le curé de Domfront était dans
l'un des brancards* qui se trouvèrent quatre de compagnie dans un petit village, par une rencontre qui ne s'était
peut-être jamais faite ; mais, comme tout le monde sait,
quatre brancards se peuvent plutôt rencontrer ensemble
que quatre montagnes. Ce curé donc, qui s'était logé dans
la même hôtellerie que nos comédiens, fit consulter sa
gravelle par les médecins du Mans qui lui dirent, en latin
fort élégant, qu'il avait la gravelle (ce que le pauvre
homme ne savait que trop), et ayant aussi achevé d'autres
affaires qui ne sont pas venues à ma connaissance, il
partit de l'hôtellerie sur les neuf heures du matin pour
retourner à la conduite de ses ouailles. Une jeune nièce
qu'il avait, habillée en demoiselle*, soit qu'elle le fût ou
non, se mit au-devant du brancard, aux pieds du bonhomme qui était gros et court. Un paysan, nommé Guillaume, conduisait par la bride le cheval de devant par
l'ordre exprès du curé, de peur que ce cheval ne mît le
pied en faute [125] ; et le valet du curé, nommé Julian, avait
soin de faire aller le cheval de derrière, qui était si rétif
que Julian était souvent contraint de le pousser par le cul.
Le pot de chambre du curé, qui était de cuivre jaune
reluisant comme de l'or, parce qu'il avait été écuré dans
l'hôtellerie, était attaché au côté droit du brancard, ce qui
le rendait bien plus recommandable que le gauche, qui
n'était paré que d'un chapeau dans un étui de carte [126],
que le curé avait retiré du messager de Paris pour un
gentilhomme de ses amis, qui avait sa maison auprès de
Domfront. A une lieue et demie de la ville, comme le
brancard allait son petit train dans un chemin creux,
revêtu de haies plus fortes que des murailles, trois cavaliers, soutenus de deux fantassins, arrêtèrent le vénérable

brancard. L'un d'eux, qui paraissait être le chef de ces coureurs de grand chemin, dit d'une voix effroyable : «Par la mort! le premier qui soufflera, je le tue!» et présenta la bouche de son pistolet à deux doigts près des yeux du paysan Guillaume qui conduisait le brancard. Un autre en fit autant à Julian et un des hommes de pied coucha en joue la nièce du curé, qui cependant dormait dans son brancard fort paisiblement et ainsi fut exempté de l'effroyable peur qui saisit son petit train pacifique. Ces vilains hommes firent marcher le brancard plus vite que les méchants chevaux qui le portaient n'en avaient envie. Jamais le silence n'a été mieux observé dans une action si violente. La nièce du curé était plus morte que vive; Guillaume et Julian pleuraient sans oser ouvrir la bouche, à cause de l'effroyable vision des armes à feu; et le curé dormait toujours, comme je vous ai déjà dit. Un des cavaliers se détacha du gros au galop et prit le devant. Cependant le brancard gagna un bois, à l'entrée duquel le cheval de devant, qui mourait peut-être de peur aussi bien que celui qui le menait, ou par belle malice, ou parce que l'on le faisait aller plus vite qu'il ne lui était permis par sa nature pesante et endormie, ce pauvre cheval donc mit le pied dans une ornière et broncha* si rudement que monsieur le curé s'en éveilla et sa nièce tomba du brancard sur la maigre croupe de la haridelle. Le bonhomme appela Julian, qui n'osa lui répondre; il appela sa nièce, qui n'avait garde d'ouvrir la bouche; le paysan eut le cœur aussi dur que les autres et le curé se mit en colère tout de bon. On a voulu dire qu'il jura Dieu, mais je ne puis croire cela d'un curé du bas Maine. La nièce du curé s'était relevée de dessus la croupe du cheval et avait repris sa place sans oser regarder son oncle et le cheval, s'étant relevé vigoureusement, marchait plus fort qu'il n'avait jamais fait, nonobstant le bruit du curé qui criait de sa voix de lutrin : «Arrête! arrête!» Ses cris redoublés excitaient le cheval et le faisaient aller encore plus vite, et cela faisait crier le curé encore plus fort. Il appelait tantôt Julian, tantôt Guillaume et, plus souvent que les autres, sa nièce, au nom de laquelle il joignait souvent l'épithète de double carogne*. Elle eût pourtant bien parlé, si elle

cût voulu, car celui qui lui faisait garder le silence si
exactement était allé joindre les gens de cheval qui
avaient pris le devant et qui étaient éloignés du brancard
de quarante ou cinquante pas ; mais la peur de la carabine
la rendait insensible aux injures de son oncle qui se mit
enfin à hurler et à crier à l'aide et au meurtre, voyant
qu'on lui désobéissait si opiniâtrement. Là-dessus, les
deux cavaliers qui avaient pris le devant et que le fantassin avait fait revenir sur leurs pas, rejoignirent le brancard
et le firent arrêter. L'un d'eux dit effroyablement à Guillaume : « Qui est le fou qui crie là-dedans ? — Hélas !
monsieur, vous le savez mieux que moi », répondit le
pauvre Guillaume. Le cavalier lui donna du bout de son
pistolet dans les dents et, le présentant à la nièce, lui
commanda de se démasquer et de lui dire qui elle était. Le
curé, qui voyait de son brancard tout ce qui se passait et
qui avait un procès avec un gentilhomme de ses voisins,
nommé de Laune, crut que c'était lui qui voulait l'assassiner. Il se mit à crier : « Monsieur de Laune, si vous me
tuez, je vous cite devant Dieu ; je suis sacré prêtre indigne
et vous serez excommunié comme un loup-garou [127]. »
Cependant sa pauvre nièce se démasquait et faisait voir au
cavalier un visage effrayé qui lui était inconnu. Cela fit
un effet à quoi l'on ne s'attendait point. Cet homme
colère lâcha son pistolet dans le ventre du cheval qui
portait le devant du brancard et, d'un autre pistolet qu'il
avait à l'arçon de sa selle, donna droit dans la tête d'un de
ses hommes de pied, en disant : « Voilà comme il faut
traiter ceux qui donnent de faux avis ! » Ce fut alors que la
frayeur redoubla au curé et à son train. Il demanda
confession ; Julian et Guillaume se mirent à genoux et la
nièce du curé se rangea auprès de son oncle. Mais ceux
qui leur faisaient tant de peur les avaient déjà quittés et
s'étaient éloignés d'eux autant que leurs chevaux avaient
pu courir, leur laissant en dépôt celui qui avait été tué
d'un coup de pistolet. Julian et Guillaume se levèrent en
tremblant et dirent au curé et à sa nièce que les gendarmes* s'en étaient allés. Il fallut dételer le cheval de
derrière afin que le brancard ne penchât pas tant sur le
devant et Guillaume fut envoyé en un bourg prochain

pour trouver un autre cheval. Le curé ne savait que penser
de ce qui lui était arrivé ; il ne pouvait deviner pourquoi
on l'avait enlevé, pourquoi on l'avait quitté sans le voler
et pourquoi ce cavalier avait tué un des siens même, dont
le curé n'était pas si scandalisé que de son pauvre cheval
tué, qui vraisemblablement n'avait jamais rien eu à démêler avec cet étrange homme. Il concluait toujours que
c'était de Laune qui l'avait voulu assassiner et qu'il en
aurait la raison. Sa nièce lui soutenait que ce n'était point
de Laune, qu'elle connaissait bien, mais le curé voulait
que ce fût lui pour lui faire un bon grand procès criminel,
se fiant peut-être aux témoins à gages qu'il espérait de
trouver à Gorron [128], où il avait des parents. Comme ils
contestaient là-dessus, Julian, qui vit paraître de loin
quelque cavalerie, s'enfuit tant qu'il put. La nièce du
curé, qui vit fuir Julian, crut qu'il en avait du sujet et
s'enfuit aussi ; ce qui fit perdre au curé la tramontane [129],
ne sachant plus ce qu'il devait penser de tant d'événements extraordinaires. Enfin il vit aussi la cavalerie que
Julian avait vue et, qui pis est, il vit qu'elle venait droit à
lui. Cette troupe était composée de neuf ou dix chevaux,
au milieu de laquelle il y avait un homme lié et garrotté
sur un méchant cheval et défait* comme ceux qu'on mène
pendre. Le curé se mit à prier Dieu et se recommanda de
bon cœur à sa toute bonté, sans oublier le cheval qui lui
restait, mais il fut bien étonné et rassuré tout ensemble
quand il reconnut La Rappinière et quelques-uns de ses
archers. La Rappinière lui demanda ce qu'il faisait là et si
c'était lui qui avait tué l'homme qu'il voyait roide mort
auprès du corps d'un cheval. Le curé lui conta ce qui lui
était arrivé et conclut encore que c'était de Laune qui
l'avait voulu assassiner ; de quoi La Rappinière verbalisa*
amplement. Un des archers courut au prochain village
pour faire enlever le corps mort et revint avec la nièce du
curé et Julian, qui s'étaient rassurés et qui avaient rencontré Guillaume ramenant un cheval pour le brancard.
Le curé s'en retourna à Domfront sans aucune mauvaise
rencontre où, tant qu'il vivra, il contera son enlèvement.
Le cheval mort fut mangé des loups ou des mâtins* ; le
corps de celui qui avait été tué fut enterré je ne sais où ; et

La Rappinière, Le Destin, La Rancune et L'Olive, les archers et le prisonnier, s'en retournèrent au Mans. Et voilà le succès* de la chasse de La Rappinière et des comédiens qui prirent un homme au lieu de prendre un lièvre.

CHAPITRE XV

ARRIVÉE D'UN OPÉRATEUR DANS L'HOTELLERIE.
SUITE DE L'HISTOIRE DE DESTIN ET DE L'ÉTOILE.
SÉRÉNADE

Il vous souviendra, s'il vous plaît, que dans le précédent chapitre, l'un de ceux qui avaient enlevé le curé de Domfront avait quitté ses compagnons et s'en était allé au galop je ne sais où. Comme il pressait extrêmement son cheval dans un chemin fort creux et fort étroit, il vit de loin quelques gens de cheval qui venaient à lui ; il voulut retourner sur ses pas pour les éviter et tourna son cheval si court et avec tant de précipitation qu'il se cabra et se renversa sur son maître. La Rappinière et sa troupe (car c'étaient ceux qu'il avait vus) trouvèrent fort étrange qu'un homme qui venait à eux si vite eût voulu s'en retourner de la même façon. Cela donna quelque soupçon à La Rappinière qui, de son naturel, en était fort susceptible, outre que sa charge l'obligeait à croire plutôt le mal que le bien. Son soupçon s'augmenta beaucoup quand, étant auprès de cet homme qui avait une jambe sous son cheval, il vit qu'il ne paraissait pas tant effrayé de sa chute que de ce qu'il en avait des témoins. Comme il ne hasardait rien en augmentant sa peur et qu'il savait faire sa charge mieux que prévôt du royaume, il lui dit en l'approchant : « Vous voilà donc pris, homme de bien [130] ? Ah ! je vous mettrai en lieu d'où vous ne tomberez pas si lourdement ! » Ces paroles étourdirent le malheureux bien plus que n'avait fait sa chute ; et La Rappinière et les siens remarquèrent sur son visage de si

grandes marques d'une conscience bourrelée que tout
autre, moins entreprenant que lui, n'eût point balancé à
l'arrêter. Il commanda donc à ses archers de lui aider à se
relever et le fit lier et garrotter sur son cheval. La rencontre qu'il fit un peu après du curé de Domfront, dans le
désordre que vous avez vu, auprès d'un homme mort et
d'un cheval tué d'un coup de pistolet, lui [assura] qu'il ne
s'était pas mépris : à quoi contribua beaucoup la frayeur
du prisonnier, qui augmenta visiblement à son arrivée. Le
Destin le regardait plus attentivement que les autres,
pensant le reconnaître et ne pouvant se remettre en mémoire où il l'avait vu. Il travailla en vain sa réminiscence
durant le chemin ; il ne put y trouver ce qu'il cherchait.
Enfin ils arrivèrent au Mans où La Rappinière fit empri-
sonner le prétendu criminel et les comédiens, qui devaient commencer le lendemain à représenter, se retirèrent en leur hôtellerie pour donner ordre à leurs affaires.
Ils se réconcilièrent avec l'hôte ; et le poète, qui était
libéral comme un poète, voulut payer le souper. Ragotin,
qui se trouva dans l'hôtellerie et qui ne s'en pouvait
éloigner depuis qu'il était amoureux de L'Étoile, en fut
convié par le poète, qui fut assez fou pour y convier aussi
tous ceux qui avaient été spectateurs de la bataille qui
s'était donnée, la nuit précédente, en chemise entre les
comédiens et la famille de l'hôte. Un peu devant le
souper, la bonne compagnie qui était déjà dans l'hôtellerie, augmenta d'un opérateur* et de son train, qui était
composé de sa femme, d'une vieille servante maure, d'un
singe et de deux valets. La Rancune le connaissait il y
avait longtemps ; ils se firent force caresses*, et le poète,
qui faisait aisément connaissance, ne quitta point l'opérateur et sa femme qu'à force de compliments pompeux et
qui ne disaient pourtant pas grand-chose, il ne leur eût fait
promettre qu'ils lui feraient l'honneur de souper avec lui.
On soupa ; il ne s'y passa rien de remarquable ; on y but
beaucoup et on n'y mangea pas moins. Ragotin y reput
ses yeux du visage de L'Étoile, ce qui l'enivra autant que
le vin qu'il avala ; et il parla fort peu durant le souper,
quoique le poète lui donnât une belle matière à contester,
blâmant tout net les vers de Théophile [131], dont Ragotin

était grand admirateur. Les comédiennes firent quelque temps conversation avec la femme de l'opérateur, qui était espagnole et n'était pas désagréable. Elles se retirèrent ensuite dans leur chambre, où Le Destin les conduisit pour achever son histoire, que La Caverne et sa fille mouraient d'impatience d'entendre. L'Étoile cependant se mit à étudier son rôle; et Le Destin ayant pris une chaise auprès d'un lit où La Caverne et sa fille s'assirent, reprit son histoire en cette sorte :

« Vous m'avez vu jusques ici fort amoureux et bien en peine de l'effet que ma lettre aurait fait dans l'esprit de Léonore et de sa mère; vous m'allez voir encore plus amoureux et le plus désespéré de tous les hommes. J'allais voir tous les jours mademoiselle de La Boissière et sa fille, si aveuglé de ma passion que je ne remarquais point la froideur que l'on avait pour moi et considérais encore moins que mes trop fréquentes visites pouvaient leur être à la fin incommodes. Mademoiselle de La Boissière s'en trouvait fort importunée depuis que Saint-Far lui avait appris qui j'étais, mais elle ne pouvait civilement me défendre sa maison après ce qui m'était arrivé pour elle. Pour sa fille, à ce que je puis juger par ce qu'elle a fait depuis, je lui faisais pitié et elle ne suivait pas en cela les sentiments de sa mère qui ne la perdait jamais de vue afin que je ne pusse me trouver en particulier avec elle. Mais pour vous dire le vrai, quand cette belle fille eût voulu me traiter moins froidement que sa mère, elle n'eût osé l'entreprendre devant elle. Ainsi je souffrais comme une âme damnée* et mes fréquentes visites ne me servaient qu'à me rendre plus odieux à ceux à qui je voulais plaire. Un jour que mademoiselle de La Boissière reçut des lettres de France, qui l'obligeait à sortir, aussitôt qu'elle les eut lues elle envoya louer un carrosse et chercher le seigneur Stéphano pour s'en faire accompagner, n'osant pas aller seule depuis la fâcheuse rencontre où je l'avais servie. J'étais plus prêt et plus propre à lui servir d'écuyer que celui qu'elle envoyait chercher, mais elle ne voulait pas recevoir le moindre service d'une personne dont elle se voulait défaire. Par bonheur Stéphano ne se trouva point et elle fut contrainte de témoigner devant moi la

peine où elle était de n'avoir personne pour la mener, afin
que je m'y offrisse : ce que je fis avec autant de joie
qu'elle avait de dépit d'être réduite à me mener avec elle.
Je la menai chez un cardinal, qui était lors protecteur de
France [132] et qui lui donna heureusement audience aussitôt qu'elle la lui eut fait demander. Il fallait que son
affaire fût d'importance et qu'elle ne fût pas sans difficulté, car elle fut longtemps à lui parler en particulier
dans une espèce de grotte ou plutôt une fontaine couverte
qui était au milieu d'un fort beau jardin. Cependant tous
ceux qui avaient suivi ce cardinal, se promenaient dans
les endroits du jardin qui leur plaisaient le plus. Me voilà
donc dans une grande allée d'orangers seul avec la belle
Léonore, comme je l'avais tant souhaité de fois, et pourtant encore moins hardi que je n'avais jamais été. Je ne
sais si elle s'en aperçut et si ce fut par bonté qu'elle parla
la première. « Ma mère, me dit-elle, aura bien du sujet de
quereller le seigneur Stéphano de nous avoir aujourd'hui
manqué et d'être cause que nous vous donnons tant de
peine. — Et moi je lui serai bien obligé, lui répondis-je,
de m'avoir procuré, sans y penser, le plus grande félicité
dont je jouirai jamais. — Je vous ai assez d'obligations,
repartit-elle, pour prendre part à tout ce qui vous est
avantageux ; dites-moi donc, je vous prie, la félicité qu'il
vous a procurée, si c'est une chose qu'une fille puisse
savoir, afin que je m'en réjouisse. — J'aurais peur, lui
dis-je, que vous ne la fissiez cesser. — Moi ! reprit-elle,
je ne fus jamais envieuse et quand je le serais pour tout
autre, je ne le serais jamais pour une personne qui a mis
sa vie en hasard pour moi. — Vous ne le feriez pas par
envie, lui répondis-je. — Et par quel autre motif m'oppo-
serais-je à votre félicité ? reprit-elle. — Par mépris, lui
dis-je. — Vous me mettez bien en peine, ajouta-t-elle, si
vous ne m'apprenez ce que je mépriserais et de quelle
façon le mépris que je ferais de quelque chose vous la
rendrait moins agréable. — Il m'est bien aisé de m'expliquer, lui répondis-je, mais je ne sais si vous voudriez bien
m'entendre. — Ne me le dites donc point, me dit-elle,
car, quand on doute si on voudra bien entendre une
chose, c'est signe qu'elle n'est point intelligible ou

qu'elle peut déplaire. » Je vous avoue que je me suis étonné cent fois comment je lui pouvais répondre, songeant bien moins à ce qu'elle me disait qu'à sa mère qui pouvait revenir et me faire perdre l'occasion de lui parler de mon amour. Enfin, je m'enhardis et, sans employer plus de temps en une conversation qui ne me conduisait pas assez vite où je voulais aller, je lui dis, sans répondre à ses dernières paroles, qu'il y avait longtemps que je cherchais l'occasion de lui parler pour lui confirmer ce que j'avais pris la hardiesse de lui écrire et que je ne me serais jamais hasardé à cela si je n'avais su qu'elle avait lu ma lettre. Je lui redis ensuite une grande partie de ce que je lui avais écrit et ajoutai qu'étant près de partir pour la guerre que le pape faisait à quelques princes d'Italie[133] et étant résolu d'y mourir, puisque je n'étais pas digne de vivre pour elle, je la priais de m'apprendre les sentiments qu'elle aurait eus pour moi si ma fortune eût eu plus de rapport avec la hardiesse que j'avais eue de l'aimer. Elle m'avoua, en rougissant, que ma mort ne lui serait pas indifférente. « Et si vous êtes un homme à faire quelque chose pour vos amis, ajouta-t-elle, conservez-nous-en un qui nous a été si utile ; ou, du moins, si vous êtes si pressé de mourir, par une raison plus forte que celle que vous me venez de dire, différez votre mort jusques à tant que nous nous soyons revus en France où je dois bientôt retourner avec ma mère. » Je la pressai de me dire plus clairement les sentiments qu'elle avait pour moi, mais sa mère se trouva lors si près de nous qu'elle n'eût pu me répondre quand elle l'eût voulu. Mademoiselle de La Boissière me fit une mine assez froide, à cause peut-être que j'avais eu le temps d'entretenir Léonore en particulier et cette belle fille même me parut en être un peu en peine. Cela fut cause que je n'osai être que fort peu de temps chez elles. Je les quittai le plus content du monde et tirant des conséquences fort avantageuses à mon amour de la réponse de Léonore. Le lendemain je ne manquai pas de les aller voir, suivant ma coutume ; on me dit qu'elles étaient sorties et on me dit la même chose trois jours de suite que j'y retournai sans me rebuter. Enfin le seigneur Stéphano me conseilla de n'y aller plus, parce que mademoiselle de

La Boissière ne permettrait pas que je visse sa fille,
ajoutant qu'il me croyait trop raisonnable pour m'aller
faire donner un refus. Il m'apprit la cause de ma disgrâce.
La mère de Léonore l'avait trouvée qui m'écrivait une
lettre et, après l'avoir fort maltraitée*, elle avait donné
ordre à ses gens de me dire qu'elles n'y étaient pas toutes
les fois que je les viendrais voir. Ce fut alors que j'appris
le mauvais office que m'avait rendu Saint-Far et que,
depuis ce temps-là, mes visites avaient fort importuné la
mère. Pour la fille, Stéphano m'assura de sa part que mon
mérite lui eût fait oublier ma fortune si sa mère eût été
aussi peu intéressée qu'elle. Je ne vous dirai point le
désespoir où me mirent ces facheuses nouvelles ; je m'affligeai autant que si on m'eût refusé Léonore injustement,
quoique je n'eusse jamais espéré de la posséder ; je
m'emportai contre Saint-Far et je songeai même à me
battre contre lui, mais enfin, me remettant devant les
yeux ce que je devais à son père et à son frère, je n'eus
recours qu'à mes larmes. Je pleurai comme un enfant et je
m'ennuyai partout où je ne fus pas seul. Il fallut partir
sans voir Léonore. Nous fîmes une campagne dans l'armée du pape où je fis tout ce que je pus pour me faire
tuer. La fortune me fut contraire en cela, comme elle
l'avait toujours été en autres choses. Je ne pus trouver la
mort que je cherchais et j'acquis quelque réputation que
je ne cherchais point et qui m'aurait satisfait en un autre
temps, mais pour lors rien ne me pouvait satisfaire que le
souvenir de Léonore. Verville et Saint-Far furent obligés
de retourner en France où le baron d'Arques les reçut en
père idolâtre de ses enfants. Ma mère me reçut fort
froidement. Pour mon père, il se tenait à Paris chez le
comte de Glaris, qui l'avait choisi pour être le gouverneur
de son fils. Le baron d'Arques, qui avait su ce que j'avais
fait dans la guerre d'Italie, où même j'avais sauvé la vie à
Verville, voulut que je fusse à lui en qualité de gentilhomme. Il me permit d'aller voir mon père à Paris, qui
me reçut encore plus mal que n'avait fait sa femme. Un
autre homme de sa condition, qui eût eu un fils aussi bien
fait que moi, l'eût présenté au comte écossais, mais mon
père me tira hors de son logis avec empressement,

comme s'il eût eu peur que je l'eusse déshonoré. Il me reprocha cent fois, durant le chemin que nous fîmes ensemble, que j'étais trop brave*, que j'avais la mine d'être glorieux* et que j'aurais mieux fait d'apprendre un métier que d'être un traîneur d'épée. Vous pouvez penser que ces discours-là n'étaient guère agréables à un jeune homme qui avait été bien élevé, qui s'était mis en quelque réputation à la guerre et enfin qui avait osé aimer une fort belle fille, et même lui découvrir sa passion. Je vous avoue que les sentiments de respect et d'amitié que l'on doit avoir pour un père n'empêchèrent point que je ne le regardasse comme un très fâcheux vieillard. Il me promena dans deux ou trois rues, me caressant* de la sorte que je vous viens de dire, et puis me quitta tout d'un coup, me défendant expressément de le revenir voir. Je n'eus pas grand-peine à me résoudre de lui obéir. Je le quittai et m'en allai voir monsieur de Saint-Sauveur, qui me reçut en père. Il fut fort indigné de la brutalité* du mien et me promit de ne me point abandonner. Le baron d'Arques eut des affaires qui l'obligèrent d'aller demeurer à Paris. Il se logea à l'extrémité du faubourg Saint-Germain, en une fort belle maison que l'on avait bâtie depuis peu, avec beaucoup d'autres qui ont rendu ce faubourg-là aussi beau que la ville [134]. Saint-Far et Verville faisaient leur cour, allaient au Cours [135] ou en visite et faisaient tout ce que font les jeunes gens de leur condition en cette grande ville, qui fait passer pour campagnards les habitants des autres villes du royaume. Pour moi, quand je ne les accompagnais point, je m'allais exercer dans toutes les salles des tireurs d'armes, ou bien j'allais à la comédie : ce qui est cause peut-être de ce que je suis passable comédien.

Un jour Verville me tira en particulier et me découvrit qu'il était devenu fort amoureux d'une demoiselle qui demeurait dans la même rue. Il m'apprit qu'elle avait un frère nommé Saldagne, qui était aussi jaloux d'elle et d'une autre sœur qu'elle avait que s'il eût été leur mari et il me dit de plus qu'il avait fait assez de progrès auprès d'elle pour l'avoir persuadée de lui donner, la nuit suivante, entrée dans son jardin qui répondait * par une porte de derrière à la campagne, comme celui du baron d'Arques. Après m'avoir fait cette confidence, il me pria de l'y accompagner et de faire tout ce que je pourrais pour me mettre aux bonnes grâces de la fille qu'elle devait avoir avec elle. Je ne pouvais refuser à l'amitié que m'avait toujours témoignée Verville de faire tout ce qu'il voulait. Nous sortîmes par la porte de derrière de notre jardin, sur les dix heures du soir, et fûmes reçus, dans celui où on nous attendait, par la maîtresse et la suivante. La pauvre mademoiselle de Saldagne tremblait comme la feuille et n'osait parler; Verville n'était guère plus assuré; la suivante ne disait mot et moi, qui n'étais là que pour accompagner Verville, je ne parlais point et n'en avais pas envie. Enfin Verville s'évertua* et mena sa maîtresse dans une allée couverte, après avoir bien recommandé à la suivante et à moi de faire bon guet : ce que nous fîmes avec tant d'attention que nous nous promenâmes assez longtemps sans nous dire la moindre parole l'un à l'autre. Au bout d'une allée, nous nous rencontrâmes avec les jeunes amants. Verville me demanda assez haut si j'avais entretenu madame Madelon. Je lui répondis que je ne croyais pas qu'elle eût sujet de s'en plaindre. «Non assurément, dit aussitôt la soubrette, car il ne m'a encore rien dit. » Verville s'en mit à rire et assura cette Madelon que je valais bien la peine que l'on fît conversation avec moi, quoique je fusse fort mélancolique. Mademoiselle de Saldagne prit la parole et dit que sa femme de chambre n'était pas aussi une fille à mépriser; et là-dessus ces amants bienheureux nous quittèrent, nous recommandant de bien prendre garde que l'on ne les surprît point. Je me préparai alors à m'ennuyer beaucoup avec une servante qui m'allait demander sans doute combien je gagnais de gages, quelles servantes je connaissais dans le quartier, si je savais des chansons nouvelles et si j'avais bien des profits avec mon maître. Je m'attendais après cela d'apprendre tous les secrets de la maison de Saldagne et tous les défauts, tant de lui que de ses sœurs, car peu de suivants se rencontrent ensemble sans se dire tout ce qu'ils savent de leur maître et sans trouver à redire au peu de soin qu'ils ont de faire leur fortune et celle de

leurs gens; mais je fus bien étonné de me voir en conversation avec une servante qui me dit d'abord* : « Je te
conjure, esprit muet, de me confesser si tu es valet et, si
tu es valet, par quelle vertu admirable tu t'es empêché
jusqu'à cette heure de me dire du mal de ton maître. » Ces
paroles, si extraordinaires en la bouche d'une femme de
chambre, me surprirent. Je lui demandai de quelle autorité elle se mêlait de m'exorciser. « Je vois bien, me
dit-elle, que tu es un esprit opiniâtre et qu'il faut que je
redouble mes conjurations. Dis-moi donc, esprit rebelle,
par la puissance que Dieu m'a donnée sur les valets
suffisants et glorieux*, dis-moi qui tu es. — Je suis un
pauvre garçon, lui répondis-je, qui voudrais bien être
endormi dans mon lit. — Je vois bien, repartit-elle, que
j'aurai bien de la peine à te connaître; au moins ai-je déjà
découvert que tu n'es guère galant, car, ajouta-t-elle, ne
me devais-tu pas parler le premier, me dire cent douceurs, me vouloir prendre la main, te faire donner deux
ou trois soufflets, autant de coups de pied, te faire bien
égratigner, enfin t'en retourner chez toi comme un
homme à bonne fortune? — Il y a des filles dans Paris,
interrompis-je, dont je serais ravi de porter les marques ;
mais il y en a aussi que je ne voudrais pas seulement
envisager*, de peur d'avoir de mauvais songes. — Tu
veux dire, reprit-elle, que je suis peut-être laide. Hé,
monsieur le difficile, ne sais-tu pas bien que la nuit tous
les chats sont gris? — Je ne veux rien faire la nuit, lui
répliquai-je, dont je puisse me repentir le jour. — Et si je
suis belle? me dit-elle. — Je ne vous aurais pas porté
assez de respect, lui dis-je, outre qu'avec l'esprit que
vous me faites paraître, vous mériteriez d'être servie et
galantisée par les formes. — Et servirais-tu bien une fille
de mérite par les formes? me demanda-t-elle. — Mieux
qu'homme au monde, lui dis-je, pourvu que je l'aimasse.
— Que t'importe, ajouta-t-elle, pourvu que tu en fusses
aimé? — Il faut que l'un et l'autre se rencontrent dans
une galanterie où je m'embarquerais, lui repartis-je.
— Vraiment, dit-elle, si je dois juger du maître par le
valet, ma maîtresse a bien choisi en M. de Verville et la
servante pour qui tu te radoucirais aurait grand sujet de

faire l'importante. — Ce n'est pas assez de m'ouïr parler, lui dis-je, il faut aussi me voir. — Je crois, repartit-elle, qu'il ne faut ni l'un ni l'autre. » Notre conversation ne put durer davantage, car M. de Saldagne heurtait à grands coups à la porte de la rue, que l'on ne se hâtait point d'ouvrir par l'ordre de sa sœur, qui voulait avoir le temps de gagner sa chambre. La demoiselle et la femme de chambre se retirèrent si troublées et avec tant de précipitation qu'elles ne nous dirent pas adieu en nous mettant hors du jardin. Verville voulut que je l'accompagnasse en sa chambre aussitôt que nous fûmes arrivés au logis. Jamais je ne vis un homme plus amoureux et plus satisfait. Il m'exagéra l'esprit de sa maîtresse et me dit qu'il n'aurait point l'esprit content que je ne l'eusse vue. Enfin il me tint toute la nuit à me redire cent fois les mêmes choses et je ne pus m'aller coucher qu'alors que le point du jour commença de paraître. Pour moi, j'étais fort étonné d'avoir trouvé une servante de si bonne conversation et je vous avoue que j'eus quelque envie de savoir si elle était belle, quoique le souvenir de ma Léonore me donnât une extrême indifférence pour toutes les belles filles que je voyais tous les jours dans Paris. Nous dormîmes, Verville et moi, jusqu'à midi. Il écrivit, aussitôt qu'il fut éveillé, à mademoiselle de Saldagne et envoya sa lettre par son valet, qui en avait déjà porté d'autres et qui avait correspondance avec sa femme de chambre. Ce valet était Bas-Breton[136] d'une figure fort désagréable et d'un esprit qui l'était encore plus. Il me vint en l'esprit, quand je le vis partir, que si la fille que j'avais entrevue le voyait vilain comme il était et parlait un moment à lui, qu'assurément elle ne le soupçonnerait point d'être celui qui avait accompagné Verville. Ce gros sot s'acquitta assez bien de sa commission pour un sot ; il trouva mademoiselle de Saldagne avec sa sœur aînée, qui s'appelait mademoiselle de Léri, à qui elle avait fait confidence de l'amour que Verville avait pour elle. Comme il attendait sa réponse, M. de Saldagne fut ouï chanter sur le degré*. Il venait à la chambre de ses sœurs, qui cachèrent à la hâte notre Breton dans une garde-robe. Le frère ne fut pas longtemps avec ses sœurs et le Breton fut tiré de sa cachette. Mademoiselle de Saldagne s'enferma dans un petit cabinet pour faire réponse à Verville et mademoiselle de Léri fit conversation avec le Breton, qui sans doute ne la divertit guère. Sa sœur, qui avait achevé sa lettre, la délivra de notre lourdaud, le renvoyant à son maître avec un billet par lequel elle lui promettait de l'attendre à la même heure dans le même jardin.

Aussitôt que la nuit fut venue, vous pouvez penser que Verville se tint prêt pour aller à l'assignation * qu'on lui avait donnée. Nous fûmes introduits dans le jardin et je me vis en tête* la même personne que j'avais entretenue et que j'avais trouvée si spirituelle. Elle me le parut encore plus qu'elle n'avait fait, et je vous avoue que le son de sa voix et la façon dont elle disait les choses me firent souhaiter qu'elle fût belle. Cependant elle ne pouvait croire que je fusse le Bas-Breton qu'elle avait vu, ni comprendre pourquoi j'avais plus d'esprit la nuit que le jour, car le Breton nous ayant conté que l'arrivée de Saldagne dans la chambre de ses sœurs lui avait fait grand-peur, je m'en fis honneur devant cette spirituelle servante en lui protestant que je n'avais pas tant eu de peur pour moi que pour mademoiselle de Saldagne. Cela lui ôta tout le doute qu'elle pouvait avoir que je ne fusse pas le valet de Verville et je remarquai que, depuis cela, elle commença à me tenir de vrais discours de servante. Elle m'apprit que ce monsieur de Saldagne était un terrible homme et que, s'étant trouvé fort jeune sans père ni mère avec beaucoup de bien et peu de parents, il exerçait une grande tyrannie sur ses sœurs pour les obliger à se faire religieuses, les traitant non pas seulement en père injuste, mais en mari jaloux et insupportable. Je lui allais parler à mon tour du baron d'Arques et de ses enfants, quand la porte du jardin, que nous n'avions point fermée, s'ouvrit; et nous vîmes entrer M. de Saldagne, suivi de deux laquais, dont l'un lui portait un flambeau. Il revenait d'un logis qui était au bout de la rue, dans la même ligne du sien et du nôtre, où l'on jouait tous les jours et où Saint-Far allait souvent se divertir. Ils y avaient joué ce jour-là l'un et l'autre; et Saldagne, ayant perdu son argent de bonne heure, était rentré dans son logis par la porte de derrière contre sa coutume ; et, l'ayant trouvée ouverte, nous avait surpris comme je vous viens de dire. Nous étions alors tous quatre dans une allée couverte, ce qui nous donna moyen de nous dérober à la vue de Saldagne et de ses gens. La demoiselle demeura dans le jardin sous prétexte de prendre le frais ; et, pour rendre la chose plus vraisemblable, elle se mit à chanter sans en avoir grande envie, comme vous pouvez penser. Cependant Verville, ayant escaladé la muraille par une treille, s'était jeté de l'autre côté ; mais un troisième laquais de Saldagne, qui n'était pas encore rentré, le vit sauter et ne manqua pas de venir dire à son maître qu'il venait de voir sauter un homme de la muraille du jardin dans la rue. En même temps on m'ouït tomber dans le jardin fort rudement, la même treille par laquelle s'était sauvé Verville s'étant malheureusement rompue sous moi. Le bruit de ma chute, joint au rapport du laquais, émut tous ceux qui étaient dans le jardin. Saldagne courut au bruit qu'il avait entendu, suivi de ses trois laquais ; et, voyant un homme l'épée à la main (car aussitôt que je fus relevé, je m'étais mis en état de me défendre), il m'attaqua à la tête des siens. Je lui fis bientôt voir que je n'étais pas aisé à battre. Le laquais qui portait le flambeau s'avança plus que les autres ; cela me donna moyen de voir Saldagne au visage, que je reconnus pour le même Français qui m'avait autrefois voulu assassiner* dans Rome pour l'avoir empêché de faire une violence à Léonore, comme je vous ai tantôt dit. Il me reconnut aussi, et, ne doutant point que je ne fusse venu là pour lui rendre la pareille, il me cria que je ne lui échapperais pas cette fois-là. Il redoubla ses efforts, et alors je me trouvai fort pressé, outre que je m'étais quasi rompu une jambe en tombant. Je gagnai, en lâchant le pied *, un cabinet dans lequel j'avais vu entrer la maîtresse de Verville fort éplorée. Elle ne sortit point de ce cabinet quoique je m'y retirasse, soit qu'elle n'en eût pas le temps, ou que la peur la rendît immobile. Pour moi, je me sentis augmenter le courage quand je vis que je ne pouvais être attaqué que par la porte du cabinet, qui était assez étroite. Je blessai Saldagne en une main et le plus opiniâtre de ses laquais en un bras ; ce qui me fit donner un peu de relâche. Je n'espérais pas pourtant en échapper, m'attendant qu'à la fin on me tuerait à coups de pistolet quand je leur aurais bien donné de la peine à coups d'épée; mais Verville vint à mon secours. Il ne s'était point voulu retirer dans son logis sans moi; et, ayant ouï la rumeur et le bruit des épées, il était venu me tirer du péril où il m'avait mis ou le partager avec moi. Saldagne, avec qui il avait déjà fait connaissance, crut qu'il venait le secourir, comme [137] son ami et voisin. Il s'en tint fort obligé et lui dit en l'abordant : « Vous voyez, monsieur, comme je suis assassiné* dans mon logis. » Verville, qui connut sa pensée, lui répondit sans hésiter qu'il était son serviteur contre tout autre, mais qu'il n'était là qu'en l'intention de me servir contre qui que ce fut. Saldagne, enragé de s'être trompé, lui dit en jurant qu'il viendrait bien à bout lui seul de deux traîtres, et en même temps chargea Verville de furie, qui le reçut vigoureusement. Je sortis de mon cabinet pour aller joindre mon ami; et, surprenant le laquais qui portait le flambeau, je ne le voulus pas tuer; je me contentai de lui donner un estramaçon* sur la tête, qui l'effraya si fort qu'il s'enfuit hors du jardin bien avant dans la campagne, criant aux voleurs. Les autres laquais s'enfuirent aussi. Pour ce qui est de Saldagne, au même temps que la lumière du flambeau nous manqua, je le vis tomber dans une palissade*, soit que Verville l'eût blessé ou par un autre accident. Nous ne jugeâmes pas à propos de le relever, mais bien de nous retirer bien vite. La sœur de Saldagne, que j'avais vue dans le cabinet, et qui savait bien que son frère était homme à lui faire de grandes violences, en sortit alors et vint nous prier, parlant bas et fondant toute en larmes, de l'emmener avec nous. Verville fut ravi d'avoir sa maîtresse en sa puissance. Nous trouvâmes la porte de notre jardin entrouverte, comme nous l'avions laissée, et nous ne la fermâmes point pour n'avoir pas la peine de l'ouvrir si nous étions obligés de sortir. Il y avait dans notre jardin une salle basse, peinte et fort enjolivée, où l'on mangeait en été et qui était détachée du reste de la maison. Mes jeunes maîtres et moi y faisions quelquefois des armes; et, comme c'était le

lieu le plus agréable de la maison, le baron d'Arques, ses
enfants et moi en avions chacun une clef, afin que les
valets n'y entrassent point et que les livres et les meubles
qui y étaient fussent en sûreté. Ce fut là où nous mîmes
notre demoiselle qui ne pouvait se consoler. Je lui dis que
nous allions songer à sa sûreté et à la nôtre et que nous
reviendrions à elle dans un moment. Verville fut un gros
quart d'heure à réveiller son valet breton qui avait fait la
débauche*. Aussitôt qu'il nous eut allumé de la chandelle, nous songeâmes quelque temps à ce que nous
ferions de la sœur de Saldagne ; enfin nous résolûmes de
la mettre dans ma chambre, qui était au haut du logis et
qui n'était fréquentée que de mon valet et de moi. Nous
retournâmes à la salle du jardin avec de la lumière.
Verville fit un grand cri en y entrant, ce qui me surprit
fort. Je n'eus pas le temps de lui demander ce qu'il avait,
car j'ouïs parler à la porte de la salle, que quelqu'un
ouvrit à l'instant que j'éteignais ma chandelle. Verville
demanda : «Qui va là?» Son frère Saint-Far nous répondit : «C'est moi. Que diable faites-vous ici sans chandelle
à l'heure qu'il est? — Je m'entretenais avec Garigues
parce que je ne puis dormir, lui répondit Verville. — Et
moi, dit Saint-Far, je ne puis dormir aussi et viens occuper la salle à mon tour ; je vous prie de m'y laisser tout
seul.» Nous ne nous fîmes pas prier deux fois. Je fis
sortir notre demoiselle le plus adroitement que je pus,
m'étant mis entre elle et Saint-Far qui entrait en même
temps. Je la menai dans ma chambre sans qu'elle cessât
de se désespérer et revins trouver Verville dans la sienne
où son valet ralluma de la chandelle. Verville me dit avec
un visage affligé, qu'il fallait nécessairement qu'il re-
tournât chez Saldagne. «Et qu'en voulez-vous faire? lui
dis-je, l'achever? — Ha! mon pauvre Garigues,
s'écria-t-il, je suis le plus malheureux homme du monde
si je ne tire mademoiselle de Saldagne d'entre les mains
de son frère! — Et y est-elle encore puisqu'elle est dans
ma chambre? lui répondis-je. — Plût à Dieu que cela fût!
me dit-il en soupirant. — Je crois que vous rêvez, lui
repartis-je. — Je ne rêve point, reprit-il ; nous avons pris
la sœur aînée de mademoiselle [de] Saldagne pour elle.

— Quoi! lui dis-je aussitôt, n'étiez-vous pas ensemble
dans le jardin? — Il n'y a rien de plus assuré, me dit-il.
— Pourquoi voulez-vous donc vous aller faire assommer
chez son frère, lui répondis-je, puisque la sœur que vous
demandez est dans ma chambre? — Ha! Garigues,
s'écria-t-il encore, je sais bien ce que j'ai vu. — Et moi
aussi, lui dis-je; et, pour vous montrer que je ne me
trompe point, venez voir mademoiselle de Saldagne. » Il
me dit que j'étais fou et me suivit le plus affligé homme
du monde. Mais mon étonnement ne fut pas moindre que
son affliction quand je vis dans ma chambre une demoiselle que je n'avais jamais vue et qui n'était point celle
que j'avais amenée. Verville en fut aussi étonné que moi,
mais en récompense le plus satisfait homme du monde,
car il se trouvait avec mademoiselle de Saldagne. Il
m'avoua que c'était lui qui s'était trompé, mais je ne
pouvais lui répondre, ne pouvant comprendre par quel
enchantement une demoiselle que j'avais toujours accompagnée s'était transformée en une autre à venir de la
salle du jardin à ma chambre. Je regardais attentivement
la maîtresse de Verville, qui n'était point assurément
celle que nous avions tirée de chez Saldagne et qui même
ne lui ressemblait pas. Verville me voyant si éperdu:
« Qu'as-tu donc? me dit-il, je te confesse encore une fois
que je me suis trompé. — Je le suis plus que vous si
mademoiselle de Saldagne est entrée céans avec nous, lui
répondis-je. — Et avec qui donc? reprit-il. — Je ne sais,
lui dis-je, ni qui le peut savoir que mademoiselle même.
— Je ne sais pas aussi avec qui je suis venue, si ce n'est
avec monsieur, nous dit alors mademoiselle de Saldagne,
parlant de moi; car, continua-t-elle, ce n'est pas monsieur
de Verville qui m'a tirée de chez mon frère, c'est un
homme qui est entré chez nous un moment après que vous
en êtes sorti. Je ne sais pas si les plaintes de mon frère en
furent cause ou si nos laquais, qui entrèrent en même
temps que lui, l'avaient averti de ce qui s'était passé. Il fit
porter mon frère dans sa chambre et ma femme de chambre, m'étant venue apprendre ce que je vous viens de dire
et qu'elle avait remarqué que cet homme était de la
connaissance de mon frère et de nos voisins, je l'allai

attendre dans le jardin où je le conjurai de me mener chez
lui jusqu'au lendemain que je me ferais mener chez une
dame de mes amies pour laisser passer la furie de mon
frère, que je lui avouai avoir tous les sujets du monde de
redouter. Cet homme m'offrit assez civilement de me
conduire partout où je voudrais et me promit de me
protéger contre mon frère, même au péril de sa vie. C'est
sous sa conduite que je suis venue en ce logis où Verville,
que j'ai bien reconnu à la voix, a parlé à ce même
homme ; ensuite de quoi on m'a mise dans la chambre où
vous me voyez. »

Ce que nous dit mademoiselle de Saldagne ne
m'éclaircit pas entièrement, mais au moins aida-t-elle
beaucoup à me faire deviner à peu près de quelle façon la
chose était arrivée. Pour Verville, il avait été si attentif à
considérer sa maîtresse qu'il ne l'avait été que fort peu à
tout ce qu'elle nous dit ; il se mit à lui dire cent douceurs
sans se mettre beaucoup en peine de savoir par quelle
voie elle était venue dans ma chambre. Je pris de la
lumière, et, les laissant ensemble, je retournai dans la
salle du jardin pour parler à Saint-Far, quand bien il me
devrait dire quelque chose de désobligeant, selon sa coutume. Mais je fus bien étonné de trouver au lieu de lui la
même demoiselle que je savais très certainement avoir
amenée de chez Saldagne. Ce qui augmenta mon étonnement, ce fut de la voir toute en désordre comme une
personne à qui on a fait une violence ; sa coiffure était
toute défaite et le mouchoir qui lui couvrait la gorge était
sanglant en quelques endroits aussi bien que son visage.
« Verville, me dit-elle aussitôt qu'elle me vit paraître, ne
m'approche point si ce n'est pour me tuer. Tu feras bien
mieux que d'entreprendre une seconde violence. Si j'ai
eu assez de force pour me défendre de la première, Dieu
m'en donnera encore assez pour t'arracher les yeux si je
ne puis t'ôter la vie. C'est donc là, ajouta-t-elle en pleurant, cet amour violent que tu disais avoir pour ma sœur ?
Oh ! que la complaisance que j'ai eue pour ses folies me
coûte bon ! et quand on ne fait pas ce qu'on doit, qu'il est
bien juste de souffrir les maux que l'on craint le plus !
Mais que délibères-tu ? me dit-elle encore, me voyant tout

étonné; as-tu quelques remords de ta mauvaise action? Si
cela est, je l'oublierai de bon cœur; tu es jeune, et j'ai été
trop imprudente de me fier en la discrétion d'un homme
de ton âge. Remets-moi donc chez mon frère, je t'en
conjure; tout violent qu'il est, je le crains moins que toi,
qui n'es qu'un brutal* ou plutôt un ennemi mortel de
notre maison, qui n'as pu être satisfait d'une fille séduite
et d'un gentilhomme assassiné, si tu n'y ajoutais un plus
grand crime. » En achevant ces paroles, qu'elle prononça
avec beaucoup de véhémence, elle se mit à pleurer avec
tant de violence que je n'ai jamais vu une affliction
pareille. Je vous avoue que ce fut là où j'achevai de
perdre le peu d'esprit que j'avais conservé en une si
grande confusion; et si elle n'eût cessé de parler d'elle-
même, je n'eusse jamais osé l'interrompre de la façon
que j'étais étonné et de l'autorité avec laquelle elle
m'avait fait tous ces reproches. « Mademoiselle, lui répondis-je, non seulement je ne suis point Verville, mais
aussi j'ose vous assurer qu'il n'est point capable d'une
mauvaise action, comme celle dont vous vous plaignez.
— Quoi! reprit-elle, tu n'es point Verville? je ne t'ai
point vu aux mains avec mon frère? un gentilhomme
n'est point venu à ton secours? et tu ne m'as pas conduite
céans à ma prière, où tu m'as voulu faire une violence
indigne de toi et de moi? » Elle ne put me rien dire
davantage, tant la douleur la suffoquait. Pour moi, je ne
fus jamais en plus grand-peine, ne pouvant comprendre
comme elle connaissait Verville et ne le connaissait
point. Je lui dis que la violence qu'on lui avait faite
m'était inconnue et, puisqu'elle était sœur de monsieur de
Saldagne, que je la mènerais, si elle voulait, où était sa
sœur. Comme j'achevais de parler, je vis entrer dans la
salle Verville et mademoiselle de Saldagne qui voulait
absolument qu'on la ramenât chez son frère; je ne sais
pas d'où lui était venue une si dangereuse fantaisie. Les
deux sœurs s'embrassèrent aussitôt qu'elles se virent et se
remirent à pleurer à l'envi l'une de l'autre. Verville les
pria instamment de retourner dans ma chambre, leur
représentant la difficulté qu'il y aurait de faire ouvrir chez
monsieur de Saldagne, la maison étant alarmée comme

elle était, outre le péril qu'il y avait pour elles entre les mains d'un brutal; que dans son logis elles ne pouvaient être découvertes; que le jour allait bientôt paraître et que, selon les nouvelles que l'on aurait de Saldagne, on aviserait à ce que l'on aurait à faire. Verville n'eut pas grand-peine à les faire condescendre à ce qu'il voulut, ces deux pauvres demoiselles se trouvant toutes rassurées de se voir ensemble. Nous montâmes en ma chambre où, après avoir bien examiné les étranges succès* qui nous mettaient en peine, nous crûmes avec autant de certitude que si nous l'eussions vu que la violence que l'on avait faite à mademoiselle de Léri venait infailliblement de Saint-Far, ne sachant que trop, Verville et moi, qu'il était encore capable de quelque chose de pire. Nous ne nous trompions point en nos conjectures; Saint-Far avait joué dans la même maison où Saldagne avait perdu son argent et, passant devant son jardin un moment après le désordre que nous y avions fait, il s'était rencontré avec les laquais de Saldagne, qui lui avaient fait le récit de ce qui était arrivé à leur maître, qu'ils assuraient avoir été assassiné par sept ou huit voleurs pour excuser la lâcheté qu'ils avaient faite en l'abandonnant. Saint-Far se crut obligé de lui aller offrir son service comme à son voisin et ne le quitta point qu'il ne l'eût fait porter dans sa chambre, au sortir de laquelle mademoiselle de Saldagne l'avait prié de la mettre à couvert des violences de son frère et était venue avec lui, comme avait fait sa sœur avec nous. Il avait donc voulu la mettre dans la salle du jardin où nous étions, comme je vous ai dit; et, parce qu'il n'avait pas moins de peur que nous vissions sa demoiselle que nous en avions qu'il ne vît la nôtre, et que par hasard les deux sœurs se trouvèrent l'une auprès de l'autre, quand il entra et quand nous sortîmes, je trouvai sous ma main la sienne au même temps qu'il se trompa de la même façon avec la nôtre, et ainsi les demoiselles furent troquées. Ce qui fut d'autant plus faisable que j'avais éteint la lumière et qu'elles étaient vêtues l'une comme l'autre, et si éperdues aussi bien que nous qu'elles ne savaient ce qu'elles faisaient. Aussitôt que nous l'eûmes laissé dans la salle, se voyant seul avec une fort belle fille, et ayant bien plus d'instinct que de raison, ou, pour parler de lui comme il mérite, étant la brutalité * même, il avait voulu profiter de l'occasion, sans considérer ce qui en pourrait arriver et qu'il faisait un outrage irréparable à une fille de condition, qui s'était mise entre ses bras comme dans un asile. Sa brutalité fut punie comme elle le méritait. Mademoiselle de Léri se défendit en lionne, le mordit, l'égratigna et le mit tout en sang. A tout cela il ne fit autre chose que s'aller coucher et s'endormit aussi tranquillement que s'il n'eût pas fait l'action du monde la plus déraisonnable. Vous êtes peut-être en peine de savoir comment mademoiselle de Léri se trouvait dans le jardin quand son frère nous y surprit, elle qui n'y était point venue comme avait fait sa sœur. C'est ce qui m'embarrassait aussi bien que vous, mais j'appris de l'une et de l'autre que mademoiselle de Léri avait accompagné sa sœur dans le jardin pour ne se fier pas à la discrétion d'une servante ; et c'était elle que j'avais entretenue sous le nom de Madelon. Je ne m'étonnai donc plus si j'avais trouvé tant d'esprit en une femme de chambre ; et mademoiselle de Léri m'avoua qu'après avoir fait conversation avec moi dans le jardin et m'avoir trouvé plus spirituel que ne l'est d'ordinaire un valet, celui de Verville qui lui avait fait voir qu'il n'avait guère d'esprit et qu'elle prenait encore le lendemain pour moi, l'avait extrêmement étonnée. Depuis ce temps-là nous eûmes l'un pour l'autre quelque chose de plus que de l'estime, et j'ose dire qu'elle était pour le moins aussi aise que moi de ce que nous nous pouvions aimer avec plus d'égalité et de proportion que si l'un de nous deux eût été valet ou servante. Le jour parut que nous étions encore ensemble. Nous laissâmes nos demoiselles dans ma chambre où elles s'endormirent si elles voulurent et nous allâmes songer, Verville et moi, à ce que nous avions à faire. Pour moi, qui n'étais pas amoureux comme Verville, je mourais d'envie de dormir, mais il n'y avait pas apparence d'abandonner mon ami dans un si grand accablement d'affaires. J'avais un laquais aussi avisé que le valet de chambre de Verville était maladroit. Je l'instruisis autant que je pus et l'envoyai découvrir ce qui se passait chez Saldagne. Il s'acquitta de

sa commission avec esprit et nous rapporta que les gens
de Saldagne disaient que des voleurs l'avaient fort blessé
et que l'on ne parlait non plus de ses sœurs que si jamais
il n'en eût eu, soit qu'il ne se souciât point d'elles ou qu'il
eût défendu à ses gens d'en parler pour étouffer le bruit
d'une chose qui lui était si désavantageuse. « Je vois bien
qu'il y aura ici du duel, me dit alors Verville. — Et
peut-être de l'assassinat*, lui répondis-je. » Et là-dessus
je lui appris que Saldagne était le même qui m'avait voulu
assassiner dans Rome, que nous nous étions reconnus
l'un l'autre ; et j'ajoutai que, s'il croyait que ce fût moi
qui eût attenté sur sa vie, comme il y avait grande apparence, qu'assurément il ne soupçonnait rien encore de
l'intelligence que ses sœurs avaient avec nous. J'allai
rendre compte à ces pauvres filles de ce que nous avions
appris ; et cependant * Verville alla trouver Saint-Far pour
découvrir ses sentiments et si nous avions bien deviné. Il
trouva qu'il avait le visage fort égratigné, mais, quelque
question que Verville lui put faire, il n'en put tirer autre
chose, sinon que, revenant de jouer, il avait trouvé la
porte du jardin de Saldagne ouverte, sa maison en rumeur, et lui fort blessé entre les bras de ses gens qui le
portaient dans sa chambre. « Voilà un grand accident, lui
dit Verville, et ses sœurs en seront bien affligées : ce sont
de fort belles filles, je veux leur aller rendre visite.
— Que m'importe ? » lui répondit ce brutal*, qui se mit
ensuite à siffler sans plus rien répondre à son frère, pour
tout ce qu'il put dire. Verville le quitta et revint dans ma
chambre, où j'employais toute mon éloquence pour
consoler nos belles affligées. Elles se désespéraient et
n'attendaient que des violences extrêmes de l'étrange
humeur de leur frère, qui était sans doute l'homme du
monde le plus esclave de ses passions. Mon laquais leur
alla quérir à manger dans le prochain cabaret*, ce qu'il
continua de faire quinze jours durant que nous les tînmes
cachées dans ma chambre où, par bonheur, elles ne furent
point découvertes parce qu'elle était au haut du logis et
éloignée des autres. Elles n'eussent point eu de répugnance à se mettre dans quelque maison religieuse, mais,
à cause de l'aventure fâcheuse qui leur était arrivée, elles

avaient grand sujet de craindre de ne sortir pas d'un couvent quand elles voudraient, après s'y être renfermées d'elles-mêmes. Cependant* les blessures de Saldagne se guérissaient et Saint-Far, que nous observions, l'allait visiter tous les jours. Verville ne bougeait de ma chambre ; à quoi on ne prenait pas garde dans le logis, ayant accoutumé d'y passer souvent les jours entiers à lire ou à s'entretenir avec moi. Son amour augmentait tous les jours pour mademoiselle de Saldagne et elle l'aimait autant qu'elle en était aimée. Je ne déplaisais pas à sa sœur aînée et elle ne m'était pas indifférente. Ce n'est pas que la passion que j'avais pour Léonore fût diminuée, mais je n'espérais plus rien de ce côté-là. Et quand je l'aurais pu posséder, j'aurais fait conscience de la rendre malheureuse.

Un jour Verville reçut un billet de Saldagne qui le voulait voir l'épée à la main et qui l'attendait avec un de ses amis dans la plaine de Grenelle [138]. Par le même billet, Verville était prié de ne se servir point d'un autre que de moi, ce qui me donna quelque soupçon que peut-être il nous voulait prendre tous deux d'un coup de filet. Ce soupçon était assez bien fondé, ayant déjà expérimenté ce qu'il savait faire, mais Verville ne s'y voulut pas arrêter, ayant résolu de lui donner toutes sortes de satisfactions et d'offrir même d'épouser sa sœur. Il envoya quérir un carrosse de louage, quoiqu'il y en eût trois dans le logis. Nous allâmes où Saldagne nous attendait et où Verville fut bien étonné de trouver son frère qui servait son ennemi. Nous n'oubliâmes ni soumissions* ni prières pour faire passer les choses par accommodement. Il fallut absolument se battre avec les deux moins raisonnables hommes du monde. Je voulus protester à Saint-Far que j'étais au désespoir de tirer l'épée contre lui et je ne répondis qu'avec des soumissions et des paroles respectueuses à toutes les choses outrageantes dont il exerça ma patience. Enfin il me dit brutalement que je lui avais toujours déplu et que, pour regagner ses bonnes grâces, il fallait que je reçusse de lui deux ou trois coups d'épée. En disant cela, il vint à moi de furie. Je ne fis que parer quelque temps, résolu d'éviter d'en venir aux prises [138bis],

au péril * de quelques blessures. Dieu favorisa ma bonne
intention, il tomba à mes pieds. Je le laissai relever et cela
l'anima encore davantage contre moi. Enfin, m'ayant
blessé légèrement à une épaule, il me cria, comme aurait
fait un laquais, que j'en tenais, avec un emportement si
insolent que ma patience se lassa. Je le pressai et, l'ayant
mis en désordre, je passai* si heureusement sur lui que je
pus lui saisir la garde de son épée. « Cet homme que vous
haïssez tant, lui dis-je alors, vous donnera néanmoins la
vie. » Il fit cent efforts hors de saison* sans jamais vouloir
parler, comme un brutal* qu'il était, quoique je lui repré-
sentasse que nous devions aller séparer son frère et Saldagne qui se roulaient l'un sur l'autre ; mais je vis bien
qu'il fallait agir autrement avec lui. Je ne l'épargnai plus
et je pensai lui rompre la main d'un grand effort que je fis
en lui arrachant son épée que je jetai assez loin de lui. Je
courus aussitôt au secours de Verville qui était aux prises
avec son homme. En les approchant, je vis de loin des
gens de cheval qui venaient à nous. Saldagne fut désarmé
et, en même temps, je me sentis donner un coup d'épée
par-derrière. C'était le généreux Saint-Far qui se servait
si lâchement de l'épée que je lui avais laissée. Je ne fus
plus maître de mon ressentiment ; je lui en portai un qui
lui fit une grande blessure. Le baron d'Arques, qui survint à l'heure même et qui vit que je blessais son fils,
m'en voulut d'autant plus de mal qu'il m'avait toujours
voulu beaucoup de bien. Il poussa son cheval sur moi et
me donna un coup d'épée sur la tête. Ceux qui étaient
venus avec lui fondirent sur moi à son exemple. Je me
démêlai assez heureusement de tant d'ennemis, mais il
eût fallu céder au nombre si Verville, le plus généreux
ami du monde, ne se fût mis entre eux et moi, au péril de
sa vie. Il donna un grand estramaçon* sur les oreilles de
son valet qui me pressait plus que les autres pour se faire
de fête [139]. Je présentai mon épée par la garde au baron
d'Arques : cela ne le fléchit point. Il m'appela coquin*,
ingrat, et me dit toutes les injures qui lui vinrent à la
bouche, jusqu'à me menacer de me faire pendre. Je
répondis avec beaucoup de fierté que, tout coquin et tout
ingrat que j'étais, j'avais donné la vie à son fils et que je

ne l'avais blessé qu'après en avoir été frappé en trahison. Verville soutint à son père que je n'avais pas tort, mais il dit toujours qu'il ne me voulait jamais voir. Saldagne monta avec le baron d'Arques dans le carrosse où l'on avait mis Saint-Far; et Verville, qui ne me voulut point quitter, me reçut dans l'autre auprès de lui. Il me fit descendre dans l'hôtel d'un de nos princes, où il avait des amis, et se retira chez son père. Monsieur de Saint-Sauveur m'envoya la nuit même un carrosse et me reçut en son logis secrètement, où il eut soin de moi comme si j'eusse été son fils. Verville me vint voir le lendemain et me conta que son père avait été averti de notre combat par les sœurs de Saldagne qu'il avait trouvées dans ma chambre. Il me dit ensuite, avec grande joie, que l'affaire s'accommoderait par un double mariage aussitôt que son frère serait guéri, qui n'était pas blessé en lieu dangereux; qu'il ne tiendrait qu'à moi que je ne fusse bien avec Saldagne; et pour son père, qu'il n'était plus en colère et était bien fâché de m'avoir maltraité. Il souhaita ensuite que je fusse bientôt guéri pour avoir part à tant de réjouissances. Mais je lui répondis que je ne pouvais plus demeurer dans un pays où l'on pouvait me reprocher ma basse naissance, comme avait fait son père, et que je quitterais bientôt le royaume pour me faire tuer à la guerre ou pour m'élever à une fortune proportionnée aux sentiments d'honneur que son exemple m'avait donnés. Je veux croire que ma résolution l'affligea, mais un homme amoureux n'est pas longtemps occupé par une autre passion que l'amour. »

Le Destin continuait ainsi son histoire, quand on ouït tirer dans la rue un coup d'arquebuse et tout aussitôt jouer des orgues. Cet instrument, qui peut-être n'avait point encore été ouï à la porte d'une hôtellerie, fit courir aux fenêtres tous ceux que le coup d'arquebuse avait éveillés. On continuait toujours de jouer des orgues et ceux qui s'y connaissaient remarquèrent même que l'organiste jouait un chant d'église. Personne ne pouvait rien comprendre en cette dévote sérénade, qui pourtant n'était pas encore bien reconnue pour telle. Mais on n'en douta plus quand on ouït deux méchantes voix, dont l'une chantait le des-

sus* et l'autre râlait une basse. Ces deux voix de lutrin se
joignirent aux orgues et firent un concert à faire hurler
tous les chiens du pays. Ils chantèrent : *Allons, de nos
voix et de nos luths d'ivoire, ravir les esprits* [140], et le
reste de la chanson. Après que cet air suranné fut mal
chanté, on ouït la voix de quelqu'un qui parlait bas, le
plus haut qu'il pouvait, en reprochant aux chantres qu'ils
chantaient toujours une même chose. Les pauvres gens
répondirent qu'ils ne savaient pas ce qu'on voulait qu'ils
chantassent. « Chantez ce que vous voudrez, répondit à
demi haut la même personne ; il faut chanter puisqu'on
vous paye bien. » Après cet arrêt définitif, les orgues
changèrent de ton, et on ouït un bel *Exaudiat* [141] qui fut
chanté fort dévotement. Personne des auditeurs n'avait
encore osé parler de peur d'interrompre la musique,
quand La Rancune, qui ne se fût pas tu en une pareille
occasion pour tous les biens du monde, cria tout haut :
« On fait donc ici le service divin dans les rues ? »
Quelqu'un des écoutants prit la parole et dit que l'on
pouvait proprement appeler cela chanter ténèbres [142]. Un
autre ajouta que c'était une procession de nuit ; enfin tous
les facétieux de l'hôtellerie se réjouirent sur la musique
sans que pas un d'eux pût deviner celui qui la donnait et
encore moins à qui ni pourquoi. Cependant l'*Exaudiat*
avançait toujours chemin, lorsque dix ou douze chiens,
qui suivaient une chienne de mauvaise vie, vinrent à la
suite de leur maîtresse se mêler parmi les jambes des
musiciens ; et, comme plusieurs rivaux ensemble ne sont
pas longtemps d'accord, après avoir grondé et juré quelque temps les uns contre les autres, enfin tout d'un coup
ils se pillèrent* avec tant d'animosité et de furie que les
musiciens craignirent pour leurs jambes et gagnèrent au
pied [143], laissant leurs orgues à la discrétion des chiens.
Ces amants immodérés n'en usèrent pas bien ; ils renver-
sèrent une table à tréteaux qui soutenait la machine harmonieuse et je ne voudrais pas jurer que quelques-uns de
ces maudits chiens ne levassent la jambe et ne pissassent
contre les orgues renversées, ces animaux étant fort diu-
rétiques de leur nature, principalement quand quelque
chienne de leur connaissance a envie de procéder à la

multiplication de son espèce. Le concert étant ainsi déconcerté, l'hôte fit ouvrir la porte de l'hôtellerie et voulut
mettre à couvert le buffet d'orgues, la table et les tré-
teaux. Comme ses valets et lui s'occupaient à cette œuvre
charitable, l'organiste revint à ses orgues, accompagné de
trois personnes, entre lesquelles il y avait une femme et
un homme qui se cachait le nez de son manteau. Cet
homme était le véritable Ragotin, qui avait voulu donner
une sérénade à mademoiselle de L'Étoile et s'était
adressé pour cela à un petit châtré, organiste d'une église.
Ce fut ce monstre, ni homme ni femme, qui chanta le
dessus, et qui joua des orgues que sa servante avait
apportées ; un enfant de chœur qui avait déjà mué chanta
la basse, et tout cela pour le prix et somme de deux
testons*, tant il faisait déjà cher vivre dans ce bon pays du
Maine. Aussitôt que l'hôte eut reconnu les auteurs de la
sérénade, il dit assez haut pour être entendu de tous ceux
qui étaient aux fenêtres de l'hôtellerie : « C'est donc vous,
monsieur Ragotin, qui venez chanter vêpres à ma porte ?
Vous feriez bien mieux de dormir et de laisser dormir mes
hôtes. » Ragotin lui répondit qu'il le prenait pour un
autre, mais ce fut d'une façon à faire croire encore davantage ce qu'il feignait de vouloir nier. Cependant l'organiste, qui trouva ses orgues rompues et qui était fort
colère, comme sont tous les animaux imberbes, dit à
Ragotin en jurant qu'il les lui fallait payer. Ragotin lui
répondit qu'il se moquait de cela. « Ce n'est pourtant pas
moquerie, repartit le châtré ; je veux être payé. » L'hôte et
ses valets donnèrent leur voix pour lui, mais Ragotin leur
apprit, comme à des ignorants, que cela ne se pratiquait
point en sérénade ; et cela dit, s'en alla tout fier de sa
galanterie *. La musique chargea les orgues sur le dos de
la servante du châtré, qui se retira en son logis de fort
mauvaise humeur, la table sur l'épaule et suivi de l'enfant
de chœur qui portait les deux tréteaux. L'hôtellerie fut
refermée. Le Destin donna le bonsoir aux comédiennes et
remit la fin de son histoire à la première occasion.

CHAPITRE XVI

L'OUVERTURE DU THÉÂTRE ET AUTRES CHOSES
QUI NE SONT PAS DE MOINDRE CONSÉQUENCE

Le lendemain, les comédiens s'assemblèrent dès le matin en une des chambres qu'ils occupaient dans l'hôtellerie, pour répéter la comédie qui se devait représenter après dîner. La Rancune, à qui Ragotin avait déjà fait confidence de la sérénade et qui avait fait semblant d'avoir de la peine à le croire, avertit ses compagnons que le petit homme ne manquerait pas de venir bientôt recueillir les louanges de sa galanterie* raffinée, et ajouta que, toutes les fois qu'il en voudrait parler, il fallait en détourner le discours malicieusement. Ragotin entra dans la chambre en même temps ; et, après avoir salué les comédiens en général, il voulut parler de sa sérénade à mademoiselle de L'Étoile, qui fut alors pour lui une étoile errante, car elle changea de place sans lui répondre autant de fois qu'il lui demanda à quelle heure elle s'était couchée et comment elle avait passé la nuit. Il la quitta pour mademoiselle Angélique qui, au lieu de lui parler, ne fit qu'étudier son rôle. Il s'adressa à La Caverne qui ne le regarda seulement pas. Tous les comédiens, l'un après l'autre, suivirent exactement l'ordre qu'avait donné La Rancune et ne répondirent point à ce que leur dit Ragotin ou changèrent de discours autant de fois qu'il voulut parler de la nuit précédente. Enfin, pressé de sa vanité et ne pouvant laisser languir sa réputation davantage, il dit tout haut, parlant à tout le monde : « Voulez-vous que je vous avoue une vérité ? — Vous en userez comme il vous plaira, répondit quelqu'un. — C'est moi, ajouta-t-il, qui vous ai donné cette nuit une sérénade. — On les donne donc en ce pays avec des orgues ? lui dit Le Destin ; et à qui la donniez-vous ? N'est-ce point, continua-t-il, à la belle dame qui fit battre tant d'honnêtes chiens ensemble ? — Il n'en faut pas douter, dit L'Olive, car ces animaux de nature mordante n'eussent pas troublé une musique si harmonieuse à moins que d'être rivaux et même jaloux de M. Ragotin. » Un autre de la compagnie prit la parole et dit qu'il ne doutait point qu'il ne fût bien avec sa maîtresse et qu'il ne l'aimât à bonne intention puisqu'il y allait si ouvertement. Enfin, tous ceux qui étaient dans la chambre poussèrent à bout Ragotin sur la sérénade, à la réserve de La Rancune qui lui fit grâce, ayant été honoré de l'honneur de sa confidence ; et il y a apparence que cette belle raillerie de chien eût épuisé tous ceux qui étaient dans la chambre si le poète qui, en son espèce, était aussi sot et aussi vain que Ragotin et qui de toutes les choses tirait matière de contenter sa vanité, n'eût rompu les chiens [144], en disant, du ton d'un homme de condition, ou plutôt qui le fait à fausses enseignes * : « A propos de sérénade, il me souvient qu'à mes noces on m'en donna une quinze jours de suite qui était composée de plus de cent sortes d'instruments. Elle courut par tout le Marais [145] ; les plus galantes dames de la place Royale [146] l'adoptèrent ; plusieurs galants s'en firent honneur et elle donna même de la jalousie à un homme de condition, qui fit charger par ses gens ceux qui me la donnaient, mais ils n'y trouvèrent pas leur compte ; car ils étaient tous de mon pays, braves gens s'il en est au monde et dont la plus grande partie avaient été officiers dans un régiment que je mis sur pied quand les communes* de nos quartiers [147] se soulevèrent. » La Rancune, qui avait contraint son naturel moqueur en faveur de Ragotin, n'eut pas la même bonté pour le poète qu'il persécutait continuellement. Il prit donc la parole et dit au nourrisson des Muses : « Votre sérénade, de la façon que vous nous la représentez, était plutôt un charivari [148] dont un homme de condition fut importuné et envoya la canaille de sa maison pour le faire taire ou pour le chasser plus loin. Ce qui me le fait croire encore davantage, c'est que votre femme est morte de vieillesse et six mois après votre hyménée pour vous parler en vos termes. — Elle mourut pourtant du mal de mère, dit le poète. — Dites plutôt de grand-mère, d'aïeule ou de bisaïeule, répondit La Rancune. Dès le règne d'Henri quatrième, la mère * ne lui faisait plus de mal, ajouta-t-il ; et pour vous montrer

que j'en sais plus de nouvelles que vous-même, quoique
vous nous la prôniez si souvent, je vous veux apprendre
une chose d'elle qui n'est jamais venue à votre connaissance. Dans la cour de la reine Marguerite [149]... » Ce
beau commencement d'histoire attira auprès de La Rancune tous ceux qui étaient dans la chambre, qui savaient
bien qu'il avait des mémoires contre tout le genre humain. Le poète, qui le redoutait extrêmement, l'interrompit en lui disant : « Je gage cent pistoles que non. » Ce
défi de gager, fait si à propos, fit rire toute la compagnie
et le fit sortir de la chambre. C'était toujours ainsi par des
gageures de sommes considérables que le pauvre homme
défendait ses hyperboles quotidiennes qui pouvaient bien
monter chaque semaine à la somme de mille ou douze
cents impertinences sans y comprendre les menteries.
La Rancune était le contrôleur général, tant de ses actions
que de ses paroles ; et l'ascendant qu'il avait sur lui était
si grand que je l'ose comparer à celui du génie d'Auguste
sur celui d'Antoine : cela s'entend prix pour prix et sans
faire comparaison de deux comédiens de campagne à
deux Romains de ce calibre-là. La Rancune ayant donc
commencé son conte, et en ayant été interrompu par le
poète, comme je vous ai dit, chacun le pria instamment
de l'achever, mais il s'en excusa, promettant de leur
conter une autre fois la vie du poète tout entière et que
celle de sa femme y serait comprise. Il fut question de
répéter la comédie qu'on devait jouer le jour même dans
un tripot * voisin. Il n'arriva rien de remarquable pendant
la répétition. On joua après dîner et on joua fort bien.
Mademoiselle de L'Étoile y ravit tout le monde par sa
beauté ; Angélique eut des partisans pour elle et l'une et
l'autre s'acquitta de son personnage à la satisfaction de
tout le monde.

Le Destin et ses camarades firent aussi des merveilles,
et ceux de l'assistance qui avaient souvent ouï la comédie
dans Paris avouèrent que les comédiens du roi n'eussent
pas mieux représenté. Ragotin ratifia en sa tête la dona-
tion qu'il avait faite de son corps et de son âme à mademoiselle de L'Étoile, passée par-devant La Rancune, qui
lui promettait tous les jours de la faire accepter à la

comédienne. Sans cette promesse, le désespoir eût bientôt fait un beau grand sujet d'histoire tragique d'un méchant petit avocat. Je ne dirai point si les comédiens
plurent autant aux dames du Mans que les comédiennes
avaient fait aux hommes ; quand j'en saurais quelque
chose, je n'en dirais rien ; mais, parce que l'homme le
plus sage n'est pas quelquefois maître de sa langue, je
finirai le présent chapitre, pour m'ôter tout sujet de tenta-
tion.

CHAPITRE XVII

LE MAUVAIS SUCCÈS QU'EUT LA CIVILITÉ DE RAGOTIN

Aussitôt que Destin eut quitté sa vieille broderie et
repris son habit de tous les jours, La Rappinière le mena
aux prisons de la ville à cause que l'homme qu'ils avaient
pris le jour que le curé de Domfront fut enlevé demandait
à lui parler. Cependant les comédiennes s'en retournèrent
en leur hôtellerie avec un grand cortège de Manceaux.
Ragotin s'étant trouvé auprès de mademoiselle de La Caverne, dans le temps qu'elle sortait du jeu de paume où
l'on avait joué, lui présenta la main pour la remener,
quoiqu'il eût mieux aimé rendre ce service-là à sa chère
L'Étoile. Il en fit autant à mademoiselle Angélique, tellement qu'il se trouva écuyer à droite et à gauche. Cette
double civilité fut cause d'une incommodité triple ; car La
Caverne, qui avait le haut de la rue [150], comme de raison,
était pressée par Ragotin, afin qu'Angélique ne marchât
point dans le ruisseau. De plus, le petit homme, qui ne
leur venait qu'à la ceinture, tirait si fort leurs mains en
bas qu'elles avaient bien de la peine à s'empêcher de
tomber sur lui. Ce qui les incommodait encore davantage,
c'est qu'il se retournait à tout moment pour regarder
mademoiselle de L'Étoile, qu'il entendait parler derrière
lui à deux godelureaux* qui la remenaient malgré elle.
Les pauvres comédiennes essayèrent souvent de se dé-

prendre les mains; mais il tint toujours si ferme qu'elles
eussent autant aimé avoir les osselets [151]. Elles le prièrent
cent fois de ne prendre pas tant de peine. Il leur répondait
seulement : « Serviteur ! Serviteur ! » (c'était son compliment ordinaire), et leur serra les mains encore plus fort. Il
fallut donc prendre patience jusqu'à l'escalier de leur
chambre où elles espérèrent d'être remises en liberté,
mais Ragotin n'était pas homme à cela. En disant toujours « serviteur, serviteur » à tout ce qu'elles lui purent
dire, il essaya premièrement de monter de front avec les
deux comédiennes; ce qui s'étant trouvé impossible parce
que l'escalier était trop étroit. La Caverne se mit le dos
contre la muraille et monta la première, tirant après soi
Ragotin, qui tirait après soi Angélique, qui ne tirait rien et
qui riait comme un folle. Pour nouvelle incommodité, à
quatre ou cinq degrés de leur chambre, ils trouvèrent un
valet de l'hôte, chargé d'un sac d'avoine d'une pesanteur
excessive, qui leur dit à grand-peine, tant il était accablé
de son fardeau, qu'ils eussent à descendre parce qu'il ne
pouvait remonter chargé comme il était. Ragotin voulut
répliquer; le valet jura tout net qu'il laisserait tomber son
sac sur eux. Ils défirent donc avec précipitation ce qu'ils
avaient fait fort posément sans que Ragotin voulût encore
quitter les mains des comédiennes. Le valet, chargé
d'avoine, les pressait étrangement; ce qui fut cause que
Ragotin fit un faux pas qui ne l'eût pas pourtant fait
tomber, se tenant comme il faisait aux mains des comédiennes; mais il s'attira sur le corps La Caverne, laquelle
le soutenait davantage que sa fille à cause de l'avantage
du lieu. Elle tomba donc sur lui et lui marcha sur l'estomac * et sur le ventre, se donnant de la tête contre celle de
sa fille si rudement qu'elles en tombèrent et l'une et
l'autre. Le valet, qui crut que tant de monde ne se relè-
verait pas sitôt et qui ne pouvait plus supporter la pesanteur de son sac d'avoine, le déchargea enfin sur les
degrés, jurant comme un valet d'hôtellerie. Le sac se
délia ou se rompit par malheur. L'hôte y arriva, qui pensa
enrager contre son valet, le valet enrageait contre les
comédiennes, les comédiennes enrageaient contre Ragotin qui enrageait plus que pas un de ceux qui enragèrent,

parce que mademoiselle de L'Étoile, qui arriva en même temps, fut encore témoin de cette disgrâce*, presque aussi fâcheuse que celle du chapeau que l'on lui avait coupé avec des ciseaux quelques jours auparavant. La Caverne jura son grand serment que Ragotin ne la mènerait jamais et montra à mademoiselle de L'Étoile ses mains qui étaient toutes meurtries. L'Étoile lui dit que Dieu l'avait punie de lui avoir ravi monsieur Ragotin, qui l'avait retenue devant* la comédie pour la remener, et ajouta qu'elle était bien aise de ce qui était arrivé au petit homme, puisqu'il lui avait manqué de parole. Il n'entendit rien de tout cela; car l'hôte parlait de lui faire payer le déchet* de son avoine, ayant déjà, pour le même sujet, voulu battre son valet, qui appela Ragotin avocat de causes perdues. Angélique lui fit la guerre à son tour et lui reprocha qu'elle avait été son pis-aller. Enfin la fortune fit bien voir jusque-là qu'elle ne prenait encore nulle part dans les promesses que La Rancune avait faites à Ragotin de le rendre le plus heureux amant de tout le pays du Maine, à y comprendre même le Perche et Laval. L'avoine fut ramassée et les comédiennes montèrent dans leur chambre l'une après l'autre sans qu'il leur arrivât aucun malheur. Ragotin ne les y suivit point et je n'ai pas bien su où il alla. L'heure du souper vint; on soupa dans l'hôtellerie. Chacun prit parti [152] après le souper et Le Destin s'enferma avec les comédiennes pour continuer son histoire.

CHAPITRE XVIII

SUITE DE L'HISTOIRE DE DESTIN ET DE L'ÉTOILE

J'ai fait le précédent chapitre un peu court, peut-être que celui-ci sera plus long; je n'en suis pourtant pas bien assuré, nous allons voir. Le Destin se mit à sa place accoutumée et reprit son histoire en cette sorte : «Je m'en vais vous achever le plus succinctement que je pourrai une vie qui ne vous a déjà ennuyées que trop longtemps.

Verville m'étant venu voir, comme je vous ai dit, et n'ayant pu me persuader de retourner chez son père, il me quitta fort affligé de ma résolution, à ce qu'il me parut, et s'en retourna chez lui où, quelque temps après, il se maria avec mademoiselle de Saldagne, et Saint-Far en fit autant avec mademoiselle de Léri. Elle était aussi spirituelle que Saint-Far l'était peu et j'ai bien de la peine à m'imaginer comment deux esprits si disproportionnés se seront accordés ensemble. Cependant je me guéris entièrement et le généreux M. de Saint-Sauveur, ayant approuvé la résolution que j'avais prise de m'en aller hors du royaume, me donna de l'argent pour mon voyage et Verville, qui ne m'oublia point pour s'être marié, me fit présent d'un bon cheval et de cent pistoles. Je pris le chemin de Lyon pour retourner en Italie à dessein de repasser par Rome et, après y avoir vu ma Léonore pour la dernière fois, de m'aller faire tuer en Candie pour n'être pas longtemps malheureux. A Nevers, je logeai dans une hôtellerie qui était proche de la rivière. Étant arrivé de bonne heure et ne sachant à quoi me divertir en attendant le souper, j'allai me promener sur un grand pont de pierre qui traverse la rivière de Loire. Deux femmes s'y promenaient aussi, dont l'une, qui paraissait être malade, s'appuyait sur l'autre, ayant bien de la peine à marcher. Je les saluai sans les regarder en passant auprès d'elles et me promenai quelque temps sur le pont, songeant à ma malheureuse fortune et plus souvent à mon amour. J'étais assez bien vêtu, comme il est nécessaire de l'être à ceux de qui la condition ne peut faire excuser un méchant habit. Quand je repassai auprès de ces femmes, j'entendis dire à demi-haut : « Pour moi, je croirais que ce fût lui s'il n'était point mort. » Je ne sais pourquoi je tournai la tête, n'ayant pas sujet de prendre ces paroles-là pour moi. On ne les avait pourtant pas dites pour un autre. Je vis mademoiselle de La Boissière, le visage fort pâle et défait, qui s'appuyait sur sa fille Léonore. J'allai droit à elles avec plus d'assurance que je n'eusse fait dans Rome, m'étant beaucoup formé le corps et l'esprit durant le temps que j'avais demeuré à Paris. Je les trouvai si surprises et si effrayées que je crois qu'elles se fussent

mises en fuite si mademoiselle de La Boissière eût pu
courir. Cela me surprit aussi. Je leur demandai par quelle
heureuse rencontre je me trouvais avec les personnes du
monde qui m'étaient les plus chères. Elles se rassurèrent
à mes paroles. Mademoiselle de La Boissière me dit que
je ne devais point trouver étrange si elles me regardaient
avec quelque sorte d'étonnement; que le seigneur Stéphano leur avait fait voir des lettres de l'un des gentilshommes que j'accompagnais dans Rome, par lesquelles
on lui mandait que j'avais été tué durant la guerre de
Parme [153], et ajouta qu'elle était ravie de ce qu'une nouvelle qui l'avait si fort affligée ne se trouvait pas véritable. Je lui répondis que la mort n'était pas le plus grand
malheur qui me pouvait arriver et que je m'en allais à
Venise faire courir le même bruit avec plus de vérité.
Elles s'attristèrent de ma résolution et la mère me fit alors
des caresses* extraordinaires dont je ne pouvais deviner
la cause. Enfin, j'appris d'elle-même ce qui la rendait si
civile. Je pouvais encore lui rendre service et l'état où elle
se trouvait ne lui permettait pas de me mépriser et de me
faire mauvais visage, comme elle avait fait dans Rome. Il
leur était arrivé un malheur assez grand pour les mettre en
peine. Ayant fait argent de tous leurs meubles, qui étaient
fort beaux et en quantité, elles étaient parties de Rome
avec une servante française qui les servait il y avait
longtemps, et le seigneur Stéphano leur avait donné son
valet, qui était Flamand comme lui et qui voulait retourner en son pays. Ce valet et cette servante s'aimaient à
dessein de se marier ensemble et leur amour n'était connu
de personne. Mademoiselle de La Boissière, étant arrivée
à Roanne [154], se mit sur la rivière. A Nevers, elle se
trouva si mal qu'elle ne put passer outre. Durant sa
maladie, elle fut assez difficile à servir et sa servante s'en
acquitta fort mal, contre sa coutume. Un matin, le valet et
la servante ne se trouvèrent plus; et, ce qui fut de plus
fâcheux, l'argent de la pauvre demoiselle disparut aussi.
Le déplaisir qu'elle en eut augmenta sa maladie et elle fut
contrainte de s'arrêter à Nevers pour attendre des nouvelles de Paris d'où elle espérait recevoir de quoi continuer son voyage. Mademoiselle de La Boissière m'apprit

en peu de mots cette fâcheuse aventure. Je les remenai en leur hôtellerie, qui était aussi la mienne et, après avoir été quelque temps avec elles, je me retirai en ma chambre pour les laisser souper. Pour moi, je ne mangeai point et je crus avoir été à table cinq ou six heures pour le moins. Je les allai voir aussitôt qu'elles m'eurent fait dire que j'y serais le bienvenu. Je trouvai la mère dans son lit et la fille me parut avec un visage aussi triste que je l'avais trouvée gaie un moment auparavant. Sa mère était encore plus triste qu'elle, et je le devins aussi. Nous fûmes quelque temps à nous regarder sans rien dire. Enfin, mademoiselle de La Boissière me montra des lettres qu'elle avait reçues de Paris, qui [les] rendaient, sa fille et elle, les personnes les plus affligées du monde. Elle m'apprit le sujet de son affliction avec une si grande effusion de larmes, et sa fille, que je vis pleurer aussi fort que sa mère, me toucha tellement que je ne crus pas leur témoigner assez bien mon ressentiment*, quoique je leur offrisse tout ce qui dépendait de moi d'une façon à ne les point faire douter de ma franchise. « Je ne sais pas encore ce qui vous afflige si fort, leur dis-je, mais, s'il ne faut que ma vie pour diminuer la peine où je vous vois, vous pouvez vous mettre l'esprit en repos. Dites-moi donc, madame, ce qu'il faut que je fasse ; j'ai de l'argent si vous en manquez ; j'ai du courage si vous avez des ennemis, et je ne prétends, de tous les services que je vous offre, que la satisfaction de vous avoir servie. » Mon visage et mes paroles leur firent si bien voir ce que j'avais dans l'âme que leur grande affliction se modéra un peu. Mademoiselle de La Boissière me lut une lettre par laquelle une femme de ses amies lui mandait qu'une personne qu'elle ne nommait point, et que je m'aperçus bien être le père de Léonore, avait eu commandement de se retirer de la cour et qu'il s'en était allé en Hollande. Ainsi la pauvre demoiselle se trouvait dans un pays inconnu, sans argent et sans espérance d'en avoir. Je lui offris de nouveau ce que j'en avais, qui pouvait monter à cinq cents écus, et lui dis que je la conduirais en Hollande et au bout du monde si elle y voulait aller. Enfin, je l'assurai qu'elle avait retrouvé en moi une personne qui la servirait comme un

valet et de qui elle serait aimée et respectée comme d'un
fils. Je rougis extrêmement en prononçant le mot de fils,
mais je n'étais plus cet homme odieux à qui l'on avait
refusé la porte dans Rome et pour qui Léonore n'était pas
visible, et mademoiselle de La Boissière n'était plus pour
moi une mère sévère. A toutes les offres que je lui fis,
elle me répondit toujours que Léonore me serait fort
obligée. Tout se passait au nom de Léonore et vous
eussiez dit que sa mère n'était plus qu'une suivante qui
parlait pour sa maîtresse : tant il est vrai que la plupart du
monde ne considère les personnes que selon qu'elles leur
sont utiles. Je les laissai fort consolées et me retirai en ma
chambre le plus satisfait homme du monde.

Je passai la nuit fort agréablement, quoiqu'en veillant,
ce qui me retint au lit assez tard, n'ayant commencé à
dormir qu'à la pointe du jour. Léonore me parut ce jour-là
habillée avec plus de soin qu'elle n'était le jour de devant, et elle put bien remarquer que je ne m'étais pas
négligé. Je la menai à la messe sans sa mère qui était
encore trop faible. Nous dînâmes ensemble et depuis ce
temps-là nous ne fûmes plus qu'une même famille. Mademoiselle de La Boissière me témoignait beaucoup de
reconnaissance des services que je lui rendais et me
protestait souvent qu'elle n'en mourrait pas ingrate. Je
vendis mon cheval et aussitôt que la malade fut assez
forte, nous prîmes une cabane* et baissâmes* jusqu'à
Orléans. Durant le temps que nous fûmes sur l'eau, je
jouis de la conversation de Léonore sans qu'une si grande
félicité fût troublée par sa mère. Je trouvais des lumières,
dans l'esprit de cette belle fille, aussi brillantes que celles
de ses yeux ; et le mien, dont peut-être elle avait pu douter
à Rome, ne lui déplut pas alors. Que vous dirais-je
davantage ? Elle vint à m'aimer autant que je l'aimais ; et
vous avez bien pu reconnaître, depuis le temps que vous
nous voyez l'un et l'autre, que cet amour réciproque n'est
point encore diminué. — Quoi ! interrompit Angélique,
mademoiselle de L'Étoile est donc Léonore ? — Et qui
donc ? » lui répondit Le Destin. Mademoiselle de L'Étoile
prit la parole et dit que sa compagne avait raison de
douter qu'elle fût cette Léonore dont Le Destin avait fait

une beauté de roman. « Ce n'est point par cette raison-là, repartit Angélique, mais c'est à cause que l'on a toujours de la peine à croire une chose que l'on a beaucoup désirée. » Mademoiselle de La Caverne dit qu'elle n'en avait point douté et ne voulut pas que ce discours allât plus avant, afin que Le Destin poursuivît son histoire qu'il reprit de cette sorte : « Nous arrivâmes à Orléans, où notre entrée fut si plaisante que je vous en veux apprendre les particularités. Un tas de faquins*, qui attendent sur le port ceux qui viennent par eau pour porter leurs hardes*, se jetèrent à la foule dans notre cabane. Ils se présentèrent plus de trente à se charger de deux ou trois petits paquets que le moins fort d'entre eux eût pu porter sous ses bras. Si j'eusse été seul, je n'eusse pas peut-être été assez sage pour ne m'emporter point contre ces insolents. Huit d'entre eux saisirent une petite cassette qui ne pesait pas vingt livres et, ayant fait semblant d'avoir bien de la peine à la lever de terre, enfin ils la haussèrent au milieu d'eux par-dessus leurs têtes, chacun ne la soutenant que du bout du doigt. Toute la canaille qui était sur le port se mit à rire et nous fûmes contraints d'en faire autant. J'étais pourtant tout rouge de honte d'avoir à traverser toute une ville avec tant d'appareil, car le reste de nos hardes, qu'un seul homme pouvait porter, en occupa une vingtaine et mes seuls pistolets furent portés par quatre hommes. Nous entrâmes dans la ville dans l'ordre que je vais vous dire. Huit grands pendards ivres, ou qui le devaient être, portaient au milieu d'eux une petite cassette, comme je vous ai déjà dit. Mes pistolets suivaient l'un après l'autre, chacun porté par deux hommes. Mademoiselle de La Boissière, qui enrageait aussi bien que moi, allait immédiatement après : elle était assise dans une grande chaise de paille soutenue sur deux grands bâtons de batelier et portée par quatre hommes qui se relayaient les uns les autres et qui lui disaient cent sottises en la portant. Le reste de nos hardes suivait, qui était composé d'une petite valise et d'un paquet couvert de toile, que sept ou huit de ces coquins se jetaient l'un à l'autre durant le chemin, comme quand on joue au pot cassé [155]. Je conduisais la queue du triomphe, tenant

Léonore par la main, qui riait si fort qu'il fallait malgré
moi que je prisse plaisir à cette friponnerie. Durant notre
marche, les passants s'arrêtaient dans les rues pour nous
considérer et le bruit que l'on y faisait à cause de nous
attirait tout le monde aux fenêtres. Enfin nous arrivâmes
au faubourg qui est du côté de Paris, suivis de force
canaille et nous logeâmes à l'enseigne des Empereurs. Je
fis entrer mes dames dans une salle basse et menaçai
ensuite ces coquins si sérieusement qu'ils furent trop
aises de recevoir fort peu de chose que je leur donnai,
l'hôte et l'hôtesse les ayant querellés. Mademoiselle de
La Boissière, que la joie de n'être plus sans argent avait
guérie plutôt qu'autre chose, se trouva assez forte pour
aller en carrosse. Nous arrêtâmes trois places dans celui
qui partait le lendemain et en deux jours nous arrivâmes
heureusement à Paris. En descendant à la maison des
coches, je fis connaissance avec La Rancune, qui était
venu d'Orléans aussi bien que nous, dans un coche qui
accompagna notre carrosse. Il ouït que je demandais où
était l'hôtellerie des coches de Calais; il me dit qu'il y
allait à l'heure même et que, si nous n'avions point de
logis arrêté, qu'il nous mènerait loger, si nous voulions,
chez une femme de sa connaissance, qui logeait en chambre garnie où nous serions fort commodément. Nous le
crûmes et nous nous en trouvâmes fort bien. Cette femme
était veuve d'un homme qui avait été toute sa vie tantôt
portier et tantôt décorateur d'une troupe de comédiens et
même avait tâché autrefois de réciter et n'y avait pas
réussi. Ayant amassé quelque chose en servant les comédiens, il s'était mêlé de loger en chambre garnie et de
prendre des pensionnaires, et par là s'était mis à son aise.
Nous louâmes deux chambres assez commodes. Mademoiselle de La Boissière fut confirmée dans les mauvaises nouvelles qu'elle avait eues du père de Léonore et en
apprit d'autres qu'elle nous cacha, qui l'affligèrent assez
pour la faire retomber malade. Cela nous fit différer
quelque temps notre voyage de Hollande où elle avait
résolu que je la conduirais; et La Rancune, qui allait y
joindre une troupe de comédiens, voulut bien nous attendre après que je lui eus promis de le défrayer. Mademoi-

selle de La Boissière était souvent visitée par une de ses
amies, qui avait servi en même temps qu'elle la femme de
l'ambassadeur de Rome en qualité de femme de chambre
et qui avait même été sa confidente pendant le temps
qu'elle fut aimée du père de Léonore. C'était d'elle
qu'elle avait appris l'éloignement de son prétendu* mari
et nous en reçûmes plusieurs bons offices pendant le
temps que nous fûmes à Paris. Je ne sortais que le moins
souvent que je pouvais de peur d'être vu de quelqu'un de
ma connaissance ; et je n'avais pas grand-peine à garder le
logis, puisque j'étais avec Léonore et que, par les soins
que je rendais à sa mère, je me mettais toujours de mieux
en mieux en son esprit. A la persuasion de cette femme
dont je vous viens de parler, nous allâmes un jour nous
promener à Saint-Cloud pour faire prendre l'air à notre
malade. Notre hôtesse fut de la partie et La Rancune
aussi. Nous prîmes un bateau, nous nous promenâmes
dans les plus beaux jardins [156] et, après avoir fait collation, La Rancune conduisit notre petite troupe vers notre
bateau, tandis que je demeurai à compter dans un cabaret
avec une hôtesse fort déraisonnable qui me retint plus
longtemps que je ne pensais. Je sortis d'entre ses mains
au meilleur marché que je pus et m'en retournai rejoindre
ma compagnie. Mais je fus bien étonné de voir notre
bateau fort avant dans la rivière, qui remenait mes gens à
Paris sans moi et sans me laisser même un petit laquais
qui portait mon épée et mon manteau. Comme j'étais sur
le bord de l'eau, bien en peine de savoir pourquoi on ne
m'avait pas attendu, j'ouïs une grande rumeur dans une
cabane* et, m'en étant approché, je vis deux ou trois
gentilshommes, ou qui avaient la mine de l'être, qui
voulaient battre un batelier parce qu'il refusait d'aller
après notre bateau. J'entrai à tout hasard dans cette cabane dans le temps qu'elle quittait le bord, le batelier
ayant eu peur d'être battu. Mais, si j'avais été en peine de
ce que ma compagnie m'avait laissé à Saint-Cloud, je ne
fus pas moins embarrassé de voir que celui qui faisait
cette violence était le même Saldagne à qui j'avais tant de
sujet de vouloir du mal. Dans le moment que je le reconnus, il passa du bout du bateau où il était à celui où

j'étais. Fort empêché de ma contenance, je lui cachai
mon visage le mieux que je pus, mais, me trouvant si près
de lui qu'il était impossible qu'il ne me reconnût, et me
trouvant sans épée, je pris la résolution la plus désespérée
du monde, dont la haine seule ne m'eût pas rendu capable
si la jalousie ne s'y fût mêlée. Je le saisis au corps dans
l'instant qu'il me reconnaissait et me jetai dans la rivière
avec lui. Il ne put se prendre à moi, soit que ses gants l'en
empêchassent ou parce qu'il fut surpris. Jamais homme
ne fut plus près de se noyer que lui. La plupart des
bateaux allèrent à son secours, chacun croyant que nous
étions tombés dans l'eau par quelque accident ; et Saldagne seul sachant de quelle façon la chose était arrivée, et
n'étant pas en état de s'en plaindre sitôt ou de faire courir
après moi. Je regagnai donc le bord sans beaucoup de
peine, n'ayant qu'un petit habit qui ne m'empêcha point
de nager et, l'affaire valant bien la peine d'aller vite, je
fus fort éloigné de Saint-Cloud devant que Saldagne fût
pêché. Si on eut bien de la peine à le sauver, je pense
qu'on n'en eut pas moins à le croire lorsqu'il déclara de
quelle façon je m'étais hasardé pour le perdre, car je ne
vois pas pourquoi il en aurait fait un secret. Je fis un
grand tour pour regagner Paris où je n'entrai que de nuit,
sans avoir eu besoin de me faire sécher, le soleil et
l'exercice violent que j'avais fait en courant n'ayant
laissé que fort peu d'humidité dans mes habits. Enfin je
me revis avec ma chère Léonore que je trouvai véritablement affligée. La Rancune et notre hôtesse eurent une
extrême joie de me voir, aussi bien que mademoiselle de
La Boissière qui, pour mieux faire croire que j'étais son
fils à La Rancune et à notre hôtesse, avait bien fait de la
mère affligée. Elle me fit des excuses en particulier de ce
que l'on ne m'avait pas attendu et m'avoua que la peur
qu'elle avait eue de Saldagne l'avait empêchée de songer
en moi, outre qu'à la réserve de La Rancune, le reste de
notre troupe n'eût fait que m'embarrasser si j'eusse eu
prise avec Saldagne. J'appris alors qu'au sortir de l'hôtellerie ou du cabaret où nous avions mangé, ce galant
homme les avait suivis jusqu'au bateau ; qu'il avait prié
fort incivilement Léonore de se démasquer et que sa mère

l'ayant reconnu pour le même homme qui avait attenté la
même chose dans Rome, elle avait regagné son bateau
fort effrayée et l'avait fait avancer dans la rivière sans
m'attendre. Saldagne cependant avait été joint par deux
hommes de même trempe ; et, après avoir quelque temps
tenu conseil sur le bord de l'eau, il était entré avec eux
dans le bateau où je le trouvai menaçant le batelier pour le
faire aller après Léonore. Cette aventure fut cause que je
sortis encore moins que je n'avais fait. Mademoiselle de
La Boissière devint malade quelque temps après, la mélancolie y contribuant beaucoup ; et cela fut cause que
nous passâmes à Paris une partie de l'hiver. Nous fûmes
avertis qu'un prélat italien, qui revenait d'Espagne, passait en Flandres par Péronne. La Rancune eut assez de
crédit pour nous faire comprendre dans son passeport en
qualité de comédiens. Un jour que nous allâmes chez ce
prélat italien, qui était logé dans la rue de Seine, nous
soupâmes par complaisance dans le faubourg Saint-Germain avec des comédiens de la connaissance de La Rancune. Comme nous passions, lui et moi, sur le Pont-
Neuf, bien avant dans la nuit, nous fûmes attaqués par
cinq ou six tire-laine*. Je me défendis le mieux que je pus
et, pour La Rancune, je vous avoue qu'il fit tout ce qu'un
homme de cœur pouvait faire et me sauva même la vie.
Cela n'empêcha pas que je ne fusse saisi par ces voleurs,
mon épée m'étant malheureusement tombée. La Rancune, qui se démêla vaillamment d'entre eux, en fut
quitte pour un méchant manteau. Pour moi, j'y perdis
tout, à la réserve de mon habit ; et, ce qui me pensa
désespérer, ils me prirent une boîte de portrait dans laquelle celui du père de Léonore était en émail et dont
mademoiselle de La Boissière m'avait prié de vendre les
diamants. Je retrouvai La Rancune chez un chirurgien*
au bout du Pont-Neuf. Il était blessé au bras et au visage
et moi je l'étais fort légèrement à la tête. Mademoiselle
de La Boissière s'affligea fort de la perte de son portrait ;
mais l'espérance d'en revoir bientôt l'original la consola.
Enfin nous partîmes de Paris pour Péronne ; de Péronne
nous allâmes à Bruxelles et de Bruxelles à La Haye. Le
père de Léonore en était parti quinze jours auparavant

pour aller en Angleterre où il était allé servir le roi contre
les parlementaires [157]. La mère de Léonore en fut si
affligée qu'elle en tomba malade et en mourut. Elle me
vit en mourant aussi affligé que si j'eusse été son fils. Elle
me recommanda sa fille et me fit promettre que je ne
l'abandonnerais point et que je ferais ce que je pourrais
pour trouver son père et la lui remettre entre les mains. A
quelque temps de là je fus volé par un Français de tout ce
qui me restait d'argent; et la nécessité où je me trouvai
avec Léonore fut telle que nous prîmes parti [158] dans
votre troupe qui nous reçut par l'entremise de La Rancune. Vous savez le reste de mes aventures. Elles ont été
depuis ce temps-là communes avec les vôtres jusques à
Tours où je pense avoir vu encore le diable de Saldagne;
et si je ne me trompe, je ne serai pas longtemps en ce pays
sans le trouver, ce que je crains moins pour moi que pour
Léonore qui serait abandonnée d'un serviteur fidèle si elle
me perdait ou si quelque malheur me séparait d'avec
elle. » Le Destin finit ainsi son histoire; et, après avoir
consolé quelque temps mademoiselle de L'Étoile que le
souvenir de ses malheurs faisait alors autant pleurer que si
elle n'eût fait que commencer d'être malheureuse, il prit
congé des comédiennes et s'alla coucher.

CHAPITRE XIX

QUELQUES RÉFLEXIONS
QUI NE SONT PAS HORS DE PROPOS.
NOUVELLE DISGRÂCE DE RAGOTIN
ET AUTRES CHOSES QUE VOUS LIREZ, S'IL VOUS PLAÎT

L'amour, qui fait tout entreprendre aux jeunes et tout
oublier aux vieux, qui a été cause de la guerre de Troie et
de tant d'autres dont je ne veux pas prendre la peine de
me ressouvenir, voulut alors faire voir dans la ville du
Mans qu'il n'est pas moins redoutable dans une méchante
hôtellerie qu'en quelque autre lieu que ce soit. Il ne se
contenta donc pas de Ragotin amoureux à perdre l'appé-

tit; il inspira cent mille désirs déréglés à La Rappinière, qui en était fort susceptible, et rendit Roquebrune amoureux de la femme de l'opérateur*, ajoutant à sa vanité, bravoure* et poésie, une quatrième folie, ou plutôt lui faisant faire une double infidélité; car il avait parlé d'amour longtemps auparavant à L'Étoile et à Angélique qui lui avaient conseillé l'une et l'autre de ne prendre pas la peine de les aimer. Mais tout cela n'est rien auprès de ce que je vais vous dire. Il triompha aussi de l'insensibilité et de la misanthropie de La Rancune, qui devint amoureux de l'opératrice; et ainsi le poète Roquebrune [159], pour ses péchés et pour l'expiation des livres réprouvés qu'il avait mis en lumière, eut pour rival le plus méchant homme du monde. Cette opératrice avait nom doña Inézilla del Prado, native de Malaga, et son mari, ou soi-disant tel, le seigneur Ferdinando Ferdinandi [160], gentilhomme vénitien, natif de Caen en Normandie. Il y eut encore dans la même hôtellerie d'autres personnes atteintes du même mal, aussi dangereusement pour le moins que ceux dont je viens de vous révéler le secret; mais nous vous les ferons connaître en temps et lieu. La Rappinière était devenu amoureux de mademoiselle de L'Étoile en lui voyant représenter Chimène et avait fait dessein en même temps de découvrir son mal à La Rancune qu'il jugeait capable de tout faire pour de l'argent. Le divin Roquebrune s'était imaginé la conquête d'une Espagnole digne de son courage. Pour La Rancune, je ne sais pas bien par quels charmes cette étrangère put rendre capable d'aimer un homme qui haïssait tout le monde. Ce vieil comédien, devenu âme damnée* devant le temps, je veux dire amoureux devant sa mort, était encore au lit quand Ragotin, pressé de son amour comme d'un mal de ventre, le vint trouver pour le prier de songer à son affaire et d'avoir pitié de lui. La Rancune lui promit que le jour ne se passerait pas qu'il ne lui eût rendu un service signalé auprès de sa maîtresse. La Rappinière entra en même temps dans la chambre de La Rancune qui achevait de s'habiller et, l'ayant tiré à part, lui avoua son infirmité et lui dit que, s'il le pouvait mettre aux bonnes grâces de mademoiselle de L'Étoile, il n'y avait rien en sa puis-

sance qu'il ne pût espérer de lui, jusqu'à une charge
d'archer et une sienne nièce en mariage, qui serait son
héritière parce qu'il n'avait point d'enfants. Le fourbe
La Rancune lui promit encore plus qu'il n'avait fait à
Ragotin, dont cet avant-coureur du bourreau ne conçut
pas de petites espérances. Roquebrune vint aussi consulter l'oracle. Il était le plus incorrigible présomptueux qui
soit jamais venu des bords de la Garonne et il s'était
imaginé que l'on croyait tout ce qu'il disait de sa bonne
maison, richesse, poésie et valeur, si bien qu'il ne s'of-
fensait point des persécutions et des rompements de visière * que lui faisait continuellement La Rancune. Il
croyait que ce qu'il en faisait n'était que pour allonger la
conversation, outre qu'il entendait la raillerie mieux
qu'homme au monde et la souffrait en philosophe chrétien, quand même elle allait au solide. Il se croyait donc
admiré de tous les comédiens, voire de La Rancune qui
avait assez d'expérience pour n'admirer guère de choses
et qui, bien loin d'avoir bonne opinion de ce mâchelaurier [161], s'était instruit amplement de ce qu'il était pour
savoir si les évêques et grands seigneurs de son pays,
qu'il alléguait à tous moments comme ses parents, étaient
véritablement des branches d'un arbre généalogique que
ce fou d'alliances et d'armoiries, aussi bien que de beaucoup d'autres choses, avait fait faire en vieil parchemin.
Il fut bien fâché de trouver La Rancune en compagnie,
quoique cela le dût embarrasser moins qu'un autre, ayant
la mauvaise coutume de parler toujours aux oreilles des
personnes et de faire secret de tout et fort souvent de rien.
Il tira donc La Rancune en particulier et n'en fit point à
deux fois pour lui dire qu'il était bien en peine de savoir si
la femme de l'opérateur avait beaucoup de l'esprit, parce
qu'il avait aimé des femmes de toutes les nations, excepté
des Espagnoles, et si elle valait la peine qu'il s'y amusât ;
qu'il ne serait pas plus pauvre quand il lui aurait fait un
présent des cent pistoles qu'il offrait de gager à toutes
rencontres, ce qui lui arrivait aussi souvent que de parler
de sa bonne maison. La Rancune lui dit qu'il ne connaissait pas assez la doña Inézilla pour lui répondre de son
esprit ; qu'il s'était trouvé souvent avec son mari dans les

meilleures villes du royaume où il vendait le mithridate* ;
et que, pour s'informer de ce qu'il désirait savoir, il n'y
avait qu'à faire conversation avec elle puisqu'elle parlait
français passablement. Roquebrune lui voulut confier sa
généalogie en parchemin, pour faire valoir à l'Espagnole
la splendeur de sa race. Mais La Rancune lui dit que cela
était meilleur à faire un chevalier de Malte qu'à se faire
aimer. Roquebrune là-dessus fit l'action d'un homme qui
compte de l'argent en sa main et dit à La Rancune :
« Vous savez bien quel homme je suis. — Oui, oui, lui
répondit La Rancune, je sais bien quel homme vous êtes
et quel homme vous serez toute votre vie. » Le poète s'en
retourna comme il était venu et La Rancune, son rival et
son confident tout ensemble, se rapprocha de La Rappinière et de Ragotin, qui étaient rivaux aussi sans le
savoir. Pour le vieil La Rancune, outre que l'on hait
facilement ceux qui ont prétention sur ce que l'on destine
pour soi et que naturellement il haïssait tout le monde, il
avait de plus toujours eu grande aversion pour le poète
qui, sans doute, ne la fit point cesser par cette confidence.
La Rancune fit donc dessein, à l'heure même, de lui faire
tous les plus méchants tours qu'il pourrait, à quoi son
esprit de singe était fort propre. Pour ne perdre point de
temps, il commença, dès le jour même, par une insigne
méchanceté, à lui emprunter de l'argent dont il se fit
habiller depuis les pieds jusqu'à la tête et se donna du
linge. Il avait été malpropre* toute sa vie, mais l'amour,
qui fait de plus grands miracles, le rendit soigneux de sa
personne sur la fin de ses jours. Il prit du linge blanc plus
souvent qu'il n'appartenait à un vieil comédien de campagne et commença de se teindre et raser le poil si
souvent et avec tant de soin que ses camarades s'en
aperçurent. Ce jour-là les comédiens avaient été retenus
pour représenter une comédie chez un des plus riches
bourgeois de la ville, qui faisait un grand festin et donnait
le bal aux noces d'une demoiselle de ses parentes dont il
était tuteur. L'assemblée se faisait dans une maison des
plus belles du pays, qu'il avait quelque part à une lieue de
la ville, je n'ai pas bien su de quel côté. Le décorateur des
comédiens et un menuisier y étaient allés dès le matin

pour dresser un théâtre. Toute la troupe s'y en alla en
deux carrosses et partit du Mans sur les [onze] [162] heures
du matin pour arriver à l'heure du dîner * où ils devaient
jouer la comédie. L'Espagnole doña Inézilla fut de la
partie, aux prières des comédiennes et de La Rancune.
Ragotin, qui en fut averti, alla attendre le carrosse en une
hôtellerie qui était au bout du faubourg et attacha un beau
cheval, qu'il avait emprunté, aux grilles d'une salle basse
qui répondait* sur la rue. A peine se mettait-il à table
pour dîner qu'on l'avertit que les carrosses approchaient.
Il vola à son cheval sur les ailes de son amour, une grande
épée à son côté et une carabine en bandoulière. Il n'a
jamais voulu déclarer pourquoi il allait à une noce avec
une si grande munition d'armes offensives, et La Rancune même, son cher confident, ne l'a pu savoir. Quand
il eut détaché la bride de son cheval, les carrosses se
trouvèrent si près de lui qu'il n'eut pas le temps de
chercher de l'avantage* pour s'ériger en petit Saint-
Georges [163]. Comme il n'était pas fort bon écuyer et qu'il
ne s'était pas préparé à montrer sa disposition * devant
tant de monde, il s'en acquitta de fort mauvaise grâce, le
cheval étant aussi haut de jambes qu'il en était court. Il se
guinda* pourtant vaillamment sur l'étrier et porta la
jambe droite de l'autre côté de la selle, mais les sangles,
qui étaient un peu lâches, nuisirent beaucoup au petit
homme, car la selle tourna sur le cheval quand il pensa
monter dessus. Tout allait pourtant assez bien jusque-là,
mais la maudite carabine, qu'il portait en bandoulière et
qui lui pendait au col comme un collier, s'était mise
malheureusement entre ses jambes sans qu'il s'en aper-
çût, tellement qu'il s'en fallait beaucoup que son cul ne
touchât au siège de la selle, qui n'était pas fort rase, et
que la carabine traversait depuis le pommeau jusqu'à la
croupière. Ainsi il ne se trouva pas à son aise et ne put pas
seulement toucher les étriers du bout des pieds. Là-dessus
les éperons qui armaient ses jambes courtes se firent
sentir au cheval en un endroit où jamais éperon n'avait
touché. Cela le fit partir plus gaiement qu'il n'était nécessaire à un petit homme qui ne posait que sur une carabine.
Il serra les jambes, le cheval leva le derrière et Ragotin,

suivant la pente naturelle des corps pesants, se trouva sur
le col du cheval et s'y froissa le nez, le cheval ayant levé
la tête pour une furieuse saccade que l'imprudent lui
donna, mais, pensant réparer sa faute, il lui rendit la
bride. Le cheval en sauta, ce qui fit franchir au cul du
patient toute l'étendue de la selle et le mit sur la croupe,
toujours la carabine entre les jambes. Le cheval, qui
n'était pas accoutumé d'y porter quelque chose, fit une
croupade* qui remit Ragotin en selle. Le méchant écuyer
resserra les jambes et le cheval releva le cul encore plus
fort, et alors le malheureux se trouva le pommeau entre
les fesses, où nous le laisserons comme sur un pivot pour
nous reposer un peu ; car, sur mon honneur, cette description m'a plus coûté que tout le reste du livre et encore
n'en suis-je pas trop bien satisfait.

CHAPITRE XX

LE PLUS COURT DU PRÉSENT LIVRE.
SUITE DU TRÉBUCHEMENT DE RAGOTIN
ET QUELQUE CHOSE DE SEMBLABLE
QUI ARRIVA A ROQUEBRUNE

Nous avons laissé Ragotin assis sur le pommeau d'une
selle, fort empêché de sa contenance et fort en peine de ce
qui arriverait de lui. Je ne crois pas que défunt Phaéton, de
malheureuse mémoire, ait été plus empêché* après les
quatre chevaux fougueux de son père que le fut alors notre
petit avocat sur un cheval doux comme un âne ; et, s'il ne
lui en coûta pas la vie comme à ce fameux téméraire, il s'en
faut prendre à la fortune sur les caprices de laquelle j'aurais
un beau champ pour m'étendre si je n'étais obligé en
conscience de le tirer vitement du péril où il se trouve ; car
nous en aurons beaucoup à faire tandis que notre troupe
comique sera dans la ville du Mans. Aussitôt que l'infortuné Ragotin ne se sentit qu'un pommeau de selle entre les
deux parties de son corps qui étaient les plus charnues et

sur lesquelles il avait accoutumé de s'asseoir, comme font
tous les autres animaux raisonnables ; je veux dire qu'aussitôt qu'il se sentit n'être assis que sur fort peu de chose, il
quitta la bride en homme de jugement et se prit aux crins du
cheval qui se mit aussitôt à courre. Là-dessus la carabine
tira. Ragotin crut en avoir au travers du corps ; son cheval
crut la même chose et broncha * si rudement que Ragotin
en perdit le pommeau qui lui servait de siège, tellement
qu'il pendit quelque temps aux crins du cheval, un pied
accroché par son éperon à la selle et l'autre pied et le reste
du corps attendant le décrochement de ce pied accroché
pour donner en terre, de compagnie avec la carabine,
l'épée, et le baudrier, et la bandoulière. Enfin le pied se
décrocha, ses mains lâchèrent le crin et il fallut tomber ; ce
qu'il fit bien plus adroitement qu'il n'avait monté. Tout
cela se passa à la vue des carrosses qui s'étaient arrêtés
pour le secourir ou plutôt pour en avoir le plaisir. Il pesta
contre le cheval, qui ne branla * pas depuis sa chute et,
pour le consoler, on le reçut dans l'un des carrosses en la
place du poète, qui fut bien aise d'être à cheval pour
galantiser à la portière où était Inézilla. Ragotin lui rési-
gna * l'épée et l'arme à feu qu'il se mit sur le corps d'une
façon toute martiale. Il allongea les étriers, ajusta la bride
et se prit sans doute mieux que Ragotin à monter sur sa
bête. Mais il y avait quelque sort jeté sur ce malencontreux
animal : la selle mal sanglée tourna comme à Ragotin et, ce
qui attachait ses chausses s'étant rompu, le cheval l'emporta quelque temps un pied dans l'étrier, l'autre servant
de cinquième jambe au cheval, et les parties de derrière du
citoyen de Parnasse fort exposées aux yeux des assistants,
ses chausses lui étant tombées sur les jarrets. L'accident de
Ragotin n'avait fait rire personne, à cause de la peur qu'on
avait eue qu'il ne se blessât ; mais celui de Roquebrune fut
accompagné de grands éclats de risée que l'on fit dans les
carrosses. Les cochers en arrêtèrent leurs chevaux pour
rire leur soûl et tous les spectateurs firent une grande huée
après Roquebrune, au bruit de laquelle il se sauva dans une
maison, laissant le cheval sur sa bonne foi [164], mais il en
usa mal, car il s'en retourna vers la ville. Ragotin, qui eut
peur d'avoir à le payer, se fit descendre de carrosse et alla

après; et le poète, qui avait recouvert ses postérieures, rentra dans un des carrosses, fort embarrassé et embarrassant les autres de l'équipage de guerre de Ragotin qui eut encore cette troisième disgrâce devant sa maîtresse, par où nous finirons le vingtième chapitre.

CHAPITRE XXI

QUI PEUT-ÊTRE
NE SERA PAS TROUVÉ FORT DIVERTISSANT

Les comédiens furent fort bien reçus du maître de la maison qui était honnête homme et des plus considérés du pays. On leur donna deux chambres pour mettre leurs hardes * et pour se préparer en liberté à la comédie, qui fut remise à la nuit. On les fit aussi dîner* en particulier et, après dîner, ceux qui voulurent se promener eurent à choisir d'un grand bois et d'un beau jardin. Un jeune conseiller du parlement de Rennes, proche parent du maître de la maison, accosta nos comédiens et s'arrêta à faire conversation avec eux, ayant reconnu que Le Destin avait de l'esprit et que les comédiennes, outre qu'elles étaient fort belles, étaient capables de dire autre chose que des vers appris par cœur. On parla des choses dont l'on parle d'ordinaire avec des comédiens, de pièces de théâtre et de ceux qui les font. Ce jeune conseiller dit entre autres choses que les sujets connus, dont on pouvait faire des pièces régulières, avaient tous été mis en œuvre; que l'histoire était épuisée et que l'on serait réduit à la fin à se dispenser de la règle des vingt-quatre heures [165]; que le peuple et la plus grande partie du monde ne savaient point à quoi étaient bonnes les règles sévères du théâtre; que l'on prenait plus de plaisir à voir représenter les choses qu'à ouïr des récits [166]; et cela étant, que l'on pourrait faire des pièces qui seraient fort bien reçues sans tomber dans les extravagances des Espagnols et sans se géhenner* par la rigueur des règles d'Aristote. De la

comédie on vint à parler des romans. Le conseiller dit
qu'il n'y avait rien de plus divertissant que quelques
romans modernes, que les Français seuls en savaient faire
de bons et que les Espagnols avaient le secret de faire de
petites histoires, qu'ils appellent Nouvelles, qui sont bien
plus à notre usage et plus selon la portée de l'humanité
que ces héros imaginaires de l'Antiquité qui sont quelquefois incommodes à force d'être trop honnêtes gens ;
enfin, que les exemples imitables étaient pour le moins
d'aussi grande utilité que ceux que l'on avait presque
peine à concevoir. Et il conclut que, si l'on faisait des
nouvelles en français, aussi bien faites que quelques-unes
de celles de Michel de Cervantès, elles auraient cours
autant que les romans héroïques. Roquebrunc ne fut pas
de cet avis. Il dit fort absolument qu'il n'y avait point de
plaisir à lire des romans s'ils n'étaient composés d'aventures de princes, et encore de grands princes, et que par
cette raison-là l'*Astrée* ne lui avait plu qu'en quelques
endroits. « Et dans quelles histoires trouverait-on assez de
rois et d'empereurs pour vous faire des romans nouveaux ? lui repartit le conseiller. — Il en faudrait faire, dit
Roquebrune, comme dans les romans tout à fait fabuleux
et qui n'ont aucun fondement dans l'histoire. — Je vois
bien, repartit le conseiller, que le livre de don Quichotte
n'est pas trop bien avec vous. — C'est le plus sot livre
que j'ai jamais vu, reprit Roquebrune, quoiqu'il plaise à
quantité de gens d'esprit. — Prenez garde, dit Le Destin,
qu'il ne vous déplaise par votre faute plutôt que par la
sienne. » Roquebrune n'eût pas manqué de repartie s'il
eût ouï ce qu'avait dit Le Destin ; mais il était occupé à
conter ses prouesses à quelques dames qui s'étaient ap-
prochées des comédiennes, auxquelles il ne promettait
pas moins que de faire un roman en cinq parties, chacune
de dix volumes, qui effacerait les *Cassandre*, *Cléopâtre* [167], *Polexandre* et *Cyrus*, quoique ce dernier ait le
surnom de *grand*, aussi bien que le fils de Pépin. Cependant le conseiller disait à Destin et aux comédiennes,
qu'il avait essayé de faire des nouvelles à l'imitation des
Espagnols, et qu'il leur en voulait communiquer quelques-unes. Inézilla prit la parole et dit en français, qui

tenait plus du gascon que de l'espagnol, que son premier
mari avait eu la réputation de bien écrire dans la cour
d'Espagne, qu'il avait composé quantité de nouvelles qui
y avaient été bien reçues et qu'elle en avait encore
d'écrites à la main qui réussiraient en français si elles
étaient bien traduites. Le conseiller était fort curieux de
cette sorte de livre. Il témoigna à l'Espagnole qu'elle lui
ferait un extrême plaisir de lui en donner la lecture, ce
qu'elle lui accorda fort civilement. « Et même, ajouta-
t-elle, je pense en savoir autant que personne du monde
et, comme quelques femmes de notre nation [168] se mêlent
d'en faire et des vers aussi, j'ai voulu l'essayer comme
les autres et je vous en puis montrer quelques-unes de ma
façon. » Roquebrune s'offrit témérairement, selon sa
coutume, à les mettre en français. Inézilla, qui était
peut-être la plus déliée Espagnole qui aît jamais passé les
Pyrénées pour venir en France, lui répondit que ce n'était
pas assez de bien savoir le français, qu'il fallait savoir
également l'espagnol et qu'elle ne ferait point difficulté
de lui donner ses nouvelles à traduire quand elle saurait
assez de français pour juger s'il en était capable. La Rancune, qui n'avait point encore parlé, dit qu'il n'en fallait
point douter puisqu'il avait été correcteur d'imprimerie.
Il n'eut pas plutôt lâché la parole qu'il se ressouvint que
Roquebrune lui avait prêté de l'argent. Il ne le poussa
donc point selon sa coutume, le voyant déjà tout défait*
de ce qu'il avait dit et avouant avec grande confusion
qu'il avait véritablement corrigé quelque temps chez les
imprimeurs, mais que ce n'avait été que ses propres
ouvrages. Mademoiselle de L'Étoile dit alors à la doña
Inézilla que, puisqu'elle savait tant d'historiettes, qu'elle
l'importunerait souvent de lui en conter. L'Espagnole s'y
offrit à l'heure même. On la prit au mot; tous ceux de la
compagnie se mirent alentour d'elle; et alors elle commença une histoire, non pas du tout dans les termes que
vous l'allez lire dans le suivant chapitre, mais pourtant
assez intelligiblement pour faire voir qu'elle avait bien de
l'esprit en espagnol puisqu'elle en faisait beaucoup paraître en une langue dont elle ne savait pas les beautés.

CHAPITRE XXII

A TROMPEUR, TROMPEUR ET DEMI [169]

Une jeune dame de Tolède, nommée Victoria, de l'ancienne maison de Portocarrero [170], s'était retirée en une maison qu'elle avait sur les bords du Tage, à demi-lieue de Tolède, en l'absence de son frère qui était capitaine de cavalerie dans les Pays-Bas. Elle était demeurée veuve à l'âge de dix-sept ans d'un vieil gentilhomme qui s'était enrichi aux Indes [171] et qui, s'étant perdu en mer six mois après son mariage, avait laissé beaucoup de biens à sa femme. Cette belle veuve, depuis la mort de son mari, s'était retirée auprès de son frère et y avait vécu d'une façon si approuvée de tout le monde qu'à l'âge de vingt ans les mères la proposaient à leurs filles comme un exemple, les maris à leurs femmes et les galants à leurs désirs, comme une conquête digne de leur mérite ; mais si sa vie retirée avait refroidi l'amour de plusieurs, elle avait d'un autre côté augmenté l'estime que tout le monde avait pour elle. Elle goûtait en liberté les plaisirs de la campagne dans cette maison des champs, quand un matin ses bergers lui amenèrent deux hommes qu'ils avaient trouvés dépouillés de tous leurs habits et attachés à des arbres où ils avaient passé la nuit. On leur avait donné à chacun une méchante cape de berger pour se couvrir et ce fut dans ce bel équipage-là qu'ils parurent devant la belle Victoria. La pauvreté de leur habit ne lui cacha point la riche mine du plus jeune, qui lui fit un compliment en honnête homme et lui dit qu'il était un gentilhomme de Cordoue appelé dom Lopès de Gongora ; qu'il venait de Séville et qu'allant à Madrid pour des affaires d'importance et s'étant amusé à jouer à une demi-journée de Tolède, où il avait dîné* le jour auparavant, que la nuit l'avait surpris ; qu'il s'était endormi et son valet aussi en attendant un muletier qui était demeuré derrière ; et que des voleurs, l'ayant trouvé comme il dormait, l'avaient lié à un arbre, et son valet aussi, après les avoir dépouillés

jusqu'à la chemise. Victoria ne douta point de la vérité de
ses paroles ; sa bonne mine parlait en sa faveur, et il y
avait toujours de la générosité à secourir un étranger
réduit à une si fâcheuse nécessité. Il se rencontra heureusement que, parmi les hardes* que son frère lui avait
laissées en garde, il y avait quelques habits ; car les
Espagnols ne quittent point leurs vieux habits pour jamais
quand ils en prennent de neufs. On choisit le plus beau et
le mieux fait à la taille du maître ; et le valet fut aussi
revêtu de ce que l'on put trouver sur-le-champ de plus
propre pour lui. L'heure du dîner* étant venue, cet étranger, que Victoria fit manger à sa table, parut à ses yeux si
bien fait et l'entretint avec tant d'esprit qu'elle crut que
l'assistance qu'elle lui rendait ne pouvait jamais être
mieux employée. Ils furent ensemble le reste du jour et se
plurent tellement l'un à l'autre que la nuit même ils en
dormirent moins qu'ils n'avaient accoutumé. L'étranger
voulut envoyer son valet à Madrid quérir de l'argent et
faire faire des habits, ou, du moins, il en fit semblant. La
belle veuve ne le voulut pas permettre et lui en promit
pour achever son voyage. Il lui parla d'amour dès le jour
même et elle l'écouta favorablement. Enfin, en quinze
jours, la commodité du lieu, le mérite égal en ces deux
jeunes personnes, quantité de serments d'un côté, trop de
franchise et de crédulité de l'autre, une promesse de
mariage offerte et la foi réciproquement donnée en présence d'un vieil écuyer et d'une suivante de Victoria lui
firent faire une faute dont jamais on ne l'eût crue capable
et mirent ce bienheureux étranger en possession de la plus
belle dame de Tolède. Huit jours durant ce ne fut que feu
et flammes entre les jeunes amants. Il fallut se séparer ; ce
ne furent que larmes. Victoria eût eu droit de le retenir ;
mais l'étranger lui ayant fait valoir qu'il laissait perdre
une affaire de grande importance pour l'amour d'elle, lui
protestant que le gain qu'il avait fait de son cœur lui
faisait négliger celui d'un procès qu'il avait à Madrid et
même ses prétentions de la cour, elle fut la première à
hâter son départ, ne l'aimant pas assez aveuglément pour
préférer le plaisir d'être avec lui à son avancement. Elle
fit faire des habits à Tolède pour lui et pour son valet et

lui donna de l'argent autant qu'il en voulut. Il partit pour
Madrid, monté sur une bonne mule et son valet sur une
autre, la pauvre dame véritablement accablée de douleur
quand il partit et lui, s'il ne fut pas beaucoup affligé, le
contrefaisant avec la plus grande hypocrisie du monde.
Le jour même qu'il partit, une servante, faisant la chambre où il avait couché, trouva une boîte de portrait enve-
loppée dans une lettre. Elle porta le tout à sa maîtresse,
qui vit dans la boîte un visage parfaitement beau et fort
jeune et lut dans la lettre ces paroles, ou d'autres qui
voulaient dire la même chose :

    « Monsieur mon cousin,

    « Je vous envoie le portrait de la belle Elvire de Silva.
« Quand vous la verrez, vous la trouverez encore plus
« belle que le peintre ne l'a su faire. Dom Pédro de Silva,
« son père, vous attend avec impatience. Les articles de
« votre mariage sont tels que vous les avez souhaités et ils
« vous sont fort avantageux, à ce qu'il me semble. Tout
« cela vaut bien la peine que vous hâtiez votre voyage.
                        « DOM ANTOINE DE RIBÉRA.

    « De Madrid, ce, etc. »

    La lettre s'adressait à Fernand de Ribéra, à Séville.
Représentez-vous, je vous prie, l'étonnement de Victoria
à la lecture d'une telle lettre qui, selon toutes les apparen-
ces du monde, ne pouvait être écrite à un autre qu'à son
Lopès de Gongora. Elle voyait, mais trop tard, que cet
étranger qu'elle avait si fort obligé, et si vite, lui avait
déguisé son nom et, par ce déguisement-là, elle devait
être tout assurée de son infidélité. La beauté de la dame
du portrait ne la devait pas moins mettre en peine et ce
mariage, dont les articles étaient déjà passés, achevait de
la désespérer. Jamais personne ne s'affligea tant; ses
soupirs la pensèrent suffoquer et elle pleura jusqu'à s'en
faire mal à la tête. « Misérable que je suis ! » disait-elle
quelquefois en elle-même et quelquefois aussi devant son
vieil écuyer et sa suivante qui avaient été témoins de son
mariage, « ai-je été si longtemps sage pour faire une faute

irréparable et devais-je refuser tant de personnes de condition de ma connaissance, qui se fussent estimées heureuses de me posséder, pour me donner à un inconnu qui se moque peut-être de moi après m'avoir rendue malheureuse pour toute ma vie ? Que dira-t-on dans Tolède et que dira-t-on dans toute l'Espagne ? Un jeune homme lâche et trompeur sera-t-il discret ? Devais-je lui témoigner que je l'aimais devant* que de savoir si j'en étais aimée ? M'aurait-il caché son nom s'il avait été sincère et dois-je espérer, après cela, qu'il cache les avantages qu'il a sur moi ? Que ne fera point mon frère contre moi, après ce que j'ai fait moi-même, et de quoi lui sert l'honneur qu'il acquiert en Flandre tandis que je le déshonore en Espagne ? Non, non, Victoria, il faut tout entreprendre puisque nous avons tout oublié ; mais, devant* que d'en venir à la vengeance et aux derniers remèdes, il faut essayer de gagner par adresse ce que nous avons mal conservé par imprudence. Il sera toujours assez à temps de se perdre quand il n'y aura plus rien à espérer. » Victoria avait l'esprit bien fort d'être capable de prendre sitôt une bonne résolution dans une si mauvaise affaire. Son vieil écuyer et sa suivante la voulurent conseiller ; elle leur dit qu'elle savait bien tout ce qu'on lui pouvait dire, mais qu'il n'était plus question que d'agir. Dès le jour même, un chariot et une charrette furent chargés de meubles et de tapisseries et, Victoria faisant courir le bruit parmi ses domestiques qu'il fallait qu'elle allât à la cour pour les affaires pressantes de son frère, elle monta en carrosse avec son écuyer et sa suivante, prit le chemin de Madrid et se fit suivre par son bagage. Aussitôt qu'elle y fut arrivée, elle s'informa du logis de dom Pédro de Silva ; et, l'ayant appris, elle en loua un dans le même quartier. Son vieil écuyer avait nom Rodrigue Santillane ; il avait été nourri jeune par le père de Victoria et il aimait sa maîtresse comme si elle eût été sa fille. Ayant forces habitudes* dans Madrid, où il avait passé sa jeunesse, il sut en peu de temps que la fille de dom Pédro de Silva se mariait à un gentilhomme de Séville qu'on appelait Fernand de Ribéra ; qu'un de ses cousins de même nom que lui avait fait ce mariage et que

dom Pédro songeait déjà aux personnes qu'il mettrait
auprès de sa fille. Dès le lendemain, Rodrigue Santillane,
honnêtement vêtu, Victoria, habillée en veuve de médio-
cre condition, et Béatrix, sa suivante, faisant le personnage de sa belle-mère, femme de Rodrigue, allèrent chez
dom Pédro et demandèrent à lui parler. Dom Pédro les
reçut fort civilement et Rodrigue lui dit, avec beaucoup
d'assurance, qu'il était un pauvre gentilhomme des montagnes de Tolède ; qu'il avait eu une fille unique de sa
première femme, qui était Victoria, dont le mari était
mort depuis peu à Séville où il demeurait ; et que, voyant
sa fille veuve avec peu de bien, il l'avait amenée à la cour
pour lui chercher condition ; qu'ayant ouï parler de lui et
de sa fille qu'il était près de marier, il avait cru lui faire
plaisir en lui venant offrir une jeune veuve très propre à
servir de duègna à la nouvelle mariée et ajouta que le
mérite de sa fille le rendait hardi à la lui offrir et qu'il en
serait pour le moins aussi satisfait qu'il l'avait pu être de
sa bonne mine. Devant* que d'aller plus avant, il faut que
j'apprenne à ceux qui ne le savent pas que les dames en
Espagne ont des duègnas auprès d'elles ; et ces duègnas
sont à peu près la même chose que les gouvernantes ou
dames d'honneur que nous voyons auprès des femmes de
grande condition. Il faut que je dise encore que ces
duègnas ou duègnes sont animaux rigides et fâcheux,
aussi redoutés pour le moins que des belles-mères [172].
Rodrigue joua si bien son personnage et Victoria, belle
comme elle était, parut en son habit simple si agréable et
de si bon augure aux yeux de dom Pédro de Silva qu'il la
retint à l'heure même pour sa fille. Il offrit même à
Rodrigue et à sa femme place dans sa maison. Rodrigue
s'en excusa et lui dit qu'il avait quelques raisons pour ne
recevoir pas l'honneur qu'il lui voulait faire, mais que,
logeant dans le même quartier, il serait prêt à lui rendre
service toutes les fois qu'il le voudrait employer. Voilà
donc Victoria dans la maison de dom Pédro, fort aimée de
lui et de sa fille Elvire, et fort enviée de tous les valets.
Dom Antoine de Ribéra, qui avait fait le mariage de son
infidèle cousin avec la fille de dom Pédro de Silva, lui
venait souvent dire que son cousin était en chemin et qu'il

lui avait écrit en partant de Séville et cependant ce cousin
ne venait point; cela le mettait bien en peine. Dom Pédro
et sa fille ne savaient qu'en penser et Victoria y prenait
encore plus de part. Dom Fernand n'avait garde de venir
si vite. Le jour même qu'il partit de chez Victoria, Dieu
le punit de sa perfidie. En arrivant à Illescas, un chien,
qui sortit d'une maison à l'improviste, fit peur à son
mulet, qui lui froissa une jambe contre une muraille et le
jeta par terre. Dom Fernand se démit une cuisse et se
trouva si mal de sa chute qu'il ne put passer outre. Il fut
sept ou huit jours entre les mains des médecins et chirurgiens du pays, qui n'étaient pas des meilleurs; et son mal
devenant tous les jours plus dangereux, il fit savoir à son
cousin son infortune et le pria de lui envoyer un brancard *. A cette nouvelle on s'affligea de sa chute et on se
réjouit de ce que l'on savait enfin ce qu'il était devenu.
Victoria, qui l'aimait encore, en fut fort inquiétée. Dom
Antoine envoya quérir dom Fernand; il fut amené à
Madrid où, tandis que l'on fit des habits pour lui et pour
son train, qui fut fort magnifique (car il était aimé de sa
maison et fort riche), les chirurgiens de Madrid, plus
habiles que ceux d'Illescas, le guérirent parfaitement.
Dom Pédro de Silva et sa fille Elvire furent avertis du jour
que dom Antoine de Ribéra leur devait amener son cousin
dom Fernand. Il y a apparence que la jeune Elvire ne se
négligea pas et que Victoria ne fut pas sans émotion. Elle
vit entrer son infidèle, paré comme un nouveau marié et,
s'il lui avait plu mal vêtu et mal en ordre, elle le trouva
l'homme du monde de la meilleure mine en ses habits de
noces. Dom Pédro n'en fut pas moins satisfait et sa fille
eût été bien difficile si elle y eût trouvé quelque chose à
redire. Tous les domestiques regardèrent le serviteur de
leur jeune maîtresse de toute la grandeur de leurs yeux et
tout le monde de la maison en eut le cœur épanoui, à la
réserve de Victoria qui sans doute l'eût bien serré. Dom
Fernand fut charmé de la beauté d'Elvire et avoua à son
cousin qu'elle était encore plus belle que son portrait. Il
lui fit ses premiers compliments en homme d'esprit et,
parlant à elle et à son père, s'abstint le plus qu'il put de
toutes les sottises que dit ordinairement, à un beau-père et

à une maîtresse, un homme qui demande à se marier.
Dom Pédro de Silva s'enferma dans un cabinet avec les
deux cousins et avec un homme d'affaires pour ajouter
quelque chose qui manquait aux articles. Cependant Elvire demeura dans la chambre, environnée de toutes ses
femmes qui se réjouissaient devant elle de la bonne mine
de son serviteur. La seule Victoria demeura froide et
sérieuse dans les emportements des autres. Elvire le remarqua et la tira à part pour lui dire qu'elle s'étonnait de
ce qu'elle ne lui disait rien de l'heureux choix que son
père avait fait d'un gendre qui paraissait avoir tant de
mérite et ajouta qu'au moins, par flatterie ou par civilité,
elle lui en devait dire quelque chose. « Madame, lui dit
Victoria, ce qui paraît de votre serviteur est si fort à son
avantage qu'il n'est point nécessaire de vous le louer. Ma
froideur que vous avez remarquée ne vient point d'indifférence et je serais indigne des bontés que vous avez pour
moi si je ne prenais part en tout ce qui vous touche. Je me
serais donc réjouie de votre mariage aussi bien que les
autres si je connaissais moins celui qui doit être votre
mari. Le mien était de Séville et sa maison n'était pas
éloignée de celle du père de votre serviteur. Il est de
bonne maison, il est riche, il est bien fait et je veux croire
qu'il a de l'esprit ; enfin il est digne de vous, mais vous
méritez l'affection tout entière d'un homme et il ne vous
peut donner ce qu'il n'a pas. Je m'empêcherais bien de
vous dire des choses qui peuvent vous déplaire, mais je
ne m'acquitterais pas de tout ce que je vous dois si je ne
vous découvrais tout ce que je sais de dom Fernand, en
une affaire d'où dépend le bonheur ou le malheur de votre
vie. » Elvire fut fort étonnée de ce que lui dit sa gouvernante ; elle la pria de ne différer pas davantage à lui
éclaircir les doutes qu'elle lui avait mis dans l'esprit.
Victoria lui dit que cela ne se pouvait dire devant ses
servantes, ni en peu de paroles. Elvire feignit d'avoir
affaire en sa chambre où Victoria lui dit, aussitôt qu'elle
se vit seule avec elle, que Fernand de Ribéra était amoureux, à Séville, d'une Lucrèce de Monsalve, demoiselle
fort aimable quoique fort pauvre ; qu'il en avait trois
enfants sous promesse de mariage ; que, du vivant du père

de Ribéra, la chose avait été tenue secrète et qu'après sa mort, Lucrèce lui ayant demandé l'accomplissement de sa promesse, il s'était extrêmement refroidi ; qu'elle avait remis cette affaire entre les mains de deux gentilshommes de ses parents ; que cela avait fait grand éclat dans Séville et que dom Fernand s'en était absenté quelque temps, par le conseil de ses amis, pour éviter les parents de cette Lucrèce qui le cherchaient partout pour le tuer. Elle ajouta que l'affaire était en cet état-là quand elle quitta Séville, il y avait un mois, et que le bruit courait en même temps que dom Fernand allait se marier à Madrid. Elvire ne put s'empêcher de lui demander si cette Lucrèce était fort belle. Victoria lui dit qu'il ne lui manquait que du bien, et la laissa fort rêveuse et faisant dessein d'informer promptement son père de ce qu'elle venait d'apprendre. On la vint appeler en même temps pour revenir trouver son serviteur, qui avait achevé avec son père ce qui les avait fait retirer en particulier. Elvire s'y en alla ; et cependant*, Victoria demeura dans l'antichambre où elle vit entrer ce même valet qui accompagnait son infidèle quand elle le reçut si généreusement en sa maison auprès de Tolède. Ce valet apportait à son maître un paquet de lettres qu'on lui avait donné à la poste de Séville. Il ne put reconnaître Victoria que la coiffure de veuve avait fort déguisée. Il la pria de le faire parler à son maître pour lui donner ses lettres. Elle lui dit qu'il ne lui pourrait parler de longtemps, mais que, s'il lui voulait confier son paquet, elle irait le lui porter quand on pourrait parler à lui. Le valet n'en fit point de difficulté et, lui ayant mis son paquet entre les mains, s'en retourna où il avait affaire. Victoria, qui n'avait rien à négliger, monta dans sa chambre, ouvrit le paquet et en un moins de rien le referma, y ajoutant une lettre qu'elle écrivit à la hâte. Cependant les deux cousins achevèrent leur visite. Elvire vit le paquet de dom Fernand entre les mains de sa gouvernante et lui demanda ce que c'était. Victoria lui dit indifféremment que le valet de dom Fernand le lui avait donné pour le rendre à son maître et qu'elle allait envoyer après parce qu'elle ne s'était point trouvée quand il était sorti. Elvire lui dit qu'il n'y avait point de danger de

l'ouvrir et que l'on y trouverait peut-être quelque chose
de l'affaire qu'elle lui avait apprise. Victoria, qui ne
demandait pas autre chose, l'ouvrit encore une fois. Elvire en regarda toutes les lettres et ne manqua pas de
s'arrêter sur celle qu'elle vit écrite en lettres de femme,
qui s'adressait à Fernand de Ribéra, à Madrid. Voici ce
qu'elle y lut :

    « Votre absence et la nouvelle que j'ai apprise que l'on
« vous mariait à la cour vous feront bientôt perdre une
« personne qui vous aime plus que sa vie si vous ne venez
« bientôt la désabuser et accomplir ce que vous ne pouvez
« différer ou lui refuser sans une froideur ou une trahison
« manifeste. Si ce que l'on dit de vous est véritable et si
« vous ne songez plus que vous ne faites en moi et en nos
« enfants, au moins devriez-vous songer à votre vie que
« mes cousins sauront bien vous faire perdre quand vous
« me réduirez à les en prier, puisqu'ils ne vous la laissent
« qu'à ma prière.

                            « LUCRÈCE DE MONSALVE.
    « De Séville, etc. »

    Elvire ne douta plus de tout ce que lui avait dit sa
gouvernante après la lecture de cette lettre. Elle la fit voir
à son père, qui ne put assez s'étonner qu'un gentilhomme
de condition fût assez lâche pour manquer de fidélité à
une demoiselle qui le valait bien et de qui il avait eu des
enfants. A l'heure même, il alla s'en informer plus amplement d'un gentilhomme de Séville de ses grands amis,
par lequel il avait déjà été instruit du bien et des affaires
de dom Fernand. A peine fut-il sorti que dom Fernand
vint demander ses lettres, suivi de son valet, qui lui avait
dit que la gouvernante de sa maîtresse s'était chargée de
les lui rendre. Il trouva Elvire dans la salle et lui dit
qu'encore que deux visites lui fussent pardonnables dans
les termes où il était avec elle, qu'il ne venait pas tant
pour la voir que pour demander ses lettres que son valet
avait laissées à sa gouvernante. Elvire lui répondit qu'elle
les lui avait prises ; qu'elle avait eu la curiosité d'ouvrir le
paquet, ne doutant point qu'un homme de son âge n'eût
quelque attachement de galanterie dans une grande ville

comme Séville; et que, si sa curiosité ne l'avait pas
beaucoup satisfaite, qu'elle lui avait appris en récompense que ceux qui se mariaient ensemble devant* que de
se connaître hasardaient beaucoup. Elle ajouta ensuite
qu'elle ne voulait pas lui retarder davantage le plaisir de
lire ses lettres, les lui remit entre les mains et, lui faisant
la révérence, le quitta sans attendre réponse. Dom Fernand demeura fort étonné de ce qu'il entendit dire à sa
maîtresse. Il lut la lettre supposée* et vit bien que l'on
voulait troubler son mariage par une fourbe*. Il s'adressa
à Victoria, qui était demeurée dans la salle, et lui dit, sans
s'arrêter beaucoup à son visage, que quelque rival ou
quelque personne malicieuse avait supposé* la lettre qu'il
venait de lire. «Moi, une femme dans Séville! s'écria-t-il
tout étonné; moi, des enfants! Ah! si ce n'est la plus
impudente imposture du monde, je veux qu'on me coupe
la tête!» Victoria lui dit qu'il pouvait bien être innocent,
mais que sa maîtresse ne pouvait moins faire que de s'en
éclaircir et que très assurément le mariage ne passerait
pas outre que dom Pédro ne fût assuré par un gentilhomme de Séville de ses amis, qu'il était allé chercher
exprès, que ce[tte] prétendu[e] intrigue fût supposé[e]*.
«C'est ce que je souhaite, lui répondit dom Fernand, et
s'il y a seulement en Séville une dame qui ait le nom de
Lucrèce de Monsalve, je veux ne passer jamais pour un
homme d'honneur; et je vous prie, continua-t-il, si vous
êtes bien dans l'esprit d'Elvire, comme je n'en doute pas,
de me l'avouer afin que je vous conjure de me rendre de
bons offices auprès d'elle. — Je crois, sans vanité, lui
répondit Victoria, qu'elle ne fera pas pour un autre ce
qu'elle m'aura refusé, mais je connais aussi son humeur;
on ne l'apaise pas aisément quand elle se croit désobli-
gée. Et comme toute l'espérance de ma fortune n'est
fondée que sur la bonne volonté qu'elle a pour moi, je
n'irai pas lui manquer de complaisance pour en avoir trop
pour vous et hasarder de me mettre mal auprès d'elle en
tâchant de lui ôter la mauvaise opinion qu'elle a de votre
sincérité. Je suis pauvre, ajouta-t-elle, et c'est à moi
beaucoup perdre que de ne gagner pas. Si ce qu'elle m'a
promis pour me remarier m'allait manquer, je serais

veuve toute ma vie, quoique, jeune comme je suis, je puisse encore plaire à quelque honnête homme; mais on dit bien vrai que sans argent... » Elle allait enfiler un long prône de gouvernante, car, pour la bien contrefaire, il fallait parler beaucoup, mais dom Fernand lui dit en l'interrompant: «Rendez-moi le service que je vous demande et je vous mettrai en état de vous pouvoir passer des récompenses de votre maîtresse; et pour vous montrer, ajouta-t-il, que je vous veux donner autre chose que des paroles, donnez-moi du papier et de l'encre et je vous ferai une promesse de ce que vous voudrez. — Jésus! Monsieur, lui dit la fausse gouvernante, la parole d'un honnête homme suffit, mais, pour vous plaire, je m'en vais quérir ce que vous demandez. » Elle revint avec ce qu'il fallait pour faire une promesse de plus de cent millions d'or et dom Fernand fut si galant homme ou plutôt il avait la possession d'Elvire tellement à cœur qu'il lui écrivit son nom en blanc dans une feuille de papier pour l'obliger par cette confiance à le servir de bonne façon. Voilà Victoria sur les nues; elle promit des merveilles à dom Fernand et lui dit qu'elle voulait être la plus malheureuse du monde si elle n'allait travailler en cette affaire comme pour elle-même; et elle ne mentait pas. Dom Fernand la quitta, rempli d'espérance; et Rodrigue Santillane, son écuyer, qui passait pour son père, l'étant venu voir pour apprendre ce qu'elle avait avancé pour son dessein, elle lui en rendit compte et lui montra le blanc signé dont il loua Dieu avec elle et lui fit remarquer que tout semblait contribuer à sa satisfaction. Pour ne point perdre de temps, il s'en retourna en son logis, que Victoria avait loué auprès de celui de dom Pédro, comme je vous ai déjà dit, et là il écrivit, au-dessus du seing de dom Fernand, une promesse de mariage, attestée de témoins et datée du temps que Victoria reçut cet infidèle dans sa maison des champs. Il écrivait aussi bien qu'homme qui fût en Espagne et avait si bien étudié la lettre de dom Fernand sur des vers qu'il avait écrits de sa main et qu'il avait laissés à Victoria que dom Fernand même s'y fût trompé. Dom Pédro de Silva ne trouva point le gentilhomme qu'il était allé chercher pour s'informer

du mariage de dom Fernand ; il lui laissa un billet en son
logis et revint au sien, où le soir même Elvire ouvrit son
cœur à sa gouvernante et lui assura qu'elle désobéirait
plutôt à son père que d'épouser jamais dom Fernand, lui
avouant de plus qu'elle était engagée d'affection avec un
Diégo de Maradas, il y avait longtemps ; qu'elle avait
assez déféré à son père en forçant son inclination pour lui
plaire ; et, puisque Dieu avait permis que la mauvaise foi
de dom Fernand fût découverte, qu'elle croyait en le
refusant obéir à la volonté divine qui semblait lui destiner
un autre époux. Vous devez croire que Victoria fortifia
Elvire dans ses bonnes résolutions et ne lui parla pas alors
selon l'intention de dom Fernand. « Dom Diègue de Maradas, lui dit alors Elvire, est mal satisfait de moi à cause
que je l'ai quitté pour obéir à mon père, mais aussitôt que
je le favoriserai seulement d'un regard, je suis assurée de
le faire revenir, quand il serait aussi éloigné de moi que
dom Fernand l'est présentement de sa Lucrèce. — Écri-
vez-lui, mademoiselle *, lui dit Victoria et je m'offre à lui
porter votre lettre. » Elvire fut ravie de voir sa gouvernante si favorable à ses desseins. Elle fit mettre les
chevaux au carrosse pour Victoria qui monta dedans avec
un beau poulet * pour dom Diégo ; et, s'étant fait descendre chez son père Santillane, renvoya le carrosse de sa
maîtresse, disant au cocher qu'elle irait bien à pied où elle
voulait aller. Le bon Santillane lui fit voir la promesse de
mariage qu'il avait faite ; et elle écrivit aussitôt deux
billets, l'un à Diégo de Maradas et l'autre à Pédro de
Silva, père de sa maîtresse. Par ces billets, signés *Victoria Portocarrero*, elle leur enseignait son logis et les
priait de la venir trouver pour une affaire qui leur était de
grande importance. Tandis que l'on porta ces billets à
ceux à qui ils étaient adressés, Victoria quitta son habit
simple de veuve, s'habilla richement, fit paraître ses
cheveux, que l'on m'a assuré avoir été des plus beaux, et
se coiffa en dame fort galante. Dom Diégo de Maradas la
vint trouver un moment après pour savoir ce que lui
voulait une dame dont il n'avait jamais ouï parler. Elle le
reçut fort civilement ; et à peine avait-il pris un siège
auprès d'elle qu'on lui vint dire que Pédro de Silva

demandait à la voir. Elle pria dom Diégo de se cacher
dans son alcôve en l'assurant qu'il lui importait extrêmement d'entendre la conversation qu'elle allait avoir avec
dom Pédro. Il fit sans résistance ce que voulut une dame
si belle et de si bonne mine ; et dom Pédro fut introduit
dans la chambre de Victoria qu'il ne put reconnaître tant
sa coiffure, différente de celle qu'elle portait chez lui, et
la richesse de ses habits avaient augmenté sa bonne mine
et changé l'air de son visage. Elle fit asseoir dom Pédro
en un lieu d'où dom Diégo pouvait entendre tout ce
qu'elle lui disait et lui parla en ces termes : « Je crois,
monsieur, que je dois vous apprendre d'abord qui je suis,
pour ne vous laisser pas plus longtemps dans l'impatience
où vous devez être de le savoir. Je suis de Tolède, de la
maison de Portocarrero ; j'ai été mariée à seize ans et me
suis trouvée veuve six mois après mon mariage. Mon
père portait la croix de Saint-Jacques et mon frère est de
l'ordre de Calatrava. » Dom Pédro l'interrompit pour lui
dire que son père avait été de ses intimes amis. « Ce que
vous m'apprenez là me réjouit extrêmement, lui répondit
Victoria, car j'aurai besoin de beaucoup d'amis dans
l'affaire dont j'ai à vous parler. » Elle apprit ensuite à
dom Pédro ce qui lui était arrivé avec dom Fernand et lui
mit entre les mains la promesse qu'avait contrefaite Santillane. Aussitôt qu'il l'eut lue, elle reprit la parole et lui
dit : « Vous savez, monsieur, à quoi l'honneur oblige une
personne de ma condition. Quand la justice ne serait pas
de mon côté, mes parents et mes amis ont beaucoup de
crédit et sont assez intéressés dans mon affaire pour la
porter au plus loin qu'elle puisse aller. J'ai cru, monsieur,
que je devais vous avertir de mes prétentions afin que
vous ne passiez pas outre dans le mariage de mademoiselle votre fille. Elle mérite mieux qu'un homme infidèle
et je vous crois trop sage pour vous opiniâtrer à lui donner
un mari qu'on lui pourrait disputer. — Quand il serait un
grand d'Espagne, lui répondit dom Pédro, je n'en voudrais point s'il était injuste ; non seulement il n'épousera
point ma fille, mais encore je lui défendrai ma maison ; et
pour vous, madame, je vous offre ce que j'ai de crédit et
d'amis. J'avais déjà été averti qu'il était homme à prendre

son plaisir partout où il le trouve et même de le chercher aux dépens de sa réputation. Étant de cette humeur-là, quand bien il ne serait pas à vous, il ne serait jamais à ma fille, laquelle, s'il plaît à Dieu, ne manquera point de mari dans la cour d'Espagne. » Dom Pédro ne demeura pas davantage avec Victoria, voyant qu'elle n'avait rien davantage à lui dire ; et Victoria fit sortir dom Diégo de derrière son alcôve, d'où il avait ouï toute la conversation qu'elle avait eue avec le père de sa maîtresse. Elle ne fit donc point une seconde relation de son histoire ; elle lui donna la lettre d'Elvire qui le ravit d'aise et, parce qu'il eût pu être en peine de savoir par quelle voie elle était venue entre ses mains, elle lui fit confidence de sa méta- morphose en duègne, sachant bien qu'il avait autant d'intérêt qu'elle à tenir la chose secrète. Dom Diégo, devant * que de quitter Victoria, écrivit à sa maîtresse une lettre où la joie de voir ses espérances ressuscitées faisait bien juger du déplaisir qu'il avait eu quand il les avait cru perdues. Il se sépara de la belle veuve, qui prit aussitôt son habit de gouvernante et s'en retourna chez dom Pé- dro. Cependant dom Fernand de Ribéra était allé chez sa maîtresse et y avait mené son cousin dom Antoine pour tâcher de raccommoder ce qu'avait gâté la lettre contre- faite par Victoria. Dom Pédro les trouva, avec sa fille qui était bien empêchée à leur répondre quand, pour la justi- fication de dom Fernand, ils ne demandaient pas mieux que l'on s'informât dans Séville même s'il y avait jamais eu une Lucrèce de Monsalve. Ils redirent devant dom Pédro tout ce qui pouvait servir à la décharge de dom Fernand. A quoi il répondit que, si l'attachement avec la dame de Séville était une fourbe*, il était aisé de la détruire, mais qu'il venait de voir une dame de Tolède, nommé Victoria Portocarrero, à qui dom Fernand avait promis mariage et à qui il devait encore davantage pour en avoir été généreusement assisté sans en être connu ; qu'il ne le pouvait nier puisqu'il lui avait donné une promesse écrite de sa main ; et ajouta qu'un gentilhomme d'honneur ne devait point songer à se marier à Madrid, l'étant déjà dans Tolède. En achevant ces paroles, il fit voir aux deux cousins la promesse de mariage en bonne forme. Dom Antoine reconnut l'écriture de son cousin et dom Fernand, qui s'y trompait lui-même, quoiqu'il sût bien qu'il ne l'avait jamais écrite, devint l'homme du monde le plus confus. Le père et la fille se retirèrent après les avoir salués assez froidement. Dom Antoine querella son cousin de l'avoir employé dans une affaire tandis qu'il songeait à une autre. Ils remontèrent dans leur carrosse où dom Antoine, ayant fait avouer à dom Fernand son mauvais procédé avec Victoria, lui reprocha cent fois la noirceur de son action et lui représenta les fâcheuses suites qu'elle pouvait avoir. Il lui dit qu'il ne fallait plus songer à se marier, non seulement dans Madrid, mais dans toute l'Espagne et qu'il serait bien heureux d'en être quitte pour épouser Victoria, sans qu'il lui en coutât du sang ou peut-être la vie, le frère de Victoria n'étant pas un homme à se contenter d'une simple satisfaction dans une affaire d'honneur. Ce fut à dom Fernand à se taire tandis que son cousin lui fit tant de reproches. Sa conscience le convainquait suffisamment d'avoir trompé et trahi une personne qui l'avait obligé et cette promesse le faisait devenir fou, ne pouvant comprendre par quel enchantement on la lui avait fait écrire. Victoria, étant revenue chez dom Pédro en son habit de veuve, donna la lettre de dom Diégo à Elvire, laquelle lui conta que les deux cousins étaient venus pour se justifier, mais qu'il y avait bien autre chose à reprocher à dom Fernand que ses amours avec la dame de Séville. Elle lui apprit ensuite ce qu'elle savait mieux qu'elle, dont elle fit bien l'étonnée, détestant* cent fois la méchante action de dom Fernand. Ce jour-là même Elvire fut priée d'aller voir représenter une comédie chez une de ses parentes. Victoria, qui ne songeait qu'à son affaire, espéra que si Elvire la voulait croire, cette comédie ne serait pas inutile à ses desseins. Elle dit à sa jeune maîtresse que si elle voulait voir dom Diégo, il n'y avait rien de si aisé ; que la maison de son père Santillane était le lieu le plus commode du monde pour cette entrevue et que, la comédie ne commençant qu'à minuit, elle pouvait partir de bonne heure et avoir vu dom Diégo sans arriver trop tard chez sa parente. Elvire, qui aimait véritablement dom Diégo et qui ne

s'était laissée aller à épouser dom Fernand que par la
déférence qu'elle avait aux volontés de son père, n'eut
point de répugnance à ce que lui proposa Victoria. Elles
montèrent en carrosse aussitôt que dom Pédro fut couché
et allèrent descendre au logis que Victoria avait loué.
Santillane, comme maître de la maison, en fit les honneurs, secondé de Béatrix qui jouait le personnage de sa
femme, belle-mère de Victoria. Elvire écrivit un billet à
dom Diégo qui lui fut porté à l'heure même ; et Victoria
en particulier en fit un à dom Fernand, au nom d'Elvire,
par lequel elle lui mandait qu'il ne tiendrait qu'à lui que
leur mariage ne s'achevât ; qu'elle y était engagée par son
mérite et qu'elle ne voulait point se rendre malheureuse
pour être trop complaisante à la mauvaise humeur de son
père. Par le même billet elle lui donnait des enseignes * si
remarquables pour trouver sa maison qu'il était impossible de la manquer. Ce second billet partit quelque temps
après celui qu'Elvire avait écrit à dom Diégo. Victoria en
fit un troisième, que Santillane porta lui-même à Pédro de
Silva, par lequel elle lui donnait avis, en gouvernante de
bien et d'honneur, que sa fille, au lieu d'aller à la comédie, s'était absolument* fait mener à la maison où logeait
son père ; qu'elle avait envoyé quérir dom Fernand pour
l'épouser et que, sachant bien qu'il n'y consentirait jamais, elle avait cru l'en devoir avertir pour lui témoigner
qu'il ne s'était point trompé dans la bonne opinion qu'il
avait eue d'elle en la choisissant pour gouvernante d'Elvire. Santillane, de plus, avertit dom Pédro de ne venir
point sans un alguazil, que nous appelons à Paris un
commissaire. Dom Pédro, qui était déjà couché, se fit
habiller à la hâte, l'homme du monde le plus en colère.
Cependant qu'il s'habillera et qu'il enverra quérir un
commissaire, retournons voir ce qui se passe chez Victoria. Par une heureuse rencontre, les billets furent reçus
par les deux amoureux. Dom Diègue, qui avait reçu le
sien le premier, arriva aussi le premier à l'assignation*.
Victoria le reçut et le mit dans une chambre avec Elvire.
Je ne m'amuserai point à vous dire les caresses* que ces
jeunes amants se firent ; dom Fernand qui frappe à la
porte ne m'en donne pas le temps. Victoria lui alla ouvrir

elle-même, après lui avoir bien fait valoir le service
qu'elle lui rendait dont l'amoureux gentilhomme lui fit
cent remerciements, lui promettant encore davantage
qu'il ne lui avait donné. Elle le mena dans une chambre
où elle le pria d'attendre Elvire qui allait arriver et l'enferma sans lui laisser de la lumière, lui disant que sa
maîtresse le voulait ainsi et qu'ils n'auraient pas été un
moment ensemble qu'elle ne se rendît visible, mais qu'il
fallait donner cela à la pudeur d'une jeune fille de condition, laquelle, dans une action si hardie, aurait peine à
s'accoutumer d'abord à la vue de celui même pour
l'amour de qui elle la faisait. Cela fait, Victoria, le plus
diligemment qu'il lui fut possible, se fit extrêmement
leste* et s'ajusta autant que le peu de temps qu'elle avait
le put permettre. Elle entra dans la chambre où était dom
Fernand, qui n'eut pas la moindre défiance qu'elle ne fût
Elvire, n'étant pas moins jeune qu'elle et ayant sur elle
des habits et des parfums à la mode d'Espagne [173] qui
eussent fait passer la moindre servante pour une personne
de condition. Là-dessus dom Pédro, le commissaire et
Santillane arrivent. Ils entrent dans la chambre où était
Elvire avec son serviteur. Les jeunes amants furent extrêmement surpris. Dom Pédro, dans les premiers mouvements de sa colère, en fut si aveuglé qu'il pensa donner
de son épée à celui qu'il croyait être dom Fernand. Le
commissaire, qui avait reconnu dom Diègue, lui cria, en
lui arrêtant le bras, qu'il prît garde à ce qu'il faisait et que
ce n'était pas Fernand de Ribéra qui était avec sa fille,
mais dom Diègue de Maradas, homme d'aussi grande
condition et aussi riche que lui. Dom Pédro en usa en
homme sage et releva lui-même sa fille qui s'était jetée à
genoux devant lui. Il considéra que, s'il lui donnait de la
peine en s'opposant à son mariage, il s'en donnerait aussi
et qu'il ne lui aurait pas trouvé un meilleur parti, quand il
l'aurait choisi lui-même. Santillane pria dom Pédro, le
commissaire et tous ceux qui étaient dans la chambre de
le suivre et les mena dans celle où dom Fernand était
enfermé avec Victoria. On la fit ouvrir au nom du roi.
Dom Fernand l'ayant ouverte et voyant dom Pédro accompagné d'un commissaire, il leur dit, avec beaucoup

d'assurance, qu'il était avec sa femme Elvire de Silva. Dom Pédro lui répondit qu'il se trompait, que sa fille était mariée à un autre ; « et pour vous, ajouta-t-il, vous ne pouvez plus désavouer que Victoria Portocarrero ne soit votre femme ». Victoria se fit alors connaître à son infidèle qui se trouva le plus confus homme du monde. Elle lui reprocha son ingratitude, à quoi il n'eut rien à répondre, et encore moins au commissaire, qui lui dit qu'il ne pouvait pas faire autrement que de le mener en prison. Enfin le remords de sa conscience, la peur d'aller en prison, les exhortations de dom Pédro, qui lui parla en homme d'honneur, les larmes de Victoria, sa beauté qui n'était pas moindre que celle d'Elvire et, plus que toute autre chose, un reste de générosité qui s'était conservé dans l'âme de dom Fernand, malgré toutes les débauches et les emportements de sa jeunesse, le forcèrent de se rendre à la raison et au mérite de Victoria. Il l'embrassa avec tendresse ; elle pensa s'évanouir entre ses bras et il y a apparence que les baisers de dom Fernand ne servirent pas peu à l'en empêcher. Dom Pédro, dom Diégo et Elvire prirent part au bonheur de Victoria et Santillane et Béatrix en pensèrent mourir de joie. Dom Pédro donna force louanges à dom Fernand d'avoir si bien réparé sa faute. Les deux jeunes dames s'embrassèrent avec autant de témoignage d'amitié que si elles eussent baisé leurs amants. Dom Diègue de Maradas fit cent protestations d'obéissance à son beau-père, ou du moins qui le devait bientôt être. Dom Pédro, devant * que de s'en retourner chez lui avec sa fille, prit parole des uns et des autres que le lendemain ils viendraient tous dîner chez lui, où quinze jours durant il voulait que la réjouissance fît oublier les inquiétudes que l'on avait souffertes. Le commissaire en fut instamment prié ; il promit de s'y trouver. Dom Pédro le remena chez lui et dom Fernand demeura avec Victoria qui eut alors autant de sujet de se réjouir qu'elle en avait eu de s'affliger.

CHAPITRE XXIII

MALHEUR IMPRÉVU QUI FUT CAUSE
QU'ON NE JOUA POINT LA COMÉDIE

Inézilla conta son histoire avec une grâce merveilleuse. Roquebrune en fut si satisfait qu'il lui prit la main et la lui baisa par force. Elle lui dit en espagnol que l'on souffrait tout des grands seigneurs et des fous [174], de quoi La Rancune lui sut fort bon gré en son âme. Le visage de cette Espagnole commençait à se passer, mais on y voyait encore de beaux restes et, quand elle eût été moins belle, son esprit l'eût rendue préférable à une plus jeune. Tous ceux qui avaient ouï son histoire demeurèrent d'accord qu'elle l'avait rendue agréable en une langue qu'elle ne savait pas encore et dans laquelle elle était contrainte de mêler quelquefois de l'italien et de l'espagnol pour se bien faire entendre. L'Étoile lui dit qu'au lieu de lui faire des excuses de l'avoir tant fait parler, elle attendait des remerciements d'elle pour lui avoir donné moyen de faire voir qu'elle avait beaucoup d'esprit. Le reste de l'après-dîner* se passa en conversation; le jardin fut plein de dames et des plus honnêtes gens de la ville jusqu'à l'heure du souper. On soupa à la mode du Mans, c'est-à-dire que l'on fit fort bonne chère, et tout le monde prit place pour entendre la comédie. Mais mademoiselle de La Caverne et sa fille ne s'y trouvèrent point; on les envoya chercher; on fut une demi-heure sans en avoir de nouvelles. Enfin, on ouït une grande rumeur hors de la salle, et presque en même temps on y vit entrer la pauvre La Caverne échevelée, le visage meurtri et sanglant, et criant comme une femme furieuse que l'on avait enlevé sa fille. A cause des sanglots qui la suffoquaient, elle avait tant de peine à parler qu'on en eut beaucoup à apprendre d'elle que des hommes qu'elle ne connaissait point étaient entrés dans le jardin par une porte de derrière, comme elle répétait son rôle avec sa fille; que l'un d'eux l'avait saisie, auquel elle avait pensé arracher les

yeux, voyant que deux autres emmenaient sa fille ; que
cet homme l'avait mise en l'état où l'on la voyait et s'était
remis à cheval et ses compagnons aussi, dont l'un tenait
sa fille devant lui. Elle dit encore qu'elle les avait suivis
longtemps criant : « Aux voleurs ! » mais que n'étant ouïe
de personne, elle était revenue demander du secours. En
achevant de parler, elle se mit si fort à pleurer qu'elle fit
pitié à tout le monde. Toute l'assemblée s'en émut. Le
Destin monta sur un cheval, sur lequel Ragotin venait
d'arriver du Mans (je ne sais pas au vrai si c'était le même
qui l'avait déjà jeté par terre). Plusieurs jeunes hommes
de la compagnie montèrent sur les premiers chevaux
qu'ils trouvèrent et coururent après Le Destin qui était
déjà bien loin. La Rancune et L'Olive allèrent à pied,
après ceux qui allaient à cheval. Roquebrune demeura
avec L'Étoile et Inézilla qui consolaient La Caverne le
mieux qu'elles pouvaient. On a trouvé à redire de ce qu'il
ne suivit pas ses compagnons. Quelques-uns ont cru que
c'était par poltronnerie et d'autres, plus indulgents, ont
trouvé qu'il n'avait pas mal fait de demeurer auprès des
dames. Cependant on fut réduit dans la compagnie à
danser aux chansons [175], le maître de la maison n'ayant
point fait venir de violons à cause de la comédie. La
pauvre Caverne se trouva si mal qu'elle se coucha dans
un des lits de la chambre où étaient leurs hardes*.
L'Étoile en eut soin comme si elle eût été sa mère et
Inézilla se montra fort officieuse*. La malade pria qu'on
la laissât seule et Roquebrune mena les deux dames dans
la salle où était la compagnie. A peine y avaient-elles pris
place qu'une des servantes de la maison vint dire à
L'Étoile que La Caverne la demandait. Elle dit au poète
et à L'Espagnole qu'elle allait revenir et alla trouver sa
compagne. Il y a apparence que si Roquebrune fut habile
homme, il profita de l'occasion et représenta ses nécessités [176] à l'agréable Inézilla. Cependant, aussitôt que La
Caverne vit L'Étoile, elle la pria de fermer la porte de la
chambre et de s'approcher de son lit. Aussitôt qu'elle la
vit auprès d'elle, la première chose qu'elle fit, ce fut de
pleurer comme si elle n'eût fait que commencer et de lui
prendre les mains, qu'elle lui mouilla de ses larmes,

plcurant et sanglotant de la plus pitoyable façon du
monde. L'Étoile la voulut consoler en lui faisant espérer
que sa fille serait bientôt trouvée puisque tant de gens
étaient allés après les ravisseurs. «Je voudrais qu'elle
n'en revînt jamais, lui répondit La Caverne, en pleurant
encore plus fort; je voudrais qu'elle n'en revînt jamais,
répéta-t-elle, et que je n'eusse qu'à la regretter, mais il
faut que je la blâme, il faut que je la haïsse et que je me
repente de l'avoir mise au monde. Tenez, dit-elle, donnant un papier à L'Étoile, voyez l'honnête compagne que
vous aviez et lisez dans cette lettre l'arrêt de ma mort et
l'infamie de ma fille.» La Caverne se remit à pleurer et
L'Étoile lut ce que vous allez lire, si vous en voulez
prendre la peine.

«Vous ne devez point douter de tout ce que je vous ai
«dit de ma bonne maison et de mon bien puisqu'il n'y a
«pas apparence que je trompe par une imposture une
«personne à qui je ne puis me rendre recommandable
«que par ma sincérité. C'est par là, belle Angélique, que
«je vous puis mériter. Ne différez donc point de me
«promettre ce que je vous demande puisque vous n'aurez
«à me le donner qu'alors que vous ne pourrez plus douter
«de ce que je suis.»

Aussitôt qu'elle eut achevé de lire cette lettre, La Caverne
lui demanda si elle en connaissait l'écriture. «Comme la
mienne propre, lui dit L'Étoile, c'est de Léandre [177], le
valet de mon frère, qui écrit tous nos rôles. — C'est le traître
qui me fera mourir, lui répondit la pauvre comédienne.
Voyez s'il ne s'y prend pas bien», ajouta-t-elle encore, en
mettant une autre lettre du même Léandre entre les mains de
L'Étoile. La voici mot pour mot:

«Il ne tiendra qu'à vous de me rendre heureux si vous
«êtes encore dans la résolution où vous étiez il y a deux
«jours. Ce fermier de mon père, qui me prête de l'ar-
«gent, m'a envoyé cent pistoles et deux bons chevaux;
«c'est plus qu'il ne nous faut pour passer en Angleterre
«d'où je me trompe fort si un père, qui aime son fils
«unique plus que sa vie, ne condescend à tout ce qu'il
«voudra pour le faire bientôt revenir.»

«Eh bien, que dites-vous de votre compagne et de

votre valet, de cette fille que j'avais si bien élevée et de ce jeune homme dont nous admirions tous l'esprit et la sagesse ? Ce qui m'étonne le plus, c'est qu'on ne les a jamais vu parler ensemble et que l'humeur enjouée de ma fille ne l'eût jamais fait soupçonner de pouvoir devenir amoureuse ; et cependant elle l'est, ma chère L'Étoile, et si éperdument qu'il y a plutôt de la furie que de l'amour. Je l'ai tantôt surprise qui écrivait à son Léandre en des façons de parler si passionnées que je ne pourrais le croire si je ne l'avais vu. Vous ne l'avez jamais ouïe parler sérieusement. Ah ! vraiment, elle parle bien un autre langage dans ses lettres ; et, si je n'avais déchiré celle que je lui ai prise, vous m'avoueriez qu'à l'âge de seize ans elle en sait autant que celles qui ont vieilli dans la co-quetterie. Je l'avais menée dans ce petit bois où elle a été enlevée pour lui reprocher sans témoins qu'elle me ré-compensait mal de toutes les peines que j'ai souffertes pour elle. Je vous les apprendrai, ajouta-t-elle, et vous verrez si jamais fille a été plus obligée à aimer sa mère. » L'Étoile ne savait que répondre à de si justes plaintes ; et puis il était bon de laisser un peu prendre cours à une si grande affliction. « Mais, reprit La Caverne, s'il aimait tant ma fille, pourquoi assassiner sa mère ? Car celui de ses compagnons qui m'a saisie m'a cruellement battue et s'est même acharné sur moi longtemps après que je ne lui faisais plus de résistance. Et si ce malheureux garçon est si riche, pourquoi enlève-t-il ma fille comme un voleur ? » La Caverne fut encore longtemps à se plaindre, L'Étoile la consolant le mieux qu'elle pouvait. Le maître de la maison vint voir comme elle se portait et pour lui dire qu'il y avait un carrosse prêt, si elle voulait retourner au Mans. La Caverne le pria de trouver bon qu'elle passât la nuit en sa maison, ce qu'il lui accorda de bon cœur. L'Étoile demeura pour lui tenir compagnie et quelques dames du Mans reçurent dans leur carrosse Inézilla, qui ne voulut pas être si longtemps éloignée de som mari. Roquebrune, qui n'osa honnêtement quitter les comédiennes, en fut bien fâché, mais on n'a pas en ce monde tout ce qu'on désire.

FIN DE LA PREMIÈRE PARTIE

DEUXIÈME PARTIE

A MADAME

LA SURINTENDANTE [178]

Madame,

Si vous êtes de l'humeur de M. le surintendant, qui ne prend pas plaisir à être loué, je vous fais mal ma cour en vous dédiant un livre. On n'en dédie point sans louer; et, sans même vous dédier de livre, on ne peut parler de vous qu'on ne vous loue. Les personnes qui, comme vous, servent d'exemple au public doivent souffrir les louanges de tout le monde, parce qu'on les leur doit. Il leur est même permis de se louer, parce qu'elles ne font rien que de louable; qu'elles doivent être aussi équitables pour elles-mêmes que pour les autres, et qu'on pardonnerait plutôt de n'être pas quelquefois modeste que de n'être pas toujours véritable. De mon naturel, sans avoir bien examiné si je suis juge compétent de la réputation d'autrui, bonne ou mauvaise, j'exerce de tout temps une justice bien sévère sur tout ce qui mérite de l'estime ou du blâme. Je punis une sottise bien avérée, c'est-à-dire je la taille en pièces d'une rude manière, mais aussi je récompense magnifiquement le mérite où je le trouve; je ne me lasse point d'en parler avec beaucoup de chaleur et je me crois par là aussi bon ami, quoique inutile, que grand ennemi, quoique peu à craindre. C'est donc tout ce que vous pourriez faire, avec tout le pouvoir que vous avez sur moi, que de m'empêcher de vous donner des louanges autant que je le puis, si ce n'est autant que vous en méritez. Vous êtes belle sans être coquette; vous êtes jeune sans être imprudente et vous avez beaucoup d'esprit sans ambition de le faire paraître. Vous êtes vertueuse sans rudesse, pieuse sans ostentation, riche sans orgueil et de bonne maison sans mauvaise gloire. Vous avez pour

mari un des plus illustres hommes du siècle, dont les
honneurs et les emplois ne récompensent pas encore assez
la vertu ; qui est estimé de tout le monde et n'est haï de
personne et qui, de tout temps, a eu l'âme si grande qu'il
ne s'est servi de son bien qu'à en faire, comme s'il ne
s'était réservé que l'espérance. Enfin, MADAME, vous
êtes parfaitement heureuse, et ce n'est pas la moindre de
toutes les louanges qu'on vous peut donner, puisque le
bonheur est un bien que le ciel ne donne pas toujours à
ceux à qui, comme à vous, il a donné tous les autres.

Après vous avoir dit à vous-même ce que tout le monde
en dit, il faut que je m'acquitte d'une obligation particulière que je vous ai et que je vous remercie de l'honneur
que vous m'avez fait de me venir voir. Je vous proteste,
MADAME, que je ne l'oublierai jamais et, quoique je
reçoive souvent de pareilles faveurs de plusieurs personnes de condition de l'un et de l'autre sexe, que je n'ai
jamais reçu de visite qui m'ait été si agréable que la vôtre.
Aussi suis-je plus que personne du monde,

    MADAME,

       Votre très humble et très obéissant serviteur,

                      SCARRON.

CHAPITRE PREMIER

QUI NE SERT QUE D'INTRODUCTION AUX AUTRES

Le soleil donnait à plomb sur nos antipodes et ne prêtait à sa sœur qu'autant de lumière qu'il lui en fallait pour se conduire dans une nuit fort obscure. Le silence régnait sur toute la terre, si ce n'était dans les lieux où se rencontraient des grillons, des hiboux et des donneurs de sérénades. Enfin, tout dormait dans la nature, ou, du moins, tout devait dormir, à la réserve de quelques poètes qui avaient dans la tête des vers difficiles à tourner, de quelques malheureux amants, de ceux qu'on appelle âmes damnées*, et de tous les animaux tant raisonnables que brutes qui, cette nuit-là, avaient quelque chose à faire. Il n'est pas nécessaire de vous dire que Le Destin était de ceux qui ne dormaient pas, non plus que les ravisseurs de mademoiselle Angélique, qu'il poursuivait autant que pouvait galoper un cheval à qui les nuages dérobaient souvent la faible clarté de la lune. Il aimait tendrement mademoiselle de La Caverne parce qu'elle était fort aimable et qu'il était assuré d'en être aimé et sa fille ne lui était pas moins chère ; outre que sa mademoi-selle de L'Étoile, ayant de nécessité à faire la comédie, n'eût pu trouver en toutes les caravanes des comédiens de campagne deux comédiennes qui eussent plus de vertu que ces deux-là. Ce n'est pas à dire qu'il n'y en ait de la profession qui n'en manquent point, mais dans l'opinion du monde, qui se trompe peut-être, elles en sont moins chargées que de vieille broderie et de fard. Notre géné-reux comédien courait donc après ces ravisseurs plus fort et avec plus d'animosité que les Lapithes ne coururent après les Centaures [179]. Il suivit d'abord une longue allée,

sur laquelle répondait * la porte du jardin par où Angélique avait été enlevée, et, après avoir galopé quelque
temps, il enfila au hasard un chemin creux, comme le
sont la plupart de ceux du Maine. Ce chemin était plein
d'ornières et de pierres ; et, bien qu'il fît clair de lune,
l'obscurité y était si grande que Le Destin ne pouvait faire
aller son cheval plus vite que le pas. Il maudissait inté-
rieurement un si méchant chemin quand il se sentit sauter
en croupe quelque homme ou quelque diable qui lui passa
les bras alentour du col. Le Destin eut grand-peur et son
cheval en fut si fort effrayé qu'il l'eût jeté par terre si le
fantôme qui l'avait investi et qui le tenait embrassé * ne
l'eût affermi dans la selle. Son cheval s'emporta comme
un cheval qui avait peur et Le Destin le hâta à coups
d'éperons, sans savoir ce qu'il faisait, fort mal satisfait de
sentir deux bras nus à l'entour de son col et contre sa joue
un visage froid qui soufflait à reprises à la cadence du
galop du cheval. La carrière * fut longue parce que ce
chemin n'était pas court. Enfin, à l'entrée d'une lande, le
cheval modéra sa course impétueuse, et Le Destin sa
peur, car on s'accoutume à la longue aux maux les plus
insupportables. La lune luisait alors assez pour lui faire
voir qu'il avait un grand homme nu en croupe et un vilain
visage auprès du sien. Il ne lui demanda point qui il était,
je ne sais si ce fut par discrétion. Il fit toujours continuer
le galop à son cheval, qui était fort essoufflé et, lorsqu'il
l'espérait le moins, le chevaucheur croupier se laissa
tomber à terre et se mit à rire. Le Destin repoussa son
cheval de plus belle et, regardant derrière lui, il vit son
fantôme qui courait à toutes jambes vers le lieu d'où il
était venu. Il a avoué depuis que l'on ne peut avoir plus
de peur qu'il en eut. A cent pas de là, il trouva un grand
chemin qui le conduisit dans un hameau dont il trouva
tous les chiens éveillés, ce qui lui fit croire que ceux qu'il
suivait pouvaient y avoir passé. Pour s'en éclaircir, il fit
ce qu'il put pour éveiller les habitants endormis de trois
ou quatre maisons qui étaient sur le chemin. Il n'en put
avoir audience et fut querellé de leurs chiens. Enfin,
ayant ouï crier des enfants dans la dernière maison qu'il
trouva, il en fit ouvrir la porte à force de menaces et

apprit d'une femme en chemise, qui ne lui parla qu'en
tremblant, que les gendarmes * avaient passé par leur
village il n'y avait pas longtemps et qu'ils emmenaient
avec eux une femme qui pleurait bien fort et qu'ils
avaient bien de la peine à faire taire. Il conta à la même
femme la rencontre qu'il avait faite de l'homme nu et elle
lui apprit que c'était un paysan de leur village qui était
devenu fou et qui courait les champs. Ce que cette femme
lui dit de ces gens de cheval qui avaient passé par son
hameau lui donna courage de passer outre et lui fit hâter
le train de sa bête. Je ne vous dirai point combien de fois
elle broncha * et eut peur de son ombre ; il suffit que vous
sachiez qu'il s'égara dans un bois et que, tantôt ne voyant
goutte et tantôt étant éclairé de la lune, il trouva le jour
auprès d'une métairie où il jugea à propos de faire repaî-
tre son cheval et où nous le laisserons.

CHAPITRE II

DES BOTTES

Cependant que Le Destin courait à tâtons après ceux
qui avaient enlevé Angélique, La Rancune et L'Olive,
qui n'avaient pas si à cœur que lui cet enlèvement, ne
coururent pas si vite que lui après les ravisseurs, outre
qu'ils étaient à pied. Ils n'allèrent donc pas loin et ayant
trouvé dans le prochain bourg une hôtellerie qui n'était
pas encore fermée, ils y demandèrent à coucher. On les
mit dans une chambre où était déjà couché un hôte, noble
ou roturier, qui y avait soupé et qui, ayant à faire diligence pour des affaires qui ne sont pas venues à ma
connaissance, faisait état * de partir à la pointe du jour.
L'arrivée des comédiens ne servit pas au dessein qu'il
avait d'être à cheval de bonne heure, car il en fut éveillé
et peut-être en pesta-t-il en son âme, mais la présence de
deux hommes d'assez bonne mine fut, possible *, cause
qu'il n'en témoigna rien. La Rancune, qui était d'une

accostante * manière, lui fit d'abord des excuses de ce qu'ils troublaient son repos et lui demanda ensuite d'où il venait. Il lui dit qu'il venait d'Anjou, et qu'il s'en allait en Normandie pour une affaire pressée. La Rancune, en se déshabillant et pendant qu'on chauffait des draps, continuait ses questions ; mais comme elles n'étaient utiles ni à l'un ni à l'autre et que le pauvre homme qu'on avait éveillé n'y trouvait pas son compte, il le pria de le laisser dormir. La Rancune lui en fit des excuses fort cordiales et, en même temps, l'amour-propre lui faisant oublier celui du prochain, il fit dessein de s'approprier une paire de bottes neuves qu'un garçon de l'hôtellerie venait de rapporter dans la chambre après les avoir nettoyées. L'Olive, qui n'avait alors autre envie que de bien dormir, se jeta dans le lit et La Rancune demeura auprès du feu, non tant pour voir la fin du fagot qu'on avait allumé que pour contenter sa noble ambition d'avoir une paire de bottes neuves aux dépens d'autrui. Quand il crut l'homme qu'il allait voler bien et dûment endormi, il prit ses bottes qui étaient au pied de son lit et, les ayant chaussées à cru, sans oublier de s'attacher les éperons, s'alla mettre, ainsi botté et éperonné qu'il était, auprès de L'Olive. Il faut croire qu'il se tint sur le bord du lit de peur que ses jambes armées ne touchassent aux jambes nues de son camarade qui ne se fût pas tu d'une si nouvelle façon de se mettre entre deux draps et ainsi aurait pu faire avorter son entreprise. Le reste de la nuit se passa assez paisiblement. La Rancune dormit ou en fit le semblant. Les coqs chantèrent, le jour vint et l'homme qui couchait dans la chambre de nos comédiens se fit allumer du feu et s'habilla. Il fut question de se botter ; une servante lui présenta les vieilles bottes de La Rancune qu'il rebuta rudement ; on lui soutint qu'elles étaient à lui ; il se mit en colère et fit une rumeur diabolique. L'hôte monta dans la chambre et lui jura foi de maître cabaretier qu'il n'y avait point d'autres bottes que les siennes, non seulement dans la maison, mais aussi dans le village, le curé même n'allant jamais à cheval. Là-dessus, il lui voulut parler des bonnes qualités de son curé et lui conter de quelle façon il avait eu sa cure et depuis quand il la

possédait. Le babil de l'hôte acheva de lui faire perdre
patience. La Rancune et L'Olive, qui s'étaient éveillés au
bruit, prirent connaissance de l'affaire et La Rancune
exagéra l'énormité du cas et dit à l'hôte que cela était bien
vilain. « Je me soucie d'une paire de bottes neuves
comme d'une savate, disait le pauvre débotté à La Rancune, mais il y va d'une affaire de grande importance
pour un homme de condition à qui j'aimerais moins avoir
manqué qu'à mon propre père ; et, si je trouvais les plus
méchantes bottes du monde à vendre, j'en donnerais plus
qu'on ne m'en demanderait. » La Rancune, qui s'était mis
le corps hors du lit, haussait les épaules de temps en
temps et ne lui répondait rien, se repaissant les yeux de
l'hôte et de la servante qui cherchaient inutilement les
bottes et du malheureux qui les avaient perdues, qui
cependant maudissait sa vie et méditait peut-être quelque
chose de funeste quand La Rancune, par une générosité
sans exemple et qui ne lui était pas ordinaire, dit tout
haut, en s'enfonçant dans son lit comme un homme qui
meurt d'envie de dormir : « Morbleu ! monsieur, ne faites
plus tant de bruit pour vos bottes et prenez les miennes,
mais à condition que vous nous laisserez dormir, comme
vous voulûtes hier que j'en fisse autant. » Le malheureux,
qui ne l'était plus puisqu'il retrouvait des bottes, eut
peine à croire ce qu'il entendait ; il fit un grand galimatias
de mauvais remerciements d'un ton de voix si passionné
que La Rancune eut peur qu'à la fin il ne le vînt embrasser dans son lit. Il s'écria donc en colère et jurant docte-
ment : « Eh, morbleu ! monsieur, que vous êtes fâcheux,
et quand vous perdez vos bottes, et quand vous remerciez
ceux qui vous en donnent ! Au nom de Dieu, prenez les
miennes, encore un coup et je ne vous demande autre
chose sinon que vous nous laissiez dormir, ou bien rendez-moi mes bottes et faites tant de bruit que vous voudrez. » Il ouvrait la bouche pour répliquer, quand La
Rancune s'écria : « Ah ! mon Dieu ! que je dorme ou que
mes bottes me demeurent ! » Le maître du logis, à qui une
façon de parler si absolue avait donné beaucoup de respect pour La Rancune, poussa hors de la chambre son
hôte qui n'en eût pas demeuré là, tant il avait de ressenti-

ment * d'une paire de bottes si généreusement donnée. Il
fallut pourtant sortir de la chambre et s'aller botter dans la
cuisine et lors La Rancune se laissa aller au sommeil plus
tranquillement qu'il n'avait fait la nuit, sa faculté de
dormir n'était plus combattue du désir de voler les bottes
et de la crainte d'être pris sur le fait. Pour L'Olive, qui
avait mieux employé la nuit que lui, il se leva de grand
matin et, s'étant fait tirer du vin, s'amusa à boire, n'ayant
rien de meilleur à faire. La Rancune dormit jusqu'à onze
heures. Comme il s'habillait, Ragotin entra dans la
chambre. Il avait, le matin, visité les comédiennes et,
mademoiselle de L'Étoile lui ayant reproché qu'elle ne le
croyait guère de ses amis puisqu'il n'était pas de ceux qui
couraient après sa compagne, il lui promit de ne retourner
point dans Le Mans qu'il n'en eût appris des nouvelles
mais, n'ayant pu trouver de cheval ni à louer ni à emprunter, il n'eût pu tenir sa promesse si son meunier ne lui
eût prêté un mulet sur lequel il monta sans bottes et
arriva, comme je vous viens de dire, dans le bourg où
avaient couché les deux comédiens. La Rancune avait
l'esprit fort présent *; il ne vit pas plus tôt Ragotin en
souliers qu'il crut que le hasard lui fournissait un beau
moyen de cacher son larcin dont il n'était pas peu en
peine. Il lui dit donc d'abord qu'il le priait de lui prêter
ses souliers et de vouloir prendre ses bottes qui le bles-
saient à un pied à cause qu'elles étaient neuves. Ragotin
prit le parti avec grand-joie; car, en chevauchant son
mulet, un ardillon* qui avait percé son bas lui avait fait
regretter de n'être pas botté. Il fut question de dîner *,
Ragotin paya pour les comédiens et pour son mulet.
Depuis son trébuchement, quand la carabine tira entre ses
jambes, il fit serment de ne monter jamais sur animal
chevauchable sans prendre toutes ses sûretés. Il prit donc
avantage* pour monter sur sa bête, mais, avec toute sa
précaution, il eut bien de la peine à se placer sur le bât du
mulet. Son esprit vif ne lui permettait pas d'être judicieux
et il avait inconsidérément relevé les bottes de La Rancune qui lui venaient jusqu'à la ceinture et lui empê-
chaient de plier son petit jarret qui n'était pas le plus
vigoureux de la province. Enfin donc, Ragotin sur son

mulet et les comédiens à pied, suivirent le premier che
min qu'ils trouvèrent et, chemin faisant, Ragotin découvrit aux comédiens le dessein qu'il avait de faire la
comédie avec eux, leur protestant qu'encore qu'il fût
assuré d'être bientôt le meilleur comédien de France, il ne
prétendait tirer aucun profit de son métier, qu'il voulait
faire seulement par curiosité et pour faire voir qu'il était
né à tout ce qu'il voulait entreprendre. La Rancune et
L'Olive le fortifièrent dans sa noble envie et, à force de le
louer et de lui donner courage, le mirent en si belle
humeur qu'il se prit à réciter de dessus son mulet des vers
de *Pyrame et Thisbé,* du poète Théophile [180]. Quelques
paysans qui accompagnaient une charrette chargée et qui
faisaient le même chemin crurent qu'il prêchait la parole
de Dieu, le voyant déclamer comme un forcené. Tandis
qu'il récita, ils eurent toujours la tête nue et le respectè-
rent comme un prédicateur de grands chemins.

CHAPITRE III

L'HISTOIRE DE LA CAVERNE

Les deux comédiennes, que nous avons laissées dans la
maison où Angélique avait été enlevée, n'avaient pas
dormi davantage que Le Destin. Mademoiselle de
L'Étoile s'était mise dans le même lit que La Caverne,
pour ne la laisser pas seule avec son désespoir et pour
tâcher de lui persuader de ne s'affliger pas tant qu'elle
faisait. Enfin, jugeant qu'une affliction si juste ne manquait pas de raisons pour se défendre, elle ne la combattit
plus avec les siennes ; mais, pour faire diversion, elle se
mit à se plaindre de sa mauvaise fortune aussi fort que sa
compagne faisait de la sienne ; et ainsi l'engagea adroitement à lui conter ses aventures d'autant plus aisément que
La Caverne ne pouvait souffrir alors que quelqu'un se dît
plus malheureux qu'elle. Elle s'essuya donc les larmes
qui lui mouillaient le visage en grande abondance et,

soupirant une bonne fois pour n'avoir pas sitôt à y retourner, elle commença ainsi son histoire : « Je suis née comédienne, fille d'un comédien, à qui je n'ai jamais ouï
dire qu'il eût des parents d'autre profession que de la
sienne. Ma mère était fille d'un marchand de Marseille,
qui la donna à mon père en mariage pour le récompenser
d'avoir exposé sa vie pour sauver la sienne qu'avait
attaquée à son avantage un officier des galères aussi
amoureux de ma mère qu'il en était haï. Ce fut une bonne
fortune pour mon père, car on lui donna, sans qu'il la
demandât, une femme jeune, belle et plus riche qu'un
comédien de campagne ne la pouvait espérer. Son beau-
père fit ce qu'il put pour lui faire quitter sa profession, lui
proposant et plus d'honneur et plus de profit dans celle de
marchand ; mais ma mère, qui était charmée de la comédie, empêcha mon père de la quitter. Il n'avait point de
répugnance à suivre l'avis que lui donnait le père de sa
femme, sachant mieux qu'elle que la vie comique n'est
pas si heureuse qu'elle le paraît. Mon père sortit de
Marseille un peu après ses noces, emmena ma mère faire
sa première campagne, qui en avait plus grande impatience que lui, et en fit en peu de temps une excellente
comédienne. Elle fut grosse dès la première année de son
mariage et accoucha de moi derrière le théâtre. J'eus un
frère un an après, que j'aimais beaucoup et qui m'aimait
aussi. Notre troupe était composée de notre famille et de
trois comédiens, dont l'un était marié avec une comédienne qui jouait les seconds rôles. Nous passions un jour
de fête par un bourg de Périgord et ma mère, l'autre
comédienne et moi, étions sur la charrette qui portait
notre bagage et nos hommes nous escortaient à pied
quand notre petite caravane fut attaquée par sept ou huit
vilains hommes si ivres qu'ayant fait dessein de tirer en
l'air un coup d'arquebuse pour nous faire peur, j'en fus
toute couverte de dragées* et ma mère en fut blessée au
bras. Ils saisirent mon père et deux de ses camarades
devant* qu'ils se pussent mettre en défense et les battirent
cruellement. Mon frère et le plus jeune de nos comédiens
s'enfuirent et, depuis ce temps-là, je n'ai pas ouï parler de
mon frère. Les habitants du bourg se joignirent à ceux qui

nous faisaient une si grande violence et firent retourner
notre charrette sur ses pas. Ils marchaient fièrement et à la
hâte, comme des gens qui ont fait un grand butin et le
veulent mettre en sûreté et ils faisaient un bruit à ne
s'entendre pas les uns les autres. Après une heure de
chemin, ils nous firent entrer dans un château où, aussitôt
que nous fûmes entrés, nous ouïmes plusieurs personnes
crier avec grande joie que les Bohémiens étaient pris.
Nous reconnûmes par là qu'on nous prenait pour ce que
nous n'étions pas et cela nous donna quelque consolation.
La jument qui traînait notre charrette tomba morte de
lassitude, ayant été trop pressée et trop battue. La comédienne à qui elle était et qui la louait à la troupe en fit des
cris aussi pitoyables que si elle eût vu mourir son mari,
ma mère en même temps s'évanouit de la douleur qu'elle
sentait en son bras, et les cris que je fis pour elle furent
encore plus grands que ceux que la comédienne avait faits
pour sa jument. Le bruit que nous faisions et que faisaient
les brutaux* et les ivrognes qui nous avaient amenés fit
sortir d'une salle basse le seigneur du château, suivi de
quatre ou cinq casaques* ou manteaux rouges de fort
mauvaise mine. Il demanda d'abord où étaient les voleurs
de Bohémiens et nous fit grand-peur; mais, ne voyant
entre nous que des personnes blondes, il demanda à mon
père qui il était et n'eut pas plutôt appris que nous étions
de malheureux comédiens qu'avec une impétuosité qui
nous surprit, et jurant de la plus furieuse façon que j'aie
jamais ouï jurer, il chargea à grands coups d'épée ceux
qui nous avaient pris, qui disparurent en un moment, les
uns blessés, les autres fort effrayés. Il fit délier mon père
et ses compagnons, commanda qu'on menât les femmes
dans une chambre et qu'on mît nos hardes en lieu sûr.
Des servantes se présentèrent pour nous servir et dressè-
rent un lit à ma mère, qui se trouvait fort mal de la
blessure de son bras. Un homme, qui avait la mine d'un
maître d'hôtel, nous vint faire des excuses de la part de
son maître de ce qui s'était passé. Il nous dit que les
coquins qui s'étaient si malheureusement mépris avaient
été chassés, la plupart battus ou estropiés; que l'on allait
envoyer quérir un chirurgien* dans le prochain bourg

pour panser le bras de ma mère, et nous demanda instamment si l'on ne nous avait rien pris, nous conseillant
de faire visiter nos hardes* pour savoir s'il y manquait
quelque chose. A l'heure du souper on nous apporta à
manger dans notre chambre. Le chirurgien qu'on avait
envoyé chercher arriva ; ma mère fut pansée et se coucha
avec une violente fièvre. Le jour suivant, le seigneur du
château fit venir devant lui les comédiens. Il s'informa de
la santé de ma mère et dit qu'il ne voulait pas la laisser
sortir de chez lui qu'elle ne fût guérie. Il eut la bonté de
faire chercher dans les lieux d'alentour mon frère et le
jeune comédien qui s'étaient sauvés ; ils ne se trouvèrent
point et cela augmenta la fièvre de ma mère. On fit venir
d'une petite ville prochaine un médecin et un chirurgien
plus expérimentés que celui qui l'avait pansée la première
fois ; et enfin les bons traitements qu'on nous fit nous
firent oublier la violence qu'on nous avait faite. Ce gentilhomme, chez qui nous étions, était fort riche, plus
craint qu'aimé dans tout le pays, violent dans toutes ses
actions comme un gouverneur de place frontière et qui
avait la réputation d'être vaillant autant qu'on le pouvait
être. Il s'appelait le baron de Sigognac [181] ; au temps où
nous sommes, il serait pour le moins un marquis et, en ce
temps-là, il était un vrai tyran de Périgord. Une compagnie de Bohémiens, qui avaient logé sur ses terres,
avaient volé les chevaux d'un haras qu'il avait à une lieue
de son château et ses gens qu'il avait envoyés après
s'étaient mépris à nos dépens, comme je vous ai déjà dit.
Ma mère se guérit parfaitement ; et mon père et ses
camarades, pour se montrer reconnaissants, autant que de
pauvres comédiens le pouvaient faire, du bon traitement
qu'on leur avait fait, offrirent de jouer la comédie dans le
château tant que le baron de Sigognac l'aurait agréable.
Un grand page, âgé pour le moins de vingt-quatre ans et
qui devait être sans doute le doyen des pages du royaume,
et une manière de gentilhomme suivant apprirent les rôles
de mon frère et du comédien qui s'était enfui avec lui. Le
bruit se répandit dans le pays qu'une troupe de comédiens
devait représenter une comédie chez le baron de Sigognac. Force noblesse périgourdine y fut conviée ; et lors-

que le page sut son rôle, qui lui fit si difficile à apprendre
qu'on fut contraint d'en couper et de le réduire à deux
vers, nous représentâmes *Roger et Bradamante,* du poète
Garnier [182]. L'assemblée était fort belle, la salle bien
éclairée, le théâtre fort commode et la décoration ac-
commodée au sujet. Nous nous efforçâmes tous de bien
faire et nous y réussîmes. Ma mère parut belle comme un
ange, armée en amazone et, sortant d'une maladie qui
l'avait un peu pâlie, son teint éclata plus que toutes les
lumières dont la salle était éclairée. Quelque grand sujet
que j'aie d'être fort triste, je ne puis songer à ce jour-là
que je ne rie de la plaisante façon dont le grand page
s'acquitta de son rôle. Il ne faut pas que ma mauvaise
humeur vous cache une chose si plaisante; peut-être que
vous ne la trouverez pas telle, mais je vous assure qu'elle
fit bien rire toute la compagnie et que j'en ai bien ri
depuis, soit qu'il y eût véritablement de quoi en rire ou
que je sois de ceux qui rient de peu de chose. Il jouait le
page du vieil duc Aymond et n'avait que deux vers à
réciter en toute la pièce; c'est alors que ce vieillard
s'emporte terriblement contre sa fille Bradamante de ce
qu'elle ne veut point épouser le fils de l'empereur, étant
amoureuse de Roger. Le page dit à son maître :

> Monsieur, rentrons dedans; je crains que vous tombiez,
> Vous n'êtes pas trop bien assuré sur vos pieds [183].

Ce grand sot de page, encore que son rôle fût aisé à
retenir, ne laissa pas de le corrompre et dit de fort mauvaise grâce et tremblant comme un criminel :

> Monsieur, rentrons dedans; je crains que vous tombiez;
> Vous n'êtes pas trop bien assuré sur vos jambes.

Cette mauvaise rime surprit tout le monde. Le comédien qui faisait le personnage d'Aymond s'en éclata de
rire et ne put plus représenter un vieillard en colère. Toute
l'assistance n'en rit pas moins et pour moi, qui avais la
tête passée dans l'ouverture de la tapisserie pour voir le
monde et pour me faire voir, je pensai me laisser choir à
force de rire. Le maître de la maison, qui était de ces
mélancoliques qui ne rient que rarement et ne rient pas

pour peu de chose, trouva tant de quoi rire dans le défaut
de mémoire de son page et dans sa mauvaise manière de
réciter des vers qu'il pensa crever à force de se contrain-
dre à garder un peu de gravité ; mais enfin il fallut rire
aussi fort que les autres, et ses gens nous avouèrent qu'ils
ne lui en avaient jamais vu tant faire ; et, comme il s'était
acquis une grande autorité dans le pays, il n'y eut personne de la compagnie qui ne rît autant ou plus que lui,
ou par complaisance ou de bon courage *. J'ai grand-
peur, ajouta alors La Caverne, d'avoir fait ici comme
ceux qui disent : Je m'en vais vous faire un conte qui vous
fera mourir de rire et qui ne tiennent pas leur parole, car
j'avoue que je vous ai fait trop de fête [184] de celui de mon
page. — Non, lui répondit L'Étoile, je l'ai trouvé tel que
vous me l'aviez fait espérer. Il est bien vrai que la chose
peut avoir paru plus plaisante à ceux qui la virent qu'elle
ne le sera à ceux à qui on en fera le récit, la mauvaise
action * du page servant beaucoup à la rendre telle, outre
que le temps, le lieu et la pente naturelle que nous avons à
nous laisser aller au rire des autres peuvent lui avoir
donné des avantages qu'elle n'a pu avoir depuis. » La-
Caverne ne fit pas davantage d'excuses pour son conte et,
reprenant son histoire où elle l'avait laissée : « Après,
continua-t-elle, que les acteurs et les auditeurs eurent ri
de toutes les forces de leur faculté risible, le baron de
Sigognac voulut que son page reparût sur le théâtre pour y
réparer sa faute ou plutôt pour faire rire encore la compagnie ; mais le page, le plus grand brutal * que j'aie jamais
vu, n'en voulut rien faire, quelque commandement que
lui fît un des plus rudes maîtres du monde. Il prit la chose
comme il était capable de la prendre, c'est-à-dire fort
mal ; et son déplaisir, qui ne devait être que très léger s'il
eût été raisonnable, nous causa depuis le plus grand
malheur qui nous pouvait arriver. Notre comédie eut
l'applaudissement de toute l'assemblée. La farce divertit
encore plus que la comédie, comme il arrive d'ordinaire
partout ailleurs hors de Paris. Le baron de Sigognac et les
autres gentilshommes ses voisins y prirent tant de plaisir
qu'ils eurent envie de nous voir jouer encore. Chaque
gentilhomme se cotisa pour les comédiens. selon qu'il eut

l'âme libérale ; le baron se cotisa le premier pour montrer
l'exemple aux autres et la comédie fut annoncée pour la
première fête. Nous jouâmes un mois durant devant cette
noblesse périgourdine, régalés * à l'envi des hommes et
des femmes, et même la troupe en profita de quelques
habits demi-usés. Le baron nous faisait manger à sa table,
ses gens nous servaient avec empressement et nous disaient souvent qu'ils nous étaient obligés de la bonne
humeur de leur maître, qu'ils trouvaient tout changé depuis que la comédie l'avait humanisé. Le page seul nous
regardait comme ceux qui l'avaient perdu d'honneur et le
vers qu'il avait corrompu et que tout le monde de la
maison, jusqu'au moindre marmiton, lui récitait à toute
heure, lui était, toutes les fois qu'il en était persécuté, un
cruel coup de poignard dont enfin il résolut de se venger
sur quelqu'un de notre troupe. Un jour que le baron de
Sigognac avait fait une assemblée de ses voisins et de ses
paysans pour délivrer ses bois d'une grande quantité de
loups qui s'y étaient adonnés * et dont le pays était fort
incommodé, mon père et ses camarades y portèrent chacun une arquebuse, comme firent aussi tous les domestiques du baron. Le méchant page en fut aussi et, croyant
avoir trouvé l'occasion qu'il cherchait d'exécuter le mauvais dessein qu'il avait contre nous, il ne vit pas plutôt
mon père et ses camarades séparés des autres, qui rechar-
geaient leurs arquebuses et s'entre-fournissaient l'un à
l'autre de la poudre et du plomb, qu'il leur tira la sienne
de derrière un arbre et perça mon malheureux père de
deux balles. Ses compagnons, bien empêchés * à le soutenir, ne songèrent point d'abord à courir après cet assassin qui s'enfuit et, depuis, quitta le pays. A deux jours de
là mon père mourut de sa blessure. Ma mère en pensa
mourir de déplaisir, en retomba malade et j'en fus affligée autant qu'une fille de mon âge le pouvait être. La
maladie de ma mère tirant en longueur, les comédiens et
la comédienne de notre troupe prirent congé du baron de
Sigognac et allèrent quelque part ailleurs chercher à se
remettre dans une autre troupe. Ma mère fut malade plus
de deux mois et enfin elle se guérit, après avoir reçu du
baron de Sigognac des marques de générosité et de bonté,

qui ne s'accordaient pas avec la réputation qu'il avait
dans le pays d'être le plus grand tyran qui se soit jamais
fait craindre dans un pays où la plupart des gentilshommes se mêlent de l'être. Ses valets, qui l'avaient toujours
vu sans humanité et sans civilité, étaient étonnés de le
voir vivre avec nous de la manière la plus obligeante du
monde. On eût pu croire qu'il était amoureux de ma
mère ; mais il ne parlait presque point à elle et n'entrait
jamais dans notre chambre où il nous faisait servir à
manger depuis la mort de mon père. Il est bien vrai qu'il
envoyait souvent savoir de ses nouvelles. On ne laissa pas
d'en médire dans le pays, ce que nous sûmes depuis.
Mais ma mère, ne pouvant demeurer plus longtemps avec
bienséance dans le château d'un homme de cette condi-
tion-là, avait déjà songé à en sortir et avait fait dessein de
se retirer à Marseille chez son père. Elle le fit donc savoir
au baron de Sigognac, le remercia de tous les bienfaits
que nous en avions reçus et le pria d'ajouter à toutes les
obligations qu'elle lui avait déjà celle de lui faire avoir
des montures pour elle et pour moi jusqu'à je ne sais
quelle ville, et une charrette pour porter notre petit bagage qu'elle voulait tâcher de vendre au premier marchand qu'elle trouverait, si peu qu'on lui en voulût donner. Le baron parut fort surpris du dessein de ma mère et
elle ne fut pas peu surprise de n'avoir pu tirer de lui ni un
consentement ni un refus. Le jour d'après, le curé d'une
des paroisses dont il était seigneur nous vint voir dans
notre chambre. Il était accompagné de sa nièce, une
bonne et agréable fille avec qui j'avais fait grande
connaissance. Nous laissâmes son oncle et ma mère ensemble et allâmes nous promener dans le jardin du château. Le curé fut longtemps en conversation avec ma
mère et ne la quitta qu'à l'heure du souper. Je la trouvai
fort rêveuse ; je lui demandai deux ou trois fois ce qu'elle
avait sans qu'elle me répondît ; je la vis pleurer et je me
mis à pleurer aussi. Enfin, après m'avoir fait fermer la
porte de la chambre, elle me dit, pleurant encore plus fort
qu'elle n'avait fait, que ce curé lui avait appris que le
baron de Sigognac était éperdument amoureux d'elle et
lui avait de plus assuré qu'il l'estimait si fort qu'il n'avait

jamais osé lui dire ou lui faire dire qu'il l'aimât qu'en même temps il ne lui offrît de l'épouser. En achevant de parler, ses soupirs et ses sanglots la pensèrent suffoquer. Je lui demandai encore une fois ce qu'elle avait. « Quoi ! ma fille, me dit-elle, ne vous ai-je pas assez dit pour vous faire voir que je suis la plus malheureuse personne du monde ? » Je lui dis que ce n'était pas un si grand malheur à une comédienne que de devenir femme de condition. « Ah ! pauvre petite, me dit-elle, que tu parles bien comme une jeune fille sans expérience ! S'il trompe ce bon curé pour me tromper, ajouta-t-elle, s'il n'a pas dessein de m'épouser comme il me le veut faire accroire, quelles violences ne dois-je pas craindre d'un homme tout à fait esclave de ses passions ? et s'il veut véritablement m'épouser et que j'y consente, quelle misère dans le monde approchera de la mienne quand sa fantaisie sera passée ? et combien pourra-t-il me haïr s'il se repent un jour de m'avoir aimée ? Non, non, ma fille, la bonne fortune ne me vient pas chercher comme tu penses ; mais un effroyable malheur, après m'avoir ôté un mari qui m'aimait et que j'aimais, m'en veut donner un par force qui, peut-être, me haïra et m'obligera à le haïr. » Son affliction, que je trouvais sans raison, augmenta si fort sa violence qu'elle pensa étouffer pendant que je lui aidai à se déshabiller. Je la consolais du mieux que je pouvais et je me servais contre son déplaisir de toutes les raisons dont une fille de mon âge était capable, n'oubliant pas à lui dire que la manière obligeante et respectueuse dont le moins caressant de tous les hommes avait toujours vécu avec nous me semblait de bon présage et surtout le peu de hardiesse qu'il avait eue à déclarer sa passion à une femme d'une profession qui n'inspire pas toujours le respect. Ma mère me laissa dire tout ce que je voulus, se mit au lit fort affligée et s'y affligea toute la nuit au lieu de dormir. Je voulus résister au sommeil ; mais il fallut se rendre et je dormis autant qu'elle dormit peu. Elle se leva de bonne heure et quand je m'éveillai, je la trouvai habillée et assez tranquille. J'étais bien en peine de savoir quelle résolution elle avait prise car, pour vous dire la vérité, je flattais mon imagination de la future grandeur

où j'espérais de voir arriver ma mère si le baron de
Sigognac parlait selon ses véritables sentiments et si ma
mère pouvait réduire les siens à lui accorder ce qu'il
voulait obtenir d'elle. La pensée d'ouïr appeler ma mère
madame la baronne occupait agréablement mon esprit et
l'ambition s'emparait peu à peu de ma jeune tête. »

La Caverne contait ainsi son histoire et L'Étoile
l'écoutait attentivement, quand elles ouïrent marcher
dans leur chambre, ce qui leur sembla d'autant plus
étrange qu'elles se souvenaient fort bien d'avoir fermé
leur porte au verrou. Cependant elles entendaient toujours
marcher; elles demandèrent qui était là. On ne leur répondit rien; et un moment après La Caverne vit au pied
du lit, qui n'était point fermé, la figure d'une personne
qu'elle ouït soupirer et qui, s'appuyant sur le pied du lit,
lui pressa les pieds. Elle se leva à demi pour voir de plus
près ce qui commençait à lui faire peur et, résolue à lui
parler, elle avança la tête dans la chambre et elle ne vit
plus rien. La moindre compagnie donne quelquefois de
l'assurance, mais quelquefois aussi la peur ne diminue
pas pour être partagée. La Caverne s'effraya de n'avoir
rien vu et L'Étoile s'effraya de ce que La Caverne s'ef-
frayait. Elles s'enfoncèrent dans leur lit, se couvrirent la
tête de leur couverture et se serrèrent l'une contre l'autre,
ayant grand-peur et ne s'osant presque parler. Enfin La
Caverne dit à L'Étoile que sa pauvre fille était morte et
que c'était son âme qui était venue soupirer auprès d'elle.
L'Étoile allait peut-être lui répondre quand elles entendirent encore marcher dans la chambre. L'Étoile s'enfonça
encore plus avant dans le lit qu'elle n'avait fait et La
Caverne, devenue plus hardie par la pensée qu'elle avait
que c'était l'âme de sa fille, se leva encore sur le lit
comme elle avait fait et, voyant encore paraître la même
figure qui soupirait encore et s'appuyait sur ses pieds, elle
avança la main et en toucha une fort velue qui lui fit faire
un cri effroyable et la fit tomber sur le lit à la renverse.
Dans le même temps, elles ouïrent aboyer dans leur
chambre, comme quand un chien a peur la nuit de ce qu'il
rencontre. La Caverne fut encore assez hardie pour regarder ce que c'était et alors elle vit un grand lévrier qui

aboyait contre elle. Elle le menaça d'une voix forte et il
s'enfuit en aboyant vers un coin de la chambre où il
disparut. La courageuse comédienne sortit hors du lit et, à
la clarté de la lune qui perçait les fenêtres, elle découvrit
au coin de la chambre, où le fantôme lévrier avait disparu, une petite porte d'un petit escalier dérobé. Il lui fut
aisé de juger que c'était un lévrier de la maison qui était
entré par là dans leur chambre. Il avait eu envie de se
coucher sur leur lit et, ne l'osant faire sans le consentement de ceux qui y étaient couchés, avait soupiré en chien
et s'était appuyé des jambes de devant sur le lit qui était
haut sur les siennes, comme sont tous les lits à l'antique,
et s'était caché dessous quand La Caverne avança la tête
dans la chambre la première fois. Elle n'ôta pas d'abord à
L'Étoile la croyance qu'elle avait que c'était un esprit et
fut longtemps à lui faire comprendre que c'était un lévrier. Tout affligée qu'elle était, elle railla sa compagne
de sa poltronnerie et remit la fin de son histoire à quelque
autre temps que le sommeil ne leur serait pas si nécessaire
qu'il leur était alors. La pointe du jour commençait à
paraître ; elles s'endormirent et se levèrent sur les dix
heures, qu'on les vint avertir que le carrosse qui les devait
mener au Mans était prêt de partir quand elles voudraient.

CHAPITRE IV

LE DESTIN TROUVE LÉANDRE

Le Destin cependant allait de village en village, s'in-
formant de ce qu'il cherchait et n'en apprenant aucune
nouvelle. Il battit un grand pays [185] et ne s'arrêta point que
sur les deux ou trois heures, que sa faim et la lassitude de
son cheval le firent retourner dans un gros bourg qu'il
venait de quitter. Il y trouva une assez bonne hôtellerie,
parce qu'elle était sur le grand chemin, et n'oublia pas de
s'informer si on n'avait point ouï parler d'une troupe de
gens de cheval qui enlevaient une femme. « Il y a un

gentilhomme là-haut qui vous en peut dire des nouvelles, dit le chirurgien* du village qui se trouva là. Je crois, ajouta-t-il, qu'il a eu quelque démêlé avec eux et en a été maltraité. Je lui viens d'appliquer un cataplasme anodin* et résolutif* sur une tumeur livide qu'il a sur les vertèbres du col et je lui ai pansé une grande plaie qu'on lui a faite à l'occiput. Je l'ai voulu saigner, parce qu'il a le corps tout couvert de contusions, mais il n'a pas voulu ; il en a pourtant bien besoin. Il faut qu'il ait fait quelque lourde chute et qu'il ait été excédé* de coups. » Ce chirurgien de village prenait tant de plaisir à débiter les termes de son art qu'encore que Le Destin l'eût quitté et qu'il ne fût écouté de personne, il continua longtemps le discours qu'il avait commencé jusqu'à tant que l'on le vînt quérir pour saigner une femme qui se mourait d'une apoplexie. Cependant Le Destin montait dans la chambre de celui dont le chirurgien lui avait parlé. Il y trouva un jeune homme bien vêtu, qui avait la tête bandée et qui s'était couché sur un lit pour reposer. Le Destin lui voulut faire des excuses de ce qu'il était entré dans sa chambre devant* que d'avoir su s'il l'aurait agréable, mais il fut bien surpris quand, aux premières paroles de son compliment, l'autre se leva de son lit et le vint embrasser, se faisant connaître à lui pour son valet Léandre qui l'avait quitté depuis quatre ou cinq jours sans prendre congé de lui et que La Caverne croyait être le ravisseur de sa fille. Le Destin ne savait de quelle façon il lui devait parler, le voyant bien vêtu et de fort bonne mine. Pendant qu'il le considéra, Léandre eut le temps de se rassurer, car il avait paru d'abord fort interdit. « J'ai beaucoup de confusion, dit-il au Destin, de n'avoir pas eu pour vous toute la sincérité que je devais avoir, vous estimant comme je fais ; mais vous excuserez un jeune homme sans expérience qui, devant* que de vous bien connaître, vous croyait fait comme le sont d'ordinaire ceux de votre profession et qui n'osait pas vous confier un secret d'où dépend tout le bonheur de sa vie. » Le Destin lui dit qu'il ne pouvait savoir que de lui-même en quoi il lui avait manqué de sincérité. « J'ai bien d'autres choses à vous apprendre si peut-être vous ne les savez déjà, lui répondit Léandre ; mais auparavant il faut que je sache ce qui vous amène ici. » Le Destin lui conta de quelle façon Angélique avait été enlevée. Il lui dit qu'il courait après ses ravisseurs, et qu'il avait appris en entrant dans l'hôtellerie qu'il les avait trouvés et lui en pourrait apprendre des nouvelles. « Il est vrai que je les ai trouvés, lui répondit Léandre en soupirant, et que j'ai fait contre eux ce qu'un homme seul pouvait faire contre plusieurs ; mais mon épée s'étant rompue dans le corps du premier que j'ai blessé, je n'ai pu rien faire pour le service de mademoiselle Angélique, ni mourir en la servant, comme j'étais résolu à l'un ou à l'autre événement. Ils m'ont mis en l'état où vous me voyez. J'ai été étourdi du coup d'estramaçon * que j'ai reçu sur la tête. Ils m'ont cru mort et ont passé outre à grand-hâte. Voilà tout ce que je sais de mademoiselle Angélique. J'attends ici un valet qui vous en apprendra davantage. Il les a suivis de loin après m'avoir aidé à reprendre mon cheval qu'ils m'ont peut-être laissé à cause qu'il ne valait pas grand-chose. » Le Destin lui demanda pourquoi il l'avait quitté sans l'en avertir, d'où il venait et qui il était, ne doutant plus qu'il ne lui eût caché son nom et sa condition. Léandre lui avoua qu'il en était quelque chose [186] et s'étant recouché, à cause que les coups qu'il avait reçus lui faisaient beaucoup de douleur, Le Destin s'assit sur le pied du lit et Léandre lui dit ce que vous allez lire dans le suivant chapitre.

CHAPITRE V

HISTOIRE DE LÉANDRE

« Je suis un gentilhomme d'une maison assez connue dans la province. J'espère un jour d'avoir pour le moins douze mille livres de rentes pourvu que mon père meure ; car encore qu'il y ait quatre-vingts ans qu'il fait enrager tous ceux qui dépendent de lui ou qui ont affaire à lui, il se porte si bien qu'il y a plus à craindre pour moi qu'il ne meure jamais qu'à espérer que je lui succède un jour en

trois fort belles terres qui sont tout son bien. Il me veut
faire conseiller au parlement de Bretagne contre mon
inclination et c'est pour cela qu'il m'a fait étudier de
bonne heure. J'étais écolier à La Flèche quand votre
troupe y vint représenter. Je vis mademoiselle Angélique
et j'en devins tellement amoureux que je ne pus plus faire
autre chose que de l'aimer. Je fis bien davantage, j'eus
l'assurance de lui dire que je l'aimais ; elle ne s'en offensa
point. Je lui écrivis ; elle reçut ma lettre et ne m'en fit pas
plus mauvais visage. Depuis ce temps-là une maladie, qui
fit garder la chambre à mademoiselle de La Caverne
pendant que vous fûtes à La Flèche, facilita beaucoup les
conversation que sa fille et moi eûmes ensemble. Elle les
aurait sans doute empêchées, trop sévère comme elle est
pour être [187] d'une profession qui semble dispenser du
scrupule et de la sévérité ceux qui la suivent. Depuis que
je devins amoureux de sa fille, je n'allai plus au collège et
ne manquai pas un jour d'aller à la comédie. Les pères
Jésuites me voulurent remettre dans mon devoir ; mais je
ne voulus plus obéir à de si malplaisants maîtres après
avoir choisi la plus charmante maîtresse du monde. Votre
valet fut tué à la porte de la comédie par des écoliers
bretons, qui firent cette année-là beaucoup de désordre
dans La Flèche parce qu'ils y étaient en grand nombre et
que le vin y fut à bon marché. Cela fut cause en partie que
vous quittâtes La Flèche pour aller à Angers. Je ne dis
point adieu à mademoiselle Angélique, sa mère ne la
perdant point de vue. Tout ce que je pus faire, ce fut de
paraître devant elle en la voyant partir, le désespoir peint
sur le visage et les yeux mouillés de larmes. Un regard
triste qu'elle me jeta me pensa faire mourir. Je m'enfermai dans ma chambre ; je pleurai le reste du jour et toute
la nuit ; et, dès le matin, changeant mon habit en celui de
mon valet, qui était de ma taille, je le laissai à La Flèche
pour vendre mon équipage d'écolier et lui laissai une
lettre pour un fermier de mon père qui me donne de
l'argent quand je lui en demande, avec ordre de me venir
trouver à Angers. J'en pris le chemin après vous et vous
attrapai à Duretail [188], où plusieurs personnes de condition qui y couraient le cerf vous arrêtèrent sept ou huit

jours. Je vous offris mon service et vous me prîtes pour
votre valet, soit que vous fussiez incommodé de n'en
avoir point, ou que ma mine et mon visage, qui peut-être
ne vous déplurent pas, vous obligeassent à me prendre.
Mes cheveux, que j'avais fait couper fort courts, me
rendirent méconnaissable à ceux qui m'avaient vu souvent auprès de mademoiselle Angélique, outre que le
méchant habit de mon valet, que j'avais pris pour me
déguiser, me rendait bien différent de ce que je paraissais
avec le mien, qui était plus beau que ne l'est d'ordinaire
celui d'un écolier. Je fus d'abord* reconnu de mademoiselle Angélique, qui m'avoua depuis qu'elle n'avait point
douté que la passion que j'avais pour elle ne fût très
violente puisque je quittais tout pour la suivre. Elle fut
assez généreuse pour m'en vouloir dissuader et pour me
faire trouver ma raison qu'elle voyait bien que j'avais
perdue. Elle me fit longtemps éprouver des rigueurs qui
eussent refroidi un moins amoureux que moi. Mais enfin,
à force de l'aimer, je l'engageai à m'aimer autant que je
l'aimais. Comme vous avez l'âme d'une personne de
condition qui l'aurait fort belle, vous reconnûtes bientôt
que je n'avais pas celle d'un valet. Je gagnai vos bonnes
grâces; je me mis bien dans l'esprit de tous les messieurs
de votre troupe et même je ne fus pas haï de La Rancune,
qui passe parmi vous pour n'aimer personne et pour haïr
tout le monde. Je ne perdrai point le temps à vous redire
tout ce que deux jeunes personnes qui s'entr'aiment se
sont pu dire toutes les fois qu'elles se sont trouvées
ensemble : vous le savez assez par vous-même. Je vous
dirai seulement que mademoiselle de La Caverne, se
doutant de notre intelligence, ou plutôt n'en doutant plus,
défendit à sa fille de me parler ; que sa fille ne lui obéit
pas et que, l'ayant surprise qui m'écrivait, elle la traita si
cruellement, et en public et en particulier, que je n'eus
pas depuis grand'peine à la faire résoudre de se faire
enlever. Je ne crains point de vous l'avouer, vous
connaissant généreux autant qu'on le peut être, et amoureux pour le moins autant que moi. » Le Destin rougit à
ces dernières paroles de Léandre, qui continua son discours et dit au Destin qu'il n'avait quitté la compagnie

que pour s'aller mettre en état d'exécuter son dessein ; qu'un fermier de son père lui avait promis de lui donner de l'argent et qu'il espérait encore d'en recevoir à Saint-Malo du fils d'un marchand, de qui l'amitié lui était assurée et qui était depuis peu maître de son bien par la mort de ses parents. Il ajouta que, par le moyen de son ami, il espérait de passer facilement en Angleterre, et là de faire sa paix avec son père sans exposer à sa colère mademoiselle Angélique, contre laquelle vraisemblablement, aussi bien que contre sa mère, il aurait exercé toutes sortes d'actes d'hostilité avec tout l'avantage qu'un homme riche et de condition peut avoir sur deux pauvres comédiennes. Le Destin fit avouer à Léandre qu'à cause de sa jeunesse et de sa condition, son père n'aurait pas manqué d'accuser de rapt mademoiselle de La Caverne. Il ne tâcha point de lui faire oublier son amour, sachant bien que les personnes qui aiment ne sont pas capables de croire d'autres conseils que ceux de leur passion et sont plus à plaindre qu'à blâmer ; mais il désapprouva fort le dessein qu'il avait eu de se sauver en Angleterre et lui représenta ce qu'on pourrait s'imaginer de deux jeunes personnes ensemble qui seraient dans un pays étranger ; les fatigues et les hasards d'un voyage par mer ; la difficulté de recouvrer de l'argent s'il leur arrivait d'en manquer et enfin les entreprises que feraient faire sur eux, et la beauté de mademoiselle Angélique, et la jeunesse de l'un et de l'autre. Léandre ne défendit point une mauvaise cause ; il demanda encore une fois pardon au Destin de s'être si longtemps caché de lui et Le Destin lui promit qu'il se servirait de tout le pouvoir qu'il croyait avoir sur l'esprit de mademoiselle de La Caverne pour la lui rendre favorable. Il lui dit encore que, s'il était tout à fait résolu à n'avoir jamais d'autre femme que mademoiselle Angélique, il ne devait point quitter la troupe. Il lui représenta que cependant * son père pouvait mourir ou sa passion se ralentir ou peut-être se passer. Léandre s'écria là-dessus que cela n'arriverait jamais. « Eh bien donc, dit Le Destin, de peur que cela n'arrive à votre maîtresse, ne la perdez point de vue. Faites la comédie avec nous ; vous n'êtes pas seul qui la ferez et qui pourriez faire quelque

chose de meilleur. Écrivez à votre père ; faites-lui croire
que vous êtes à la guerre et tâchez d'en tirer de l'argent.
Cependant * je vivrai avec vous comme avec un frère et
tâcherai par là de vous faire oublier les mauvais traitements que vous pouvez avoir reçus de moi tandis que je
n'ai pas connu ce que vous valiez. » Léandre se fût jeté à
ses pieds si la douleur que les coups qu'il avait reçus lui
faisait sentir par tout son corps lui eût permis de le faire.
Il le remercia au moins en des termes si obligeants et lui
fit des protestations d'amitié si tendres qu'il en fut aimé
dès ce temps-là autant qu'un honnête homme le peut être
d'un autre. Ils parlèrent ensuite de chercher mademoiselle
Angélique ; mais une grande rumeur qu'ils entendirent
interrompit leur conversation et fit descendre Le Destin
dans la cuisine de l'hôtellerie, où se passait ce que vous
allez voir dans le suivant chapitre.

CHAPITRE VI

COMBAT A COUPS DE POING. MORT DE L'HÔTE
ET AUTRES CHOSES MÉMORABLES

Deux hommes, l'un vêtu de noir comme un magister
de village et l'autre de gris, qui avait bien la mine d'un
sergent *, se tenaient aux cheveux et à la barbe et s'entre-
donnaient de temps en temps des coups de poing d'une
très cruelle manière. L'un et l'autre étaient ce que leurs
habits et leurs mines voulaient qu'ils fussent. Le vêtu de
noir, magister du village, était frère du curé et le vêtu de
gris, sergent du même village, était frère de l'hôte. Cet
hôte était alors dans une chambre à côté de la cuisine, prêt
à rendre l'âme d'une fièvre chaude qui lui avait si fort
troublé l'esprit qu'il s'était cassé la tête contre une muraille ; et sa blessure, jointe à sa fièvre, l'avait mis si bas,
qu'alors que sa frénésie * le quitta, il se vit contraint de
quitter la vie qu'il regrettait peut-être moins que son
argent mal acquis. Il avait porté les armes longtemps et

était enfin revenu dans son village, chargé d'ans et de si peu de probité qu'on pouvait dire qu'il en avait encore moins que d'argent, quoiqu'il fût extrêmement pauvre. Mais comme les femmes se prennent souvent par où elles devraient moins se laisser prendre, ses cheveux de drille*, plus longs que ceux des autres paysans du village, ses serments à la soldate, une plume * hérissée qu'il mettait les fêtes quand il ne pleuvait point et une épée rouillée qui lui battait de vieilles bottes encore qu'il n'eût point de cheval, tout cela donna dans la vue d'une vieille veuve qui tenait hôtellerie. Elle avait été recherchée par les plus riches fermiers du pays, non tant pour sa beauté que pour le bien qu'elle avait amassé avec son défunt mari à vendre bien cher et à faire mauvaise mesure de vin et d'avoine. Elle avait constamment * résisté à tous ses prétendants, mais enfin un vieil soldat avait triomphé d'une vieille hôtesse. Le visage de cette nymphe tavernière était le plus petit et son ventre était le plus grand du Maine, quoique cette province abonde en personnes ventrues. Je laisse aux naturalistes le soin d'en chercher la raison aussi bien que de la graisse des chapons du pays. Pour revenir à cette grosse petite femme, qu'il me semble que je vois toutes les fois que j'y songe, elle se maria avec son soldat sans en parler à ses parents ; et après avoir achevé de vieillir avec lui et bien souffert aussi, elle eut le plaisir de le voir mourir la tête cassée ; ce qu'elle attribuait à un juste jugement de Dieu, parce qu'il avait souvent joué à casser la sienne. Quand Le Destin entra dans la cuisine de l'hôtellerie, cette hôtesse et sa servante aidaient au vieil curé du bourg à séparer les combattants qui s'étaient cramponnés comme deux vaisseaux [189] ; mais les menaces du Destin et l'autorité avec laquelle il parla achevèrent ce que les exhortations du bon pasteur n'avaient pu faire, et les deux mortels ennemis se séparèrent, crachant la moitié de leurs dents sanglantes, saignant du nez et le menton et la tête pelés. Le curé était honnête homme et savait bien son monde. Il remercia Le Destin fort civilement ; et Le Destin, pour lui faire plaisir, fit embrasser * en bonne amitié ceux qui un moment auparavant ne s'embrassaient que pour s'étrangler.

Pendant l'accommodement, l'hôte acheva son obscure
destinée sans en avertir ses amis, tellement qu'on trouva
qu'il n'y avait plus qu'à l'ensevelir quand on entra dans
sa chambre après que la paix fut conclue. Le curé fit des
prières sur le mort, et les fit bonnes, car il les fit courtes.
Son vicaire le vint relayer et cependant* la veuve s'avisa
de hurler et le fit avec beaucoup d'ostentation et de
vanité. Le frère du mort fit semblant d'être triste ou le fut
véritablement et les valets et servantes s'en acquittèrent
presque aussi bien que lui. Le curé suivit Le Destin dans
sa chambre, lui faisant des offres de service ; il en fit
autant à Léandre et ils le retinrent à manger avec eux.
Le Destin, qui n'avait pas mangé de tout le jour et avait
fait beaucoup d'exercice, mangea très avidement. Léandre se reput d'amoureuses pensées plus que de viandes *
et le curé parla plus qu'il ne mangea. Il leur fit cent contes
plaisants de l'avarice du défunt et leur apprit les plaisants
différends que cette passion dominante lui avait fait
avoir, tant avec sa femme qu'avec ses voisins. Il leur fit
le récit entre autres d'un voyage qu'il avait fait à Laval
avec sa femme, au retour duquel le cheval qui les portait
tous deux s'étant déferré de deux pieds, et qui pis est, les
fers s'étant perdus, il laissa sa femme tenant son cheval
par la bride au pied d'un arbre et retourna jusqu'à Laval,
cherchant exactement ses fers partout où il crut avoir
passé ; mais il perdit sa peine, tandis que sa femme pensa
perdre patience à l'attendre, car il était retourné sur ses
pas de deux grandes lieues et elle commençait d'en être
en peine quand elle le vit revenir les pieds nus, tenant ses
bottes et ses chausses * dans ses mains. Elle s'étonna fort
de cette nouveauté, mais elle n'osa lui en demander la
raison, tant, à force d'obéir à la guerre, il s'était rendu
capable de bien commander dans sa maison. Elle n'osa
pas même repartir * quand il la fit déchausser aussi, ni lui
en demander le sujet. Elle se douta seulement que ce
pouvait être par dévotion. Il fit prendre à sa femme son
cheval par la bride, marchant derrière pour le hâter ; et
ainsi l'homme et la femme sans chaussure et le cheval
déferré de deux pieds, après avoir bien souffert, gagnèrent la maison bien avant dans la nuit, les uns et les autres

fort las, et l'hôte et l'hôtesse ayant les pieds si écorchés
qu'ils furent près de quinze jours sans pouvoir presque
marcher. Jamais il ne se sut si bon gré de quelque autre
chose qu'il eût faite et, quand il y songeait, il disait en
riant à sa femme que, s'ils ne se fussent déchaussés en
revenant de Laval, ils en eussent eu pour deux paires de
souliers, outre deux fers d'un cheval. Le Destin et Léandre ne s'émurent pas beaucoup du conte que le curé leur
donnait pour bon, soit qu'ils ne le trouvassent pas si
plaisant qu'il leur avait dit, ou qu'ils ne fussent pas alors
en humeur de rire. Le curé, qui était grand parleur, n'en
voulut pas demeurer là et, s'adressant au Destin, lui dit
que ce qu'il venait d'entendre ne valait pas ce qu'il avait
encore à lui dire de la belle manière dont le défunt s'était
préparé à la mort. « Il y a quatre ou cinq jours, ajouta-t-il,
qu'il sait bien qu'il n'en peut échapper. Il ne s'est jamais
plus tourmenté de son ménage. Il a eu regret à tous les
œufs frais qu'il a mangés pendant sa maladie. Il a voulu
savoir à quoi monterait son enterrement et même l'a
voulu marchander avec moi le jour que je l'ai confessé.
Enfin, pour achever comme il avait commencé, deux
heures devant* que de mourir, il ordonna devant moi à sa
femme de l'ensevelir dans un certain vieil drap de sa
connaissance qui avait plus de cent trous. Sa femme lui
représenta qu'il y serait fort mal enseveli* ; il s'opiniâtra à
n'en vouloir point d'autre. Sa femme ne pouvait y
consentir et, parce qu'elle le voyait en état de ne la
pouvoir battre, elle soutint son opinion plus vigoureusement qu'elle n'avait jamais fait avec lui, sans pourtant
sortir du respect qu'une honnête femme doit à un mari,
fâcheux ou non. Elle lui demanda enfin comment il
pourrait paraître dans la vallée de Josaphat [190], un méchant drap tout troué sur les épaules, et en quel équipage
il pensait ressusciter. Le malade s'en mit en colère et,
jurant comme il avait accoutumé en sa santé : « Eh ! morbleu, vilaine ! s'écria-t-il, je ne veux point ressusciter. »
J'eus autant de peine à m'empêcher de rire qu'à lui faire
comprendre qu'il avait offensé Dieu, se mettant en colère, et plus encore par ce qu'il avait dit à sa femme, qui
était en quelque façon une impiété. Il en fit un acte de

contrition tel quel, et encore lui fallut-il donner parole
qu'il ne serait point enseveli dans un autre drap que celui
qu'il avait choisi. Mon frère, qui s'était éclaté de rire
quand il avait renoncé si hautement et si clairement à sa
résurrection, ne pouvait s'empêcher d'en rire encore toutes les fois qu'il y songeait. Le frère du défunt s'en était
formalisé ; et, de paroles en paroles, mon frère et lui, tous
deux aussi brutaux* l'un que l'autre, s'étaient entre-har-
pés* après s'être donné mille coups de poing, et se
battraient peut-être encore si on ne les avait séparés. » Le
curé acheva ainsi sa relation, adressant sa parole au Destin, parce que Léandre ne lui donnait pas grande attention. Il prit congé des comédiens après leur avoir encore
offert son service ; et Le Destin tâcha de consoler l'affligé
Léandre, lui donnant les meilleures espérances dont il se
put aviser. Tout brisé qu'était le pauvre garçon, il regardait de temps en temps par la fenêtre pour voir si son valet
ne venait point, comme s'il en eût dû venir plus tôt. Mais,
quand on attend quelqu'un avec impatience, les plus
sages sont assez sots pour regarder souvent du côté qu'il
doit venir, et je finirai par là mon sixième chapitre.

CHAPITRE VII

TERREUR PANIQUE DE RAGOTIN, SUIVIE DE DISGRÂCES.
AVENTURE DU CORPS MORT. ORAGE DE COUPS
DE POING ET AUTRES ACCIDENTS SURPRENANTS,
DIGNES D'AVOIR PLACE EN CETTE VÉRITABLE HISTOIRE

Léandre regardait donc par la fenêtre de sa chambre,
du côté qu'il attendait son valet, quand, tournant la tête
de l'autre côté, il vit arriver le petit Ragotin, botté jusqu'à
la ceinture, monté sur un petit mulet et ayant à ses étriers,
comme deux estafiers*, La Rancune d'un côté et L'Olive
de l'autre. Ils avaient appris de village en village des
nouvelles du Destin et, à force de l'avoir suivi, l'avaient
enfin trouvé. Le Destin descendit en bas au-devant d'eux

et les fit monter dans la chambre. Ils ne reconnurent point
d'abord le jeune Léandre, qui avait changé de mine aussi
bien que d'habit. Afin qu'on ne le connût pas pour ce
qu'il était, Le Destin lui commanda d'aller faire apprêter
le souper avec la même autorité dont il avait accoutumé
de lui parler ; et les comédiens, qui le reconnurent par là,
ne lui eurent pas plutôt dit qu'il était bien brave* que Le
Destin répondit pour lui et leur dit qu'un oncle riche qu'il
avait au bas Maine l'avait équipé de pied en cap, comme
ils le voyaient, et même lui avait donné de l'argent pour
l'obliger à quitter la comédie, ce qu'il n'avait pas voulu
faire, et ainsi l'avait laissé sans lui dire adieu. Le Destin
et les autres s'entre-demandèrent des nouvelles de leur
quête* et ne s'en dirent point. Ragotin assura Le Destin
qu'il avait laissé les comédiennes en bonne santé, quoique fort affligées de l'enlèvement de mademoiselle Angélique. La nuit vint, on soupa et les nouveaux venus
burent autant que les autres burent peu. Ragotin se mit en
bonne humeur, défia tout le monde à boire, comme un
fanfaron de taverne qu'il était, fit le plaisant et chanta des
chansons en dépit de tout le monde ; mais, n'étant pas
secondé et le beau-frère de l'hôtesse ayant représenté à la
compagnie que ce n'était pas bien fait de faire la débauche auprès d'un mort, Ragotin en fit moins de bruit et en
but plus de vin. On se coucha : Le Destin et Léandre dans
la chambre qu'ils avaient déjà occupée ; Ragotin, La
Rancune et L'Olive dans une petite chambre qui était
auprès de la cuisine, et à côté de celle où était le corps du
défunt qu'on n'avait pas encore commencé d'ensevelir*.
L'hôtesse coucha dans une chambre haute, qui était voisine de celle où couchaient Le Destin et Léandre ; et elle
s'y mit pour n'avoir pas devant les yeux l'objet funeste
d'un mari mort et pour recevoir les consolations de ses
amies qui la vinrent visiter en grand nombre ; car elle était
une des plus grosses dames du bourg et y avait toujours
été autant aimée de tout le monde que son mari y avait
toujours été haï. Le silence régnait dans l'hôtellerie ; les
chiens y dormaient, puisqu'ils n'aboyaient point ; tous les
autres animaux y dormaient aussi ou le devaient faire ; et
cette tranquillité-là durait encore entre deux et trois heu-

res du matin quand tout à coup Ragotin se mit à crier de
toute sa force que La Rancune était mort. Tout d'un
temps il éveilla L'Olive, alla faire lever Le Destin et
Léandre et les fit descendre dans sa chambre pour venir
pleurer ou du moins voir La Rancune qui venait de mourir subitement à son côté, à ce qu'il disait. Le Destin et
Léandre le suivirent et la première chose qu'ils virent en
entrant dans la chambre, ce fut La Rancune qui se pro-
menait dans la chambre en homme qui se porte bien,
quoique cela soit assez difficile après une mort subite.
Ragotin, qui entrait le premier, ne l'eût pas plutôt aperçu
qu'il se rejeta en arrière, comme s'il eût été près de
marcher sur un serpent ou de mettre le pied dans un trou.
Il fit un grand cri, devint pâle comme un mort et heurta si
rudement Le Destin et Léandre, lorsqu'il se jeta hors de
la chambre à corps perdu, qu'il s'en fallut bien peu qu'il
ne les portât par terre. Cependant que sa peur le fait fuir
jusque dans le jardin de l'hôtellerie où il hasarde* de se
morfondre*, Le Destin et Léandre demandent à La Rancune des particularités de sa mort. La Rancune leur dit
qu'il n'en savait pas tant que Ragotin et ajouta qu'il
n'était pas sage. L'Olive cependant riait comme un fol;
La Rancune demeurait froid sans parler, selon sa coutume, et L'Olive et lui ne se déclaraient pas davantage.
Léandre alla après Ragotin et le trouva caché derrière un
arbre, tremblant de peur plus que de froid, quoiqu'il fût
en chemise. Il avait l'imagination si pleine de La Rancune mort qu'il prit d'abord Léandre pour son fantôme et
pensa s'enfuir quand il s'approcha de lui. Là-dessus Le
Destin arriva, qui lui parut aussi autre fantôme. Ils n'en
purent tirer la moindre parole, quelque chose qu'ils lui
pussent dire; et enfin ils le prirent sous les bras pour le
remener dans sa chambre; mais dans le temps qu'ils
allaient sortir du jardin, La Rancune s'étant présenté pour
y entrer, Ragotin se défit de ceux qui le tenaient et s'alla
jeter, regardant derrière lui d'un œil égaré, dans une
grosse touffe de rosier où il s'embarrassa depuis les pieds
jusqu'à la tête et ne s'en put tirer assez vite pour s'empêcher d'être joint par La Rancune, qui l'appela cent fois
fol et lui dit qu'il le fallait enchaîner. Ils le tirèrent à trois

hors de la touffe de rosiers où il s'était fourré. La Rancune lui donna une claque sur la peau nue pour lui faire
voir qu'il n'était pas mort ; et enfin le petit homme effrayé
fut remené dans sa chambre et remis dans son lit ; mais à
peine y fut-il qu'une clameur de voix féminines, qu'ils
entendirent dans la chambre voisine, leur donna à deviner
ce que ce pouvait être. Ce n'étaient point les plaintes
d'une femme affligée, c'étaient des cris effroyables de
plusieurs femmes ensemble, comme quand elles ont peur.
Le Destin y alla et trouva quatre ou cinq femmes avec
l'hôtesse qui cherchaient sous les lits, regardaient dans la
cheminée et paraissaient fort effrayées. Il leur demanda
ce qu'elles avaient ; et l'hôtesse, moitié hurlant, moitié
parlant, lui dit qu'elle ne savait ce qu'était devenu le
corps de son pauvre mari. En achevant de parler, elle se
mit à hurler ; et les autres femmes, comme de concert, lui
répondirent en chœur et toutes ensemble firent un bruit si
grand et si lamentable que tout ce qu'il y avait de gens
dans l'hôtellerie entra dans la chambre et ce qu'il y avait
de voisins et de passants entra dans l'hôtellerie. Dans ce
temps-là un maître chat s'était saisi d'un pigeon qu'une
servante avait laissé demi-lardé sur la table de la cuisine
et, se sauvant avec sa proie dans la chambre de Ragotin,
s'était caché sous le lit où il avait couché avec La Rancune. La servante le suivit, un bâton de fagot à la main et,
regardant sous le lit pour voir ce qu'était devenu son
pigeon, elle se mit à crier tant qu'elle put qu'elle avait
trouvé son maître et le répéta si souvent que l'hôtesse et
les autres femmes vinrent à elle. La servante sauta au col
de sa maîtresse, lui disant qu'elle avait trouvé son maître,
avec un si grand transport de joie que la pauvre veuve eut
peur que son mari ne fût ressuscité ; car on remarqua
qu'elle devint pâle comme un criminel qu'on juge. Enfin
la servante les fit regarder sous le lit, où ils aperçurent le
corps mort dont ils étaient tant en peine. La difficulté ne
fut pas si grande à le tirer de là, quoiqu'il fût bien pesant,
qu'à savoir qui l'y avait mis. On le rapporta dans la
chambre où l'on commença de l'ensevelir *. Les comédiens se retirèrent dans celle où avait couché Le Destin,
qui ne pouvait rien comprendre dans ces bizarres acci-

dents. Pour Léandre, il n'avait dans la tête que sa chère
Angélique, ce qui le rendait aussi rêveur que Ragotin était
fâché de ce que La Rancune n'était pas mort, dont les
railleries l'avaient si fort mortifié qu'il ne parlait plus,
contre sa coutume de parler incessamment et de se mêler
en toutes sortes de conversations, à propos ou non. La
Racune et L'Olive s'étaient si peu étonnés, et de la terreur
panique de Ragotin, et de la transmigration d'un corps
mort d'une chambre à l'autre sans aucun secours humain,
au moins dont on eût connaissance, que Le Destin se
douta qu'ils avaient grande part dans le prodige. Cependant l'affaire s'éclaircissait dans la cuisine de l'hôtellerie.
Un valet de charrue, revenu des champs pour dîner*,
ayant ouï conter à une servante, avec grande frayeur, que
le corps de son maître s'était levé de lui-même et avait
marché, lui dit qu'en passant par la cuisine, à la pointe du
jour, il avait vu deux hommes en chemise qui le portaient
sur leurs épaules dans la chambre où l'on l'avait trouvé.
Le frère du mort ouït ce que disait le valet et trouva
l'action fort mauvaise. La veuve le sut aussitôt et ses
amies aussi ; les uns et les autres s'en scandalisèrent bien
fort et conclurent tout d'une voix qu'il fallait que ces
hommes-là fussent des sorciers qui voulaient faire quelque méchanceté de ce corps mort. Dans le temps que l'on
jugeait si mal de La Rancune, il entra dans la cuisine pour
faire porter à déjeuner dans leur chambre. Le frère du
défunt lui demanda pourquoi il avait porté le corps de son
frère dans sa chambre. La Rancune, bien loin de lui
répondre, ne le regarda pas seulement. La veuve lui fit la
même question ; il eut la même indifférence pour elle, ce
que la bonne dame n'eut pas pour lui. Elle lui sauta aux
yeux, furieuse comme une lionne à qui on a ravi ses petits
(j'ai peur que la comparaison ne soit ici trop magnifique).
Son beau-frère donna un coup de poing à La Rancune, les
amies de l'hôtesse ne l'épargnèrent pas ; les servantes
s'en mêlèrent et les valets aussi ; mais il n'y avait pas
place en un homme seul pour tant de frappeurs et ils
s'entrenuisaient les uns aux autres. La Rancune seul
contre plusieurs et, par conséquent, plusieurs contre lui,
ne s'étonna point du nombre de ses ennemis et, faisant de

nécessité vertu, commença à jouer des bras de toute la force que Dieu lui avait donnée, laissant le reste au hasard. Jamais combat inégal ne fut plus disputé. Mais aussi La Rancune, conservant son jugement dans le péril, se servait de son adresse aussi bien que de sa force, ménageait ses coups et les faisait profiter le plus qu'il pouvait. Il donna tel soufflet qui, ne donnant pas à plomb * sur la première joue qu'il rencontrait et ne faisant que glisser, s'il faut ainsi dire, allait jusqu'à la seconde, même troisième joue, parce qu'il donnait la plupart de ses coups en faisant la demi-pirouette, et tel soufflet tira trois sons différents de trois différentes mâchoires. Au bruit des combattants, L'Olive descendit dans la cuisine; et, à peine eut-il le temps de discerner son compagnon d'entre tous ceux qui le battaient, qu'il se vit battre et même plus que lui de qui la vigoureuse résistance commençait à se faire craindre. Deux ou trois donc des plus maltraités par La Rancune se jetèrent sur L'Olive, peut-être pour se racquitter *. Le bruit en augmenta; et en même temps l'hôtesse reçut un coup de poing dans son petit œil qui lui fit voir cent mille chandelles (c'est un nombre certain pour un incertain) et la mit hors de combat. Elle hurla plus fort et plus franchement qu'elle n'avait fait à la mort de son mari. Ses hurlements attirèrent les voisins dans la maison et firent descendre dans la cuisine Le Destin et Léandre. Quoiqu'ils y vinssent avec un esprit de pacification, on leur fit d'abord * la guerre sans la leur déclarer. Les coups de poing ne leur manquèrent pas et ils n'en laissèrent point manquer ceux qui leur en donnèrent. L'hôtesse, ses amies et ses servantes criaient aux voleurs et n'étaient plus que les spectatrices du combat, les unes les yeux pochés, les autres le nez sanglant, les autres les mâchoires brisées et toutes décoiffées. Les voisins avaient pris parti pour la voisine contre ceux qu'elle appelait voleurs. Il faudrait une meilleure plume que la mienne pour bien représenter les beaux coups de poing qui s'y donnèrent. Enfin, l'animosité et la fureur se rendant maîtresses des uns et des autres, on commençait à se saisir des broches et des meubles qui se peuvent jeter à la tête quand le curé entra dans la cuisine et tâcha de faire

cesser le combat. En vérité, quelque respect que l'on eût
pour lui, il eût bien eu de la peine à séparer les combattants, si leur lassitude ne s'en fût mêlée. Tous actes
d'hostilité cessèrent donc de part et d'autre, et non pas le
bruit ; car, chacun voulant parler le premier, et les femmes plus que les hommes avec leur voix de fausset, le
pauvre bonhomme fut contraint de se boucher les oreilles
et de gagner la porte. Cela fit taire les plus tumultueux. Il
rentra dans le champ de bataille et le frère de l'hôte, ayant
pris la parole par son ordre, lui fit des plaintes du corps
mort transporté d'une chambre à l'autre. Il eût exagéré la
méchante action plus qu'il ne fit s'il eût eu moins de sang
à cracher qu'il n'en avait, outre celui qui sortait de son
nez, qu'il ne pouvait arrêter. La Rancune et L'Olive
avouèrent ce qu'on leur imputait et protestèrent qu'ils ne
l'avaient pas fait à mauvaise intention, mais seulement
pour faire peur à un de leurs camarades, comme ils
avaient fait. Le curé les en blâma fort et leur fit comprendre la conséquence d'une telle entreprise, qui passait la
raillerie et, comme il était homme d'esprit et avait grand
crédit parmi ses paroissiens, il n'eut pas grand-peine à
pacifier le différend, et qui plus y mit, plus y perdit [191].
Mais la Discorde aux crins de couleuvre [192] n'avait pas
encore fait dans cette maison-là tout ce qu'elle avait envie
d'y faire. On ouït dans la chambre haute des hurlements
non guère différents de ceux que fait un pourceau qu'on
égorge ; et celui qui les faisait n'était autre que le petit
Ragotin. Le curé, les comédiens et plusieurs autres coururent à lui et le trouvèrent tout le corps, à la réserve de la
tête, enfoncé dans un grand coffre de bois qui servait à
serrer le linge de l'hôtellerie ; et, ce qui était de plus
fâcheux pour le pauvre encoffré, le dessus du coffre, fort
pesant et massif, était tombé sur ses jambes et les pressait
d'une manière fort douloureuse à voir. Une puissante
servante, qui n'était pas loin du coffre quand ils entrèrent,
et qui leur paraissait fort émue *, fut soupçonnée d'avoir
si mal placé Ragotin. Il était vrai, et elle en était toute
fière, si bien que, s'occupant à faire un des lits de la
chambre, elle ne daigna pas regarder de quelle façon on
tirait Ragotin du coffre, ni même de répondre à ceux qui

lui demandèrent d'où venait le bruit qu'on avait entendu.
Cependant le demi-homme fut tiré de sa chausse-trape *
et ne fut pas plutôt sur ses pieds qu'il courut à une épée.
On l'empêcha de la prendre, mais on ne put l'empêcher
de joindre la grande servante, qu'il ne put aussi empêcher
qu'elle ne lui donnât un si grand coup sur la tête que tout
le vaste siège de son étroite raison en fut ébranlé. Il en fit
trois pas en arrière, mais c'eût été reculer pour mieux
sauter si L'Olive ne l'eût retenu par ses chausses, comme
il s'allait élancer comme un serpent contre sa redoutable
ennemie. L'effort qu'il fit, quoique vain, fut fort violent ;
la ceinture de ses chausses s'en rompit et le silence aussi
de l'assistance, qui se mit à rire. Le curé en oublia sa
gravité et le frère de l'hôte d'en faire le triste. Le seul
Ragotin n'avait pas envie de rire et sa colère s'était
tournée contre L'Olive qui, s'en sentant injurié, le porta
tout brandi *, comme l'on dit à Paris, sur le lit que faisait
la servante et là, d'une force d'Hercule, il acheva de faire
tomber ses chausses dont la ceinture était déjà rompue et
haussant et baissant les mains dru et menu sur ses cuisses
et sur les lieux voisins, en moins de rien les rendit rouges
comme de l'écarlate. Le hasardeux * Ragotin se précipita
courageusement du lit en bas, mais un coup si hardi n'eut
pas le succès * qu'il méritait. Son pied entra dans un pot
de chambre que l'on avait laissé dans la ruelle du lit pour
son grand malheur et y entra si avant que, ne l'en pouvant
retirer à l'aide de son autre pied, il n'osa sortir de la ruelle
du lit où il était de peur de divertir davantage la compagnie et d'en attirer sur soi la raillerie, qu'il entendait
moins que personne du monde. Chacun s'étonnait fort de
le voir si tranquille après avoir été si ému. La Rancune se
douta que ce n'était pas sans cause. Il le fit sortir de la
ruelle du lit, moitié bon gré, moitié par force ; et lors tout
le monde vit où était l'enclouûre *, et personne ne se put
empêcher de rire, voyant le pied de métal que s'était fait
le petit homme. Nous le laisserons foulant l'étain d'un
pied superbe [193] pour aller recevoir un train * qui entra au
même temps dans l'hôtellerie.

CHAPITRE VIII

CE QUI ARRIVA DU PIED DE RAGOTIN

Si Ragotin eût pu de son chef et sans l'aide de ses amis se dépoter le pied, je veux dire le tirer hors du méchant pot de chambre où il était si malheureusement entré, sa colère eût pour le moins duré le reste du jour ; mais il fut contraint de rabattre quelque chose de son orgueil naturel et de filer doux, priant humblement Le Destin et La Rancune de travailler à la liberté de son pied droit ou gauche, je n'ai pas su lequel. Il ne s'adressa pas à L'Olive à cause de ce qui s'était passé entre eux, mais L'Olive vint à son secours sans se faire prier et ses deux camarades et lui firent ce qu'ils purent pour le soulager. Les efforts que le petit homme avait faits pour tirer son pied hors du pot l'avaient enflé et ceux que faisaient Le Destin et L'Olive l'enflaient encore davantage. La Rancune y avait d'abord mis la main, mais si maladroitement, ou plutôt si malicieusement, que Ragotin crut qu'il le voulait estropier à perpétuité. Il l'avait prié instamment de ne s'en mêler plus ; il pria les autres de la même chose et se coucha sur un lit en attendant qu'on lui eût fait venir un serrurier pour lui limer le pot de chambre sur le pied. Le reste du jour se passa assez pacifiquement dans l'hôtellerie et assez tristement entre Le Destin et Léandre, l'un, fort en peine de son valet qui ne revenait point lui apprendre des nouvelles de sa maîtresse comme il lui avait promis et l'autre ne se pouvant réjouir éloigné de sa chère mademoiselle de L'Étoile, outre qu'il prenait part à l'enlèvement de mademoiselle Angélique et que Léandre lui faisait pitié, sur le visage duquel il voyait toutes les marques d'une extrême affliction. La Rancune et L'Olive prirent bientôt parti* avec quelques habitants du bourg qui jouaient à la boule ; et Ragotin, après avoir fait travailler à son pied, dormit le reste du jour, soit qu'il en eût envie ou qu'il fût bien aise de ne paraître pas en public, après les mauvaises affaires qui lui étaient arrivées. Le

corps de l'hôte fut porté à sa dernière demeure et l'hôtesse, nonobstant les belles pensées de la mort que lui
devait avoir données celle de son mari, ne laissa pas de
faire payer en Arabe [194] deux Anglais qui allaient de
Bretagne à Paris. Le soleil venait de se coucher quand Le
Destin et Léandre, qui ne pouvaient quitter la fenêtre de
leur chambre, virent arriver dans l'hôtellerie un carrosse à
quatre chevaux, suivi de trois hommes de cheval et de
quatre ou cinq laquais. Une servante les vint prier de
vouloir céder leur chambre au train* qui venait d'arriver;
et ainsi Ragotin fut obligé de se faire voir, quoiqu'il eût
envie de garder la chambre, et suivit Le Destin et Léandre
dans celle où le jour précédent il avait cru avoir vu mourir
La Rancune. Le Destin fut reconnu dans la cuisine de
l'hôtellerie par un des messieurs du carrosse, ce même
conseiller du parlement de Rennes avec qui il avait fait
connaissance pendant les noces qui furent si malheureu-
ses à la pauvre Caverne. Ce sénateur* breton demanda au
Destin des nouvelles d'Angélique et lui témoigna d'avoir
du déplaisir de ce qu'elle n'était point retrouvée. Il se
nommait La Garouffière [195], ce qui me fait croire qu'il
était plutôt Angevin que Breton, car on ne voit pas plus
de noms bretons commencer par *ker* que l'on en voit
d'angevins se terminer en *ière,* de normands en *ville,* de
picards en *cour* et des peuples voisins de la Garonne en
ac. Pour revenir à monsieur de La Garouffière, il avait de
l'esprit, comme je vous ai déjà dit, et ne se croyait point
homme de province en nulle manière, venant d'ordinaire,
hors de son semestre [196], manger quelque argent dans les
auberges de Paris et prenant le deuil quand la cour le
prenait; ce qui, bien vérifié et enregistré, devait être une
lettre, non pas de noblesse tout à fait, mais de non-bour-
geoisie, si j'ose ainsi parler. De plus, il était bel esprit par
la raison que tout le monde presque se pique d'être
sensible aux divertissements de l'esprit, tant ceux qui les
connaissent que les ignorants présomptueux ou brutaux
qui jugent témérairement des vers et de la prose, encore
qu'ils croient qu'il y a du déshonneur à bien écrire et
qu'ils reprocheraient, en cas de besoin, à un homme qu'il
fait des livres, comme ils lui reprocheraient qu'il ferait la

fausse monnaie. Les comédiens s'en trouvent bien. Ils en
sont caressés* davantage dans les villes où ils représentent, car, étant les perroquets ou sansonnets des poètes, et même quelques-uns d'entre eux qui sont nés avec
de l'esprit se mêlant quelquefois de faire des comédies,
ou de leur propre fonds, ou de parties empruntées, il y a
quelque sorte d'ambition à les connaître ou à les hanter.
De nos jours on a rendu en quelque façon justice à leur
profession et on les estime plus que l'on ne faisait autrefois. Aussi est-il vrai qu'en la comédie le peuple trouve
un divertissement des plus innocents et qui peut à la fois
instruire et plaire. Elle est aujourd'hui purgée, au moins à
Paris, de tout ce qu'elle avait de licencieux. Il serait à
souhaiter qu'elle le fût aussi des filous, des pages et des
laquais et autres ordures du genre humain que la facilité
de prendre des manteaux y attire encore plus que ne
faisaient autrefois les mauvaises plaisanteries des farceurs ; mais aujourd'hui la farce est comme abolie et j'ose
dire qu'il y a des compagnies particulières où l'on rit de
bon cœur des équivoques basses et sales qu'on y débite,
desquelles on se scandaliserait dans les premières loges
de l'hôtel de Bourgogne. Finissons la digression. Monsieur de La Garouffière fut ravi de trouver Le Destin dans
l'hôtellerie et lui fit promettre de souper avec la compagnie du carrosse, qui était composée du nouveau marié du
Mans et de la nouvelle mariée qu'il menait en son pays de
Laval, de madame sa mère, j'entends du marié, d'un
gentilhomme de la province, d'un avocat du conseil, et de
monsieur de La Garouffière, tous parents les uns des
autres et que Le Destin avait vus à la noce où mademoiselle Angélique avait été enlevée. Ajoutez, à tous ceux
que je viens de nommer, une servante ou femme de
chambre, et vous trouverez que le carrosse qui les portait
était bien plein ; outre que madame Bouvillon [197] (c'est
ainsi que s'appelait la mère du marié) était une des plus
grosses femmes de France, quoique des plus courtes ; et
l'on m'a assuré qu'elle portait d'ordinaire sur elle, bon an
mal an, trente quintaux de chair, sans les autres matières
pesantes ou solides qui entrent dans la composition d'un
corps humain. Après ce que je viens de vous dire, vous

n'aurez pas peine à croire qu'elle était très succulente,
comme sont toutes les femmes ragotes*. On servit à
souper. Le Destin y parut avec sa bonne mine qui ne le
quittait point et qui n'était point altérée alors par du linge
sale, Léandre lui en ayant prêté de blanc. Il parla peu,
selon sa coutume et quand il eût parlé autant que les
autres qui parlèrent beaucoup, il n'eût peut-être pas tant
dit de choses inutiles qu'ils en dirent. La Garouffière lui
servit de tout ce qu'il y avait de meilleur sur la table.
Madame Bouvillon en fit de même à l'envi de La Garouffière, avec si peu de discrétion que tous les plats de la
table se trouvèrent vides en un moment et l'assiette du
Destin si pleine d'ailes et de cuisses de poulets que je me
suis souvent étonné depuis comment on avait pu faire par
hasard une si haute pyramide de viande sur si peu de base
qu'est le cul d'une assiette. La Garouffière n'y prenait
pas garde, tant il était attentivement occupé à parler de
vers au Destin et à lui donner bonne opinion de son esprit.
Madame Bouvillon, qui avait aussi son dessein, continuait toujours ses bons offices au comédien et, ne trouvant plus de poulets à couper, fut réduite à lui servir des
tranches de gigot de mouton. Il ne savait où les mettre et
en tenait une en chacune de ses mains [198] pour leur
trouver place quelque part, quand le gentilhomme, qui ne
s'en voulut pas taire au préjudice de son appétit, demanda
au Destin, en souriant, s'il mangerait bien tout ce qui était
sur son assiette. Le Destin y jeta les yeux, et fut bien
étonné d'y voir, presque au niveau de son menton, la pile
de poulets dépecés dont La Garouffière et la Bouvillon
avaient érigés un trophée à son mérite. Il en rougit et ne
put s'empêcher d'en rire ; la Bouvillon en fut défaite* ; La
Garouffière en rit bien fort et donna si bien le branle à
toute la compagnie qu'elle en éclata à quatre ou cinq
reprises. Les valets reprirent où leurs maîtres avaient
quitté et rirent à leur tour ; ce que la jeune mariée trouva si
plaisant que, s'ébouffant de rire en commençant de boire,
elle couvrit le visage de sa belle-mère et celui de son mari
de la plus grande partie de ce qui était dans son verre et
distribua le reste sur la table et sur les habits de ceux qui y
étaient assis. On recommença à rire et la Bouvillon fut la

seule qui n'en rit point, mais qui rougit beaucoup et
regarda d'un œil courroucé sa pauvre bru, ce qui rabattit
un peu sa joie. Enfin on acheva de rire, parce que l'on ne
peut pas rire toujours. On s'essuya les yeux ; la Bouvillon
et son fils s'essuyèrent le vin qui leur dégouttait des yeux
et du visage et la jeune mariée leur en fit des excuses
ayant encore bien de la peine à s'empêcher de rire. Le
Destin mit son assiette au milieu de la table et chacun y
reprit ce qui lui appartenait. On ne put parler d'autre
chose tant que le souper dura ; et la raillerie, bonne ou
mauvaise, en fut poussée bien loin, quoique le sérieux
dont s'arma mal à propos madame Bouvillon troublât en
quelque façon la gaieté de la compagnie. Aussitôt qu'on
eut desservi, les dames se retirèrent dans leurs chambres ;
l'avocat et le gentilhomme se firent donner des cartes et
jouèrent au piquet. La Garouffière et Le Destin, qui
n'étaient pas de ceux qui ne savent que faire quand ils ne
jouent point, s'entretinrent ensemble fort spirituellement
et firent peut-être une des plus belles conversations qui se
soient jamais faites dans une hôtellerie du bas Maine. La
Garouffière parla à dessein de tout ce qu'il croyait devoir
être le plus caché à un comédien de qui l'esprit a ordinairement de plus étroites limites que la mémoire et Le
Destin en discourut comme un homme fort éclairé et qui
savait bien son monde. Entre autres choses, il fit, avec
tout le discernement imaginable, la distinction des femmes qui ont beaucoup d'esprit et qui ne le font paraître
que quand elles ont à s'en servir, d'avec celles qui ne s'en
servent que pour le faire paraître ; et de celles qui envient
aux mauvais plaisants leurs qualités de drôles * et de bons
compagnons, qui rient des allusions et équivoques licen-
cieuses, qui en font elles-mêmes et, pour tout dire, qui
sont des rieuses de quartier, d'avec celles qui font la plus
aimable partie du beau monde et qui sont de la bonne
cabale *. Il parla aussi des femmes qui savent aussi bien
écrire que les hommes qui s'en mêlent et, quand elles ne
donnent point au public les productions de leur esprit, qui
ne le font que par modestie. La Garouffière, qui était fort
honnête homme et qui se connaissait bien en honnêtes
gens, ne pouvait comprendre comment un comédien de

campagne pouvait avoir une si parfaite connaissance de la
véritable honnêteté. Cependant qu'il l'admire en soi-
même et que l'avocat et le gentilhomme, qui ne jouaient
plus parce qu'ils s'étaient querellés sur une carte tournée,
bâillent fréquemment de trop grande envie de dormir, on
leur vint dresser trois lits dans la chambre où ils avaient
soupé et Le Destin se retira dans celle de ses camarades,
où il coucha avec Léandre.

CHAPITRE IX

AUTRE DISGRÂCE DE RAGOTIN

La Rancune et Ragotin couchèrent ensemble. Pour
L'Olive, il passa une partie de la nuit à recoudre son habit
qui s'était décousu en plusieurs endroits quand il s'était
harpé * avec le colère Ragotin. Ceux qui ont connu particulièrement ce petit Manceau ont remarqué que toutes les
fois qu'il avait eu à se gourmer * contre quelqu'un, ce qui
lui arrivait souvent, il avait toujours décousu ou déchiré
les habits de son ennemi, en tout ou en partie. C'était son
coup sûr ; et qui eût eu affaire contre lui à coups de poing
en combat assigné, eût pu défendre son habit comme on
défend le visage en faisant des armes. La Rancune lui
demanda en se couchant s'il se trouvait mal parce qu'il
avait fort mauvais visage. Ragotin lui dit qu'il ne s'était
jamais mieux porté. Ils ne furent pas longtemps à s'endormir et bien en prit à Ragotin de ce que La Rancune
respecta la bonne compagnie qui était arrivée dans l'hôtellerie et n'en voulut pas troubler le repos, sans cela le
petit homme eût mal passé la nuit. L'Olive cependant
travaillait à son habit et, après y avoir fait tout ce qu'il y
avait à faire, il prit les habits de Ragotin et, aussi adroitement qu'aurait fait un tailleur, il en étrécit le pourpoint
et les chausses et les remit en leur place ; et, ayant passé la
plus grande partie de la nuit à coudre et à découdre, se
coucha dans le lit où dormaient Ragotin et La Rancune.

On se leva de bonne heure, comme on fait toujours dans les hôtelleries où le bruit commence avec le jour. La Rancune dit encore à Ragotin qu'il avait mauvais visage; L'Olive lui dit la même chose. Il commença de le croire et, trouvant en même temps son habit trop étroit de plus de quatre doigts, il ne douta plus qu'il n'eût enflé d'autant dans le peu de temps qu'il avait dormi et s'effraya fort d'une enflure si subite. La Rancune et L'Olive lui exagéraient toujours son mauvais visage et Le Destin et Léandre, qu'ils avaient avertis de la tromperie, lui dirent aussi qu'il était fort changé. Le pauvre Ragotin en avait la larme à l'œil; Le Destin ne put s'empêcher d'en sourire, dont il se fâcha bien fort. Il alla dans la cuisine de l'hôtellerie où tout le monde lui dit ce que lui avaient dit les comédiens, même les gens du carrosse, qui, ayant une grande traite* à faire, s'étaient levés de bonne heure. Ils firent déjeuner les comédiens avec eux et tout le monde but à la santé de Ragotin malade qui, au lieu de leur en faire civilité, s'en alla, grondant contre eux et fort désolé, chez le chirurgien* du bourg à qui il rendit compte de son enflure. Le chirurgien discourut de la cause et de l'effet de son mal, qu'il connaissait aussi peu que l'algèbre, et lui parla un quart d'heure durant en termes de son art, qui n'étaient non plus à propos au sujet que s'il eût parlé du prêtre Jean [199]. Ragotin s'en impatienta et lui demanda, jurant Dieu admirablement bien pour un petit homme, s'il n'avait autre chose à lui dire. Le chirurgien voulait encore raisonner; Ragotin le voulut battre et l'eût fait s'il ne se fût humilié devant ce colère malade à qui il tira trois palettes* de sang et lui ventousa les épaules vaille que vaille. La cure venait d'être achevée quand Léandre vint dire à Ragotin que, s'il lui voulait promettre de ne se fâcher point, il lui apprendrait une méchanceté qu'on lui avait faite. Il promit plus que Léandre ne voulut et jura sur sa damnation éternelle de tenir tout ce qu'il promettait. Léandre dit qu'il voulait avoir des témoins de son serment et le remena dans l'hôtellerie où, en présence de tout ce qu'il y avait de maîtres et de valets, il le fit jurer de nouveau et lui apprit qu'on lui avait étréci ses habits. Ragotin d'abord en rougit de honte; et puis, pâlissant de

colère, il allait enfreindre son horrible serment, quand
sept ou huit personnes se mirent à lui faire des remontran-
ces à la fois, avec tant de véhémence que, bien qu'il jurât
de toute sa force, on n'entendit rien. Il cessa de parler,
mais les autres ne cessèrent pas de lui crier aux oreilles et
le firent si longtemps que le pauvre homme en pensa
perdre l'ouïe. Enfin il s'en tira mieux qu'on ne pensait et
se mit à chanter de toutes sa force les premières chansons
qui lui vinrent à la bouche, ce qui changea le grand bruit
de voix confuses en de grands éclats de risées qui passè-
rent des maîtres aux valets et du lieu où se passa l'action
dans tous les endroits de l'hôtellerie, où différents sujets
attiraient différentes personnes. Tandis que le bruit de
tant de personnes, qui riaient ensemble, diminue peu à
peu et se perd dans l'air, de la façon à peu près que fait la
voix des échos, le chronologiste fidèle finira le présent
chapitre sous le bon plaisir du lecteur bénévole* ou
malévole, ou tel que le ciel l'aura fait naître.

CHAPITRE X

COMMENT MADAME BOUVILLON NE PUT RÉSISTER
A UNE TENTATION ET EUT UNE BOSSE AU FRONT

Le carrosse, qui avait à faire une grande journée*, fut
prêt de bonne heure. Les sept personnes qui l'emplis-
saient à bonne mesure s'y entassèrent. Il partit et, à dix
pas de l'hôtellerie, l'essieu se rompit par le milieu. Le
cocher en maudit sa vie ; on le gronda, comme s'il eût été
responsable de la durée d'un essieu. Il se fallut tirer du
carrosse un à un et reprendre le chemin de l'hôtellerie.
Les habitants du carrosse échoué furent fort embarrassés
quand on leur dit qu'en tout le pays il n'y avait point de
charron plus près que celui d'un gros bourg à trois lieues
de là. Ils tinrent conseil et ils ne résolurent rien, voyant
bien que leur carrosse ne serait pas en état de rouler que le
jour suivant. La Bouvillon, qui s'était conservé une

grande autorité sur son fils parce que tout le bien de la
maison venait d'elle, lui commanda de monter sur un des
chevaux qui portaient les valets de chambre et de faire
monter sa femme sur l'autre pour aller rendre visite à un
vieil oncle qu'elle avait, curé du même bourg où on était
allé chercher un charron. Le seigneur de ce bourg était
parent du conseiller et connu de l'avocat et du gentilhomme. Il leur prit envie de l'aller voir de compagnie.
L'hôtesse leur fit trouver des montures en les louant un
peu cher et ainsi la Bouvillon, seule de sa troupe, demeura dans l'hôtellerie, se trouvant un peu fatiguée ou
feignant de l'être, outre que sa taille ronde ne lui permettait pas de monter même sur un âne, quand on en aurait
pu trouver d'assez fort pour la porter. Elle envoya sa
servante au Destin le prier de venir dîner* avec elle et, en
attendant le dîner, se recoiffa, frisa et poudra, se mit un
tablier et un peignoir à dentelle et, d'un collet* de point
de Gênes de son fils, se fit une cornette*. Elle tira d'une
cassette une des jupes de noces de sa bru et s'en para,
enfin elle se transforma en une petite nymphe replète. Le
Destin eût bien voulu dîner en liberté avec ses camarades,
mais comment eût-il refusé sa très humble servante madame Bouvillon, qui l'envoya quérir pour dîner aussitôt
que l'on eut servi? Le Destin fut surpris de la voir si
gaillardemment vêtue. Elle le reçut d'un visage riant, lui
prit les mains pour le faire laver et les lui serra d'une
manière qui voulait dire quelque chose. Il songeait moins
à dîner qu'au sujet pourquoi il en avait été prié, mais la
Bouvillon lui reprocha si souvent qu'il ne mangeait point
qu'il ne s'en put défendre. Il ne savait que lui dire, outre
qu'il parlait peu de son naturel. Pour la Bouvillon, elle
n'était que trop ingénieuse à se trouver matière de parler.
Quand une personne qui parle beaucoup se rencontre tête
à tête avec une autre qui ne parle guère et qui ne lui
répond pas, elle en parle davantage; car, jugeant d'autrui
par soi-même et voyant qu'on n'a point reparti à ce
qu'elle a avancé, comme elle aurait fait en pareille occasion, elle croit que ce qu'elle a dit n'a point assez plu à
son indifférent auditeur; elle veut réparer sa faute par ce
qu'elle dira, qui vaut le plus souvent encore moins que ce

qu'elle a déjà dit, et ne déparle * point tant qu'on a de
l'attention pour elle. On s'en peut séparer ; mais, parce
qu'il se trouve de ces infatigables parleurs qui continuent
de parler seuls quand ils s'en sont mis en humeur en
compagnie, je crois que le mieux que l'on puisse faire
avec eux, c'est de parler autant et plus qu'eux, s'il se
peut ; car tout le monde ensemble ne retiendra pas un
grand parleur auprès d'un autre qui lui aura rompu le
dé ²⁰⁰ et le voudra faire auditeur par force. J'appuie cette
réflexion-là sur plusieurs expériences et même je ne sais
si je ne suis point de ceux que je blâme. Pour la nonpa-
reille Bouvillon, elle était la plus grande diseuse de riens
qui ait jamais été et non seulement elle parlait seule, mais
aussi elle se répondait. La taciturnité du Destin lui faisant
beau jeu et ayant dessein de lui plaire, elle battit un grand
pays ²⁰¹. Elle lui conta tout ce qui se passait dans la ville
de Laval où elle faisait sa demeure, lui en fit l'histoire
scandaleuse et ne déchira point de particulier ou de famille entière qu'elle ne tirât du mal qu'elle en disait
matière de dire du bien d'elle ; protestant, à chaque défaut
qu'elle remarquait en son prochain, que, pour elle, encore qu'elle eût plusieurs défauts, elle n'avait pas celui-là
dont elle parlait. Le Destin en fut fort mortifié au commencement et ne lui répondait point ; mais enfin il se crut
obligé de sourire de temps en temps et de dire quelquefois
ou « Cela est fort plaisant » ou « Cela est fort étrange », et
le plus souvent il dit l'un et l'autre fort mal à propos. On
desservit quand Le Destin cessa de manger, madame
Bouvillon le fit asseoir auprès d'elle sur le pied d'un lit et
sa servante, qui laissa sortir celles de l'hôtellerie les
premières, en sortant de la chambre tira la porte après
elle. La Bouvillon, qui crut peut-être que Le Destin y
avait pris garde, lui dit : « Voyez un peu cette étourdie qui
a fermé la porte sur nous ! — Je l'irai ouvrir, s'il vous
plaît, lui répondit Le Destin. — Je ne dis pas cela, répondit la Bouvillon en l'arrêtant, mais vous savez bien que
deux personnes seules enfermées ensemble, comme ils
peuvent faire ce qu'il leur plaira, on en peut aussi croire
ce que l'on voudra. — Ce n'est pas des personnes qui
vous ressemblent que l'on fait des jugements téméraires,

lui repartit Le Destin. — Je ne dis pas cela, dit la Bouvillon, mais on ne peut avoir trop de précaution contre la
médisance. — Il faut qu'elle ait quelque fondement, lui
repartit Le Destin ; et pour ce qui est de vous et de moi,
l'on sait bien le peu de proportion qu'il y a entre un
pauvre comédien et une femme de votre condition. Vous
plaît-il donc, continua-t-il, que j'aille ouvrir la porte ?
— Je ne dis pas cela, dit la Bouvillon en l'allant fermer
au verrou ; car, ajouta-t-elle, peut-être qu'on ne prendra
pas garde si elle est fermée ou non ; et, fermée pour
fermée, il vaut mieux qu'elle ne se puisse ouvrir que de
notre consentement. » L'ayant fait comme elle l'avait dit,
elle approcha du Destin son gros visage fort enflammé et
ses petits yeux fort étincelants, et lui donna bien à penser
de quelle façon il se tirerait à son honneur de la bataille
que vraisemblablement elle lui allait présenter. La grosse
sensuelle ôta son mouchoir de col et étala aux yeux du
Destin, qui n'y prenait pas grand plaisir, dix livres de
tétons pour le moins, c'est-à-dire la troisième partie de
son sein, le reste étant distribué à poids égal sous ses deux
aisselles. Sa mauvaise intention la faisant rougir (car elles
rougissent aussi, les dévergondées), sa gorge n'avait pas
moins de rouge que son visage et l'un et l'autre ensemble
auraient été pris de loin pour un tapabor * d'écarlate. Le
Destin rougissait aussi, mais de pudeur, au lieu que la
Bouvillon, qui n'en avait plus, rougissait je vous laisse à
penser de quoi. Elle s'écria qu'elle avait quelque petite
bête dans le dos et, se remuant en son harnais [202] comme
quand on y sent quelque démangeaison, elle pria Le
Destin d'y fourrer la main. Le pauvre garçon le fit en
tremblant et cependant* la Bouvillon, lui tâtant les flancs
au défaut * du pourpoint, lui demanda s'il n'était point
chatouilleux. Il fallait combattre ou se rendre, quand
Ragotin se fit ouïr de l'autre côté de la porte, frappant des
pieds et des mains comme s'il l'eût voulu rompre et criant
au Destin qu'il ouvrît promptement. Le Destin tira sa
main du dos suant de la Bouvillon pour aller ouvrir à
Ragotin qui faisait toujours un bruit de diable et, voulant
passer entre elle et la table assez adroitement pour ne pas
la toucher, il rencontra du pied quelque chose qui le fit

broncher * et se choqua la tête contre un banc, assez
rudement pour en être quelque temps étourdi. La Bouvillon cependant, ayant repris son mouchoir à la hâte, alla
ouvrir à l'impétueux Ragotin qui, en même temps, pous-
sant la porte de l'autre côté de toute sa force, la fit donner
si rudement contre le visage de la pauvre dame qu'elle en
eut le nez écaché * et de plus une bosse au front grosse
comme le poing. Elle cria qu'elle était morte. Le petit
étourdi ne lui en fit pas la moindre excuse et, sautant et
répétant : « Mademoiselle Angélique est trouvée ! mademoiselle Angélique est ici ! », pensa mettre en colère Le
Destin, qui appelait tant qu'il pouvait la servante de la
Bouvillon au secours de sa maîtresse et n'en pouvait être
entendu à cause du bruit de Ragotin. Cette servante enfin
apporta de l'eau et une serviette blanche. Le Destin et elle
réparèrent le mieux qu'ils purent le dommage que la porte
trop rudement poussée avait fait à la pauvre dame. Quelque impatience qu'eût Le Destin de savoir si Ragotin
disait vrai, il ne suivit point son impétuosité et ne quitta
point la Bouvillon que son visage ne fût lavé et essuyé et
la bosse de son front bandée, non sans appeler souvent
Ragotin étourdi, qui, pour tout cela, ne laissa pas de le
tirailler pour le faire venir où il avait envie de le conduire.

CHAPITRE XI

DES MOINS DIVERTISSANTS
DU PRÉSENT VOLUME

Il était vrai que mademoiselle Angélique venait d'arriver, conduite par le valet de Léandre. Ce valet eut assez
d'esprit pour ne donner point à connaître que Léandre fût
son maître et mademoiselle Angélique fit l'étonnée de le
voir si bien vêtu et fit par adresse ce que La Rancune et
L'Olive avaient fait tout de bon. Léandre demandait à
mademoiselle [Angélique] [203] et à son valet, qu'il faisait
passer pour un de ses amis, où et comment il l'avait

trouvée, lorsque Ragotin entra, menant Le Destin comme
en triomphe, ou plutôt le traînant après soi parce qu'il
n'allait pas assez vite au gré de son esprit chaud. Le
Destin et Angélique s'embrassèrent * avec de grands témoignages d'amitié et avec cette tendresse que ressentent
les personnes qui s'aiment quand, après une longue absence, ou quand, n'espérant plus de se revoir, elles se
trouvent ensemble par une rencontre inopinée. Léandre et
elle ne se caressèrent * que de leurs yeux, qui se dirent
bien des choses si peu qu'ils se regardèrent, remettant le
reste à la première entrevue particulière. Cependant le
valet de Léandre commença sa narration et dit à son
maître, comme s'il eût parlé à son ami, qu'après qu'il
l'eut quitté pour suivre les ravisseurs d'Angélique,
comme il l'en avait prié, il ne les avait perdus de vue qu'à
la couchée * et le lendemain jusqu'à un bois, à l'entrée
duquel il avait été bien étonné d'y trouver mademoiselle
Angélique seule, à pied et fort éplorée. Et il ajouta que,
lui ayant dit qu'il était ami de Léandre et que c'était à sa
prière qu'il la suivait, elle s'était fort consolée et l'avait
conjuré de la conduire au Mans ou de la mener auprès de
Léandre s'il savait où le trouver. «C'est, continua-t-il, à
mademoiselle à vous dire pourquoi ceux qui l'enlevaient
l'ont ainsi abandonnée, car je ne lui en ai osé parler, la
voyant si affligée pendant le chemin que nous avons fait
ensemble que j'ai eu souvent peur que ses sanglots ne la
suffoquassent.» Les moins curieux de la compagnie eurent grande impatience d'apprendre de mademoiselle Angélique une aventure qui leur semblait si étrange, car que
pouvait-on se figurer d'une fille enlevée avec tant de
violence et rendue ou bien abandonnée si facilement et
sans que les ravisseurs y fussent forcés? Mademoiselle
Angélique pria qu'on fît en sorte qu'elle se pût coucher
mais, l'hôtellerie se trouvant pleine, le bon curé lui fit
donner une chambre chez sa sœur qui logeait dans la
maison voisine et qui était veuve d'un des plus riches
fermiers du pays. Angélique n'avait pas si grand besoin
de dormir que de se reposer; c'est pourquoi Le Destin et
Léandre l'allèrent trouver aussitôt qu'ils surent qu'elle
était dans son lit. Encore qu'elle fût bien aise que Le

Destin fût confident de son amour, elle ne le pouvait regarder sans rougir. Le Destin eût pitié de sa confusion; et, pour l'occuper à autre chose qu'à se défaire *, la pria de leur conter ce que le valet de Léandre ne leur avait pu dire, ce qu'elle fit en cette sorte: « Vous vous pouvez bien figurer quelle fut la surprise de ma mère et de moi, lorsque, nous promenant dans le parc de la maison où nous étions, nous en vîmes ouvrir une petite porte qui donnait dans la campagne et entrer par là cinq ou six hommes qui se saisirent de moi sans presque regarder ma mère et m'emportèrent demi-morte de frayeur jusqu'auprès de leurs chevaux. Ma mère, que vous savez être une des plus résolues femmes du monde, se jeta toute furieuse sur le premier qu'elle trouva et le mit en si pitoyable état que, ne pouvant se tirer de ses mains, il fut contraint d'appeler ses compagnons à son aide. Celui qui le secourut et qui fut assez lâche pour battre ma mère, comme je l'en ouïs vanter par le chemin, était l'auteur de l'entreprise. Il ne s'approcha point de moi tant que la nuit dura, pendant laquelle nous marchâmes comme des gens qui fuient et que l'on suit. Si nous eussions passé par des lieux habités, mes cris étaient capables de les faire arrêter; mais ils se détournèrent autant qu'ils purent de tous les villages qu'ils trouvèrent, à la réserve d'un hameau dont je réveillai tous les habitants par mes cris. Le jour vint; mon ravisseur s'approcha de moi et ne m'eut pas sitôt regardée au visage que, faisant un grand cri, il assembla ses compagnons et tint avec eux un conseil qui dura, à mon avis, près d'une demi-heure. Mon ravisseur me paraissait aussi enragé que j'étais affligée. Il jurait à faire peur à tous ceux qui l'entendaient et querella presque tous ses camarades. Enfin leur conseil tumultueux finit et je ne sais ce qu'on y avait résolu. On se remit à marcher et je commençai à n'être plus traitée si respectueusement que je l'avais été. Ils me querellaient toutes les fois qu'ils m'entendaient plaindre et faisaient des imprécations contre moi, comme si je leur eusse fait bien du mal. Ils m'avaient enlevée, comme vous avez vu, avec un habit de théâtre et, pour le cacher, ils m'avaient couverte d'une de leurs casaques *. Ils trouvèrent un

homme sur le chemin, de qui ils s'informèrent de quelque
chose. Je fus bien étonnée de voir que c'était Léandre et
je crois qu'il fut bien surpris de me reconnaître ; ce qu'il
fit aussitôt que mon habit, que je découvris exprès et qui
lui était fort connu, lui frappa la vue en même temps qu'il
me vit au visage. Il vous aura dit ce qu'il fit. Pour moi,
voyant tant d'épées tirées sur Léandre, je m'évanouis
entre les mains de celui qui me tenait embrassée * sur son
cheval et, quand je revins de mon évanouissement, je vis
que nous marchions et ne vis plus Léandre. Mes cris en
redoublèrent et mes ravisseurs, dont il y en avait un de
blessé, prirent leur chemin à travers les champs et s'arrêtèrent hier dans un village où ils couchèrent comme des
gens de guerre. Ce matin, à l'entrée d'un bois, ils ont
rencontré un homme qui conduisait une demoiselle à
cheval. Ils l'ont démasquée, l'ont reconnue et, avec toute
la joie que font paraître ceux qui trouvent ce qu'ils cherchent, l'ont emmenée après avoir donné quelques coups à
celui qui la conduisait. Cette demoiselle faisait des cris
autant que j'en avais fait et il me semblait que sa voix ne
m'était pas inconnue. Nous n'avions pas avancé cinquante pas dans le bois que celui que je vous ai dit
paraître le maître des autres s'approcha de l'homme qui
me tenait et lui dit, parlant de moi : « Fais mettre pied à
terre à cette crieuse. » Il fut obéi ; ils me laissèrent, se
dérobèrent à ma vue et je me trouvai seule et à pied.
L'effroi que j'eus de me voir seule eût été capable de me
faire mourir si monsieur, qui m'a conduite ici et qui nous
suivait de loin, comme il vous a dit, ne m'eût trouvée.
Vous savez tout le reste. Mais, continua-t-elle, adressant
la parole au Destin, je crois vous devoir dire que la
demoiselle qu'ils m'ont ainsi préférée ressemble à votre
sœur, ma compagne, a même son de voix, et que je ne
sais qu'en croire ; car l'homme qui était avec elle ressemble au valet que vous avez pris depuis que Léandre vous a
quitté et je ne puis m'ôter de l'esprit que ce ne soit
lui-même. — Que me dites-vous là ? dit alors Le Destin
fort inquiet. — Ce que je pense, lui répondit Angélique.
On peut, continua-t-elle, se tromper à la ressemblance
des personnes, mais j'ai grand-peur de ne m'être pas

trompée. — J'en ai grand-peur aussi, repartit Le Destin, le visage tout changé et je crois avoir un ennemi dans la province, de qui je dois tout craindre. Mais qui aurait mis à l'entrée de ce bois ma sœur que Ragotin quitta hier au Mans ? Je vais prier quelqu'un de mes camarades d'y aller en diligence et je l'attendrai ici pour déterminer ce que j'aurai à faire selon les nouvelles qu'il m'apprendra. » Comme il achevait ces paroles, il s'ouït appeler dans la rue ; il regarda par la fenêtre et vit M. de La Garouffière qui était revenu de sa visite et qui lui dit qu'il avait une importante affaire à lui communiquer. Il l'alla trouver et laissa Léandre et Angélique ensemble, qui eurent ainsi la liberté de se caresser * après une fâcheuse absence et de se faire part des sentiments qu'ils avaient eus l'un pour l'autre. Je crois qu'il y eût eu bien du plaisir à les entendre, mais il vaut mieux pour eux que leur entrevue ait été secrète. Cependant Le Destin demandait à La Garouffière ce qu'il désirait de lui. « Connaissez-vous un gentilhomme nommé Verville et est-il de vos amis ? lui dit La Garouffière. — C'est la personne du monde à qui je suis le plus obligé et que j'honore le plus et je crois n'en être pas haï, dit Le Destin. — Je le crois, repartit La Garouffière ; je l'ai vu aujourd'hui chez le gentilhomme que j'étais allé voir. En dînant on a parlé de vous, et Verville depuis n'a pu parler d'autre chose ; il m'a fait cent questions sur vous dont je ne l'ai pu satisfaire et, sans la parole que je lui ai donnée que je vous enverrais le trouver (ce qu'il ne doute point que vous ne fassiez), il serait venu ici, quoiqu'il ait des affaires où il est ». Le Destin le remercia des bonnes nouvelles qu'il lui apprenait et, s'étant informé du lieu où il trouverait Verville, se résolut d'y aller, espérant d'apprendre de lui des nouvelles de son ennemi Saldagne, qu'il ne doutait point être l'auteur de l'enlèvement d'Angélique et qu'il n'eût aussi entre ses mains sa chère L'Étoile, s'il était vrai que ce fût elle qu'Angélique pensait avoir reconnue. Il pria ses camarades de retourner au Mans réjouir La Caverne des nouvelles de sa fille retrouvée et leur fit promettre de lui renvoyer un homme exprès ou que quelqu'un d'eux reviendrait lui-même lui dire en quel état serait mademoi-

selle de L'Étoile. Il s'informa de La Garouffière du chemin qu'il devait prendre et du nom du bourg où il devait
trouver Verville. Il fit promettre au curé que sa sœur
aurait soin d'Angélique jusqu'à tant qu'on la vînt quérir
du Mans, prit le cheval de Léandre et arriva devers le soir
dans le bourg qu'il cherchait. Il ne jugea pas à propos
d'aller chercher lui-même Verville, de peur que Saldagne, qu'il croyait dans le pays, ne se rencontrât avec lui
quand il l'aborderait. Il descendit donc dans une méchante hôtellerie, d'où il envoya un petit garçon dire à
monsieur de Verville que le gentilhomme qu'il avait
souhaité de voir le demandait. Verville le vint trouver, se
jeta à son col et le tint longtemps embrassé sans lui
pouvoir parler, de trop de tendresse. Laissons-les s'entre-
caresser comme deux personnes qui s'aiment beaucoup et
qui se rencontrent après avoir cru qu'elles ne se verraient
jamais, et passons au suivant chapitre.

CHAPITRE XII

QUI DIVERTIRA PEUT-ÊTRE AUSSI PEU QUE LE PRÉCÉDENT

Verville et Le Destin se rendirent compte de tout ce
qu'ils ignoraient des affaires de l'un et de l'autre. Verville lui dit des merveilles * de la brutalité * de son frère
Saint-Far et de la vertu de sa femme à la souffrir. Il
exagéra * la félicité dont il jouissait en possédant la
sienne et lui apprit des nouvelles du baron d'Arques et de
monsieur de Saint-Sauveur. Le Destin lui conta toutes ses
aventures, sans lui rien cacher et Verville lui avoua que
Saldagne était dans le pays, toujours un fort malhonnête
homme et fort dangereux, et lui promit, si mademoiselle
de L'Étoile était entre ses mains, de faire tout son possible pour le découvrir et de servir Le Destin, et de sa
personne, et de tous ses amis, en tout ce qu'il en aurait à
faire pour la délivrer. « Il n'a point d'autre retraite dans le
pays, lui dit Verville, que chez mon père et chez je ne sais

quel gentilhomme qui ne vaut pas mieux que lui et qui
n'est pas maître en sa maison, étant cadet des cadets. Il
faut qu'il nous revienne voir, s'il demeure dans la province ; mon père et nous le souffrons à cause de l'al-
liance ; Saint-Far ne l'aime plus, quelque rapport qu'il y
ait entre eux. Je suis donc d'avis que vous veniez demain
avec moi ; je sais où je vous mettrai, vous n'y serez vu
que de ceux que vous voudrez voir, et cependant je ferai
observer Saldagne et on l'éclairera * de si près qu'il ne
fera rien que nous ne sachions. » Le Destin trouva beaucoup de raison dans le conseil que lui donnait son ami et
résolut de le suivre. Verville retourna souper avec le
seigneur du bourg, vieil homme, son parent, et dont il
pensait hériter ; et Le Destin mangea ce qu'il trouva dans
son hôtellerie et se coucha de bonne heure pour ne faire
pas attendre Verville, qui faisait état * de partir de grand
matin pour retourner chez son père. Ils partirent à l'heure
arrêtée et, durant trois lieues qu'ils firent ensemble,
s'entr'apprirent plusieurs particularités qu'ils n'avaient
pas eu le temps de se dire. Verville mit Le Destin chez un
valet qu'il avait marié dans le bourg et qui avait une petite
maison fort commode, à cinq cents pas du château du
baron d'Arques. Il donna ordre qu'il y fût secrètement et
lui promit de le revenir trouver bientôt. Il n'y avait pas
plus de deux heures que Verville l'avait quitté quand il le
vint retrouver et lui dit, en l'abordant, qu'il avait bien des
choses à lui dire. Le Destin pâlit et s'affligea par avance
et Verville par avance lui fit espérer un remède au malheur qu'il lui allait apprendre. « En mettant pied à terre,
lui dit-il, j'ai trouvé Saldagne que l'on portait à quatre
dans une chambre basse ; son cheval s'est abattu sur lui à
une lieue d'ici et l'a tout brisé. Il m'a dit qu'il avait à me
parler et m'a prié de le venir trouver dans sa chambre
aussitôt qu'un chirurgien*, qui était présent, aurait vu sa
jambe qui était fort foulée de sa chute. Lorsque nous
avons été seuls : « Il faut, m'a-t-il dit, que je vous révèle
toujours mes fautes, encore que vous soyez le moins
indulgent de mes censeurs et que votre sagesse fasse
toujours peur à ma folie. » Ensuite de cela, il m'a avoué
qu'il avait enlevé une comédienne dont il avait été toute

sa vie amoureux et qu'il me conterait des particularités de
cet enlèvement qui me surprendraient. Il m'a dit que ce
gentilhomme que je vous ai dit être de ses amis, ne lui
avait pu trouver de retraite en toute la province et avait été
obligé de le quitter et d'emmener avec lui les hommes
qu'il lui avait fournis pour le servir dans son entreprise, à
cause qu'un de ses frères, qui se mêlait de faire des
convois de faux sel, était guetté par les archers des ga-
belles et avait besoin de ses amis pour se mettre à couvert. «Tellement, m'a-t-il dit, que n'osant paraître dans
la moindre ville, à cause que mon affaire a fait grand
bruit, je suis venu ici avec ma proie. J'ai prié ma sœur,
votre femme, de la retirer dans son appartement, loin de
la vue du baron d'Arques, dont je redoute la sévérité; et
je vous conjure, puisque je ne la puis garder céans et que
je n'ai que deux valets les plus sots du monde, de me
prêter le vôtre pour la conduire avec les miens jusqu'en la
terre que j'ai en Bretagne où je me ferai porter aussitôt
que je pourrai monter à cheval.» Il m'a demandé si je ne
lui pourrais donner quelques hommes outre mon valet,
car, tout étourdi qu'il est, il voit bien qu'il est bien
difficile à trois hommes de mener loin une fille enlevée
sans son consentement. Pour moi, je lui ai fait la chose
fort aisée, ce qu'il a cru bientôt comme les fous espèrent
facilement. Ses valets ne vous connaissent point; le mien
est fort habile et m'est fort fidèle. Je lui ferai dire à
Saldagne qu'il aura avec lui un homme de résolution de
ses amis: ce sera vous; votre maîtresse en sera avertie;
et, cette nuit qu'ils feront état * de faire grande traite * à
la clarté de la lune, elle se feindra malade au premier
village; il faudra s'arrêter. Mon valet tâchera d'enivrer
les hommes de Saldagne, ce qui est fort aisé; il vous
facilitera les moyens de vous sauver avec la damoiselle
et, faisant accroire aux deux ivrognes que vous êtes déjà
allé après, il les mènera par un chemin contraire au
vôtre.» Le Destin trouva beaucoup de vraisemblance en
ce que lui proposa Verville, dont le valet, qu'il avait
envoyé quérir, entra à l'heure même dans la chambre. Ils
concertèrent ensemble ce qu'ils avaient à faire. Verville
fut enfermé le reste du jour avec Le Destin, ayant peine à

le quitter après une si longue absence qui, possible *,
devait être bientôt suivie d'une autre plus longue encore.
Il est vrai que Le Destin espéra de voir Verville à Bourbon [204] où il devait aller et où Le Destin lui promit de
faire aller sa troupe. La nuit vint ; Le Destin se trouva en
lieu assigné avec le valet de Verville ; les deux valets de
Saldagne n'y manquèrent pas et Verville lui-même leur
mit entre les mains mademoiselle de L'Étoile. Figurez-
vous la joie des deux jeunes amants qui s'aimaient autant
qu'on se peut aimer et la violence qu'ils se firent à ne se
parler point. A demi-lieue de là, L'Étoile commença de
se plaindre ; on l'exhorta d'avoir courage jusqu'à un
bourg distant de deux lieues, où l'on lui fit espérer qu'elle
se reposerait. Elle feignit que son mal augmentait toujours ; le valet de Verville et Le Destin en faisaient fort les
empêchés * pour préparer les valets de Saldagne à ne
trouver pas étrange que l'on s'arrêtât si près du lieu d'où
ils étaient partis. Enfin on arriva dans le bourg et on
demanda à loger dans l'hôtellerie qui, heureusement, se
trouva pleine d'hôtes et de buveurs. Mademoiselle de
L'Étoile fit encore mieux la malade à la chandelle qu'elle
ne l'avait fait dans l'obscurité ; elle se coucha toute habillée et pria qu'on la laissât reposer seulement une heure
et dit qu'après cela elle croyait pouvoir monter à cheval.
Les valets de Saldagne, de francs ivrognes, laissèrent tout
faire au valet de Verville, qui était chargé des ordres de
leur maître, et s'attachèrent bientôt à quatre ou cinq
paysans, ivrognes aussi grands qu'eux. Les uns et les
autres se mirent à boire sans songer à tout le reste du
monde. Le valet de Verville de temps en temps buvait un
coup avec eux pour les mettre en train et, sous prétexte
d'aller voir comment se portait la malade, pour partir le
plus tôt qu'elle le pourrait, il l'alla faire remonter à
cheval, et Le Destin aussi qu'il informa du chemin qu'il
devait prendre. Il retourna à ses buveurs, leur dit qu'il
avait trouvé leur demoiselle endormie et que c'était signe
qu'elle serait bientôt en état de monter à cheval. Il leur dit
aussi que Le Destin s'était jeté sur un lit ; et puis se mit à
boire et à porter des santés aux deux valets de Saldagne
qui avaient déjà la leur fort endommagée. Ils burent avec

excès, s'enivrèrent de même et ne purent jamais se lever
de table. On les porta dans une grange, car ils eussent
gâté * les lits où on les eût couchés. Le valet de Verville
fit l'ivrogne et, ayant dormi jusqu'au jour, éveilla brusquement les valets de Saldagne, leur disant, d'un visage
fort affligé, que leur demoiselle s'était sauvée, qu'il avait
fait partir après son camarade et qu'il fallait monter à
cheval et se séparer pour ne la manquer pas. Il fut plus
d'une heure à leur faire comprendre ce qu'il leur disait et
je crois que leur ivresse dura plus de huit jours. Comme
toute l'hôtellerie s'était enivrée cette nuit-là, jusqu'à
l'hôtesse et aux servantes, on ne songea seulement pas à
s'informer ce qu'étaient devenus Le Destin et sa demoiselle, et même je crois que l'on ne se souvint non plus
d'eux que si on ne les eût jamais vus. Cependant que tant
de gens cuvent leur vin, que le valet de Verville fait
l'inquiété et presse les valets de Saldagne de partir et que
ces deux ivrognes ne s'en hâtent pas davantage, Le Destin gagne pays * avec sa chère mademoiselle de L'Étoile,
ravi de joie de l'avoir retrouvée et ne doutant point que le
valet de Verville n'eût fait prendre à ceux de Saldagne un
chemin contraire au sien. La lune était alors fort claire et
ils étaient dans un grand chemin aisé à suivre et qui les
conduisait en un village où nous les allons faire arriver
dans le suivant chapitre.

CHAPITRE XIII

MÉCHANTE ACTION
DU SIEUR DE LA RAPPINIÈRE

Le Destin avait grande impatience de savoir de sa chère
L'Étoile par quelle aventure elle s'était trouvée dans le
bois où Saldagne l'avait prise ; mais il avait encore plus
grand-peur d'être suivi. Il ne songea donc qu'à piquer sa
bête, qui n'était pas fort bonne, et à presser de la voix et
d'une houssine * qu'il rompit à un arbre le cheval de

L'Étoile, qui était une puissante haquenée*. Enfin les deux jeunes amants se rassurèrent et s'étant dit quelques douces tendresses (car il y avait lieu d'en dire après ce qui venait d'arriver, et pour moi, je n'en doute point, quoique je n'en sache rien de particulier); après donc s'être bien attendri le cœur l'un à l'autre, L'Étoile fit savoir au Destin tous les bons offices qu'elle avait rendus à La Caverne. «Et je crains bien, lui dit-elle, que son afflic-tion ne la fasse malade, car je n'en vis jamais une pa-reille. Pour moi, mon cher frère, vous pouvez bien penser que j'eus autant besoin de consolation qu'elle, depuis que votre valet, m'ayant amené un cheval de votre part, m'apprit que vous aviez trouvé les ravisseurs d'Angéli-que et que vous en aviez été fort blessé. — Moi, blessé! l'interrompit Le Destin, je ne l'ai point été, ni en danger de l'être et je ne vous ai point envoyé de cheval; il y a quelque mystère ici que je ne comprends point. Je me suis aussi tantôt étonné de ce que vous m'avez si souvent demandé comment je me portais et si je n'étais point incommodé d'aller si vite. — Vous me réjouissez et m'affligez tout ensemble, lui dit l'Étoile; vos blessures m'avaient donné une terrible inquiétude et ce que vous me venez de dire me fait croire que votre valet a été gagné par nos ennemis pour quelque mauvais dessein qu'on a contre nous. — Il a plutôt été gagné par quelqu'un qui est trop de nos amis, lui dit Le Destin. Je n'ai point d'ennemi que Saldagne, mais ce ne peut être lui qui a fait agir mon traître de valet puisque je sais qu'il l'a battu quand il vous a trouvée. — Et comment le savez-vous? lui demanda L'Étoile, car je ne me souviens pas de vous en avoir rien dit. — Vous le saurez aussitôt que vous m'aurez appris de quelle façon on vous a tirée du Mans. — Je ne vous en puis apprendre autre chose que ce que je vous viens de dire, reprit L'Étoile. Le jour d'après que nous fûmes revenues au Mans, La Caverne et moi, votre valet m'amena un cheval de votre part et me dit, faisant fort l'affligé, que vous aviez été blessé par les ravisseurs d'Angélique et que vous me priiez de vous aller trouver. Je montai à cheval dès l'heure même, encore qu'il fût bien tard; je couchai à cinq lieues du Mans, en un lieu dont je ne sais pas le nom, et le lendemain, à l'entrée d'un bois, je me trouvai arrêtée par des personnes que je ne connaissais point. Je vis battre votre valet et j'en fus fort touchée. Je vis jeter fort rudement une femme de dessus un cheval et je reconnus que c'était ma compagne ; mais le pitoyable état où je me trouvais et l'inquiétude que j'avais pour vous m'empêchèrent de songer davantage en elle. On me mit en sa place et on marcha jusqu'au soir, après avoir fait beaucoup de chemin, le plus souvent au travers des champs. Nous arrivâmes bien avant dans la nuit auprès d'une gentilhommière* où je remarquai qu'on ne nous voulut pas recevoir. Ce fut là que je reconnus Saldagne et sa vue acheva de me désespérer. Nous marchâmes encore longtemps et enfin on me fit entrer comme en cachette dans la maison d'où vous m'avez heureusement tirée. » L'Étoile achevait la relation de ses aventures quand le jour commença de paraître. Ils se trouvèrent alors dans le grand chemin du Mans et pressèrent leurs bêtes plus fort qu'ils n'avaient fait encore pour gagner un bourg qu'ils voyaient devant eux. Le Destin souhaitait ardemment d'attraper son valet pour découvrir de quel ennemi, outre le méchant Saldagne, ils avaient à se garder dans le pays ; mais il n'y avait pas grande apparence qu'après le méchant tour qu'il lui avait fait, il se remît en lieu où il le pût trouver. Il apprenait à sa chère L'Étoile tout ce qu'il savait de sa compagne Angélique, quand un homme, étendu de son long auprès d'une haie, fit si grand-peur à leurs chevaux que celui du Destin se déroba presque de dessous lui et celui de mademoiselle de L'Étoile la jeta par terre. Le Destin, effrayé de sa chute, l'alla relever aussi vite que le lui put permettre son cheval, qui reculait toujours, ronflant, soufflant et bronchant* comme un cheval effarouché qu'il était. La demoiselle n'était point blessée ; les chevaux se rassurèrent, et Le Destin alla voir si l'homme gisant était mort ou endormi. On peut dire qu'il était l'un et l'autre puisqu'il était si ivre qu'encore qu'il ronflât bien fort (marque assurée qu'il était en vie), Le Destin eut bien de la peine à l'éveiller. Enfin, à force d'être tiraillé, il ouvrit les yeux et se découvrit au Destin pour être son même valet qu'il avait si grande envie de trouver. Le coquin, tout ivre qu'il était, reconnut bientôt son maître et se troubla si fort en le voyant que Le Destin ne douta plus de la trahison qu'il lui avait faite, dont il ne l'avait encore que soupçonné. Il lui demanda pourquoi il avait dit à mademoiselle de L'Étoile qu'il était blessé, pourquoi il l'avait fait sortir du Mans, où il l'avait voulu mener, qui lui avait donné un cheval; mais il n'en put tirer la moindre parole, soit qu'il fût trop ivre ou qu'il le contrefît plus qu'il ne l'était. Le Destin se mit en colère, lui donna quelques coups de plat d'épée et, lui ayant lié les mains du licol de son cheval, se servit de celui du cheval de mademoiselle de L'Étoile pour mener en laisse le criminel. Il coupa une branche d'arbre, dont il se fit un bâton de taille considérable pour s'en servir en temps et lieu quand son valet refuserait de marcher de bonne grâce. Il aida à sa demoiselle à monter à cheval, il monta sur le sien et continua son chemin, son prisonnier à son côté, en guise de limier*. Le bourg qu'avait vu Le Destin était le même d'où il était parti deux jours devant* et où il avait laissé monsieur de La Garouffière et sa compagnie qui y étaient encore, à cause que madame Bouvillon avait été malade d'un furieux *choléra morbus* *. Quand Le Destin y arriva, il n'y trouva plus La Rancune, L'Olive et Ragotin qui étaient retournés au Mans. Pour Léandre, il ne quitta point sa chère Angélique. Je ne vous dirai point de quelle façon elle reçut mademoiselle de L'Étoile. On peut aisément se figurer les caresses * que se devaient faire deux filles qui s'aimaient beaucoup, et même après les dangers où elles s'étaient trouvées. Le Destin informa monsieur de La Garouffière du succès* de son voyage et, après l'avoir quelque temps entretenu en particulier, on fit entrer dans une chambre de l'hôtellerie le valet du Destin. Là, il fut interrogé de nouveau et, sur ce qu'il voulut encore faire le muet, on fit apporter un fusil pour lui serrer les pouces [205]. A l'aspect de la machine, il se mit à genoux, pleura bien fort, demanda pardon à son maître et lui avoua que La Rappinière lui avait fait faire tout ce qu'il avait fait et lui avait promis en récompense de le prendre à son service. On sut aussi de lui que La Rappinière était en une maison à deux lieues de là, qu'il avait usurpée sur une pauvre veuve. Le Destin parla encore en particulier à monsieur de La Garouffière, qui envoya en même temps un laquais dire à La Rappinière qu'il le vînt trouver pour une affaire de conséquence. Ce conseiller de Rennes avait grand pouvoir sur ce prévôt du Mans. Il l'avait empêché d'être roué en Bretagne et l'avait toujours protégé dans toutes les affaires criminelles qu'il avait eues. Ce n'est pas qu'il ne le connût pour un grand scélérat, mais la femme de La Rappinière était un peu sa parente. Le laquais qu'on avait envoyé à La Rappinière le trouva prêt à monter à cheval pour aller au Mans. Aussitôt qu'il eut appris que monsieur de La Garouffière le demandait, il partit pour le venir trouver. Cependant La Garouffière, qui prétendait fort au bel esprit, s'était fait apporter un portefeuille, d'où il tira des vers de toutes les façons, tant bons que mauvais. Il les lut au Destin et ensuite une historiette qu'il avait traduite de l'espagnol, que vous allez lire dans le suivant chapitre.

CHAPITRE XIV

LE JUGE DE SA PROPRE CAUSE [206]

Ce fut en Afrique, entre des rochers voisins de la mer, et qui ne sont éloignés de la grande ville de Fez que d'une heure de chemin, que le prince Mulei, fils du roi de Maroc, se trouva seul et la nuit, après s'être égaré à la chasse. Le ciel était sans le moindre nuage ; la mer était calme et la lune et les étoiles la rendaient toute brillante, enfin il faisait une de ces belles nuits des pays chauds qui sont plus agréables que les plus beaux jours de nos régions froides. Le prince maure, galopant le long du rivage, se divertissait à regarder la lune et les étoiles, qui paraissaient sur la surface de la mer comme dans un miroir, quand des cris pitoyables percèrent ses oreilles et lui donnèrent la curiosité d'aller jusqu'au lieu d'où il

croyait qu'ils pouvaient partir. Il y poussa son cheval, qui
sera, si l'on veut, un barbe * et trouva entre des rochers
une femme qui se défendait, autant que ses forces le
pouvaient permettre, contre un homme qui s'efforçait de
lui lier les mains, tandis qu'une autre femme tâchait de lui
fermer la bouche d'un linge. L'arrivée du jeune prince
empêcha ceux qui faisaient cette violence de la continuer
et donna quelque relâche à celle qu'ils traitaient si mal.
Mulei lui demanda ce qu'elle avait à crier et aux autres ce
qu'ils lui voulaient faire, mais, au lieu de lui répondre,
cet homme alla à lui le cimeterre à la main et lui en porta
un coup qui l'eût dangereusement blessé s'il ne l'eût évité
par la vitesse de son cheval. « Méchant, lui cria Mulei,
oses-tu t'attaquer au prince de Fez? — Je t'ai bien reconnu pour tel, lui répondit le Maure, mais c'est à cause
que tu es mon prince et que tu me peux punir qu'il faut
que j'aie ta vie ou que je perde la mienne. » En achevant
ces paroles, il se lança contre Mulei avec tant de furie que
le prince, tout vaillant qu'il était, fut réduit à songer
moins à attaquer qu'à se défendre d'un si dangereux
ennemi. Les deux femmes cependant étaient aux mains et
celle qui, un moment auparavant, se croyait perdue, empêchait l'autre de s'enfuir, comme si elle n'eût point
douté que son défenseur n'emportât la victoire. Le désespoir augmente le courage et en donne même quelquefois à
ceux qui en ont le moins. Quoique la valeur du prince fût
incomparablement plus grande que celle de son ennemi et
fût soutenue d'une vigueur et d'une adresse qui n'étaient
pas communes, la punition que méritait le crime du
Maure lui fit tout hasarder et lui donna tant de courage et
de force que la victoire demeura longtemps douteuse
entre le prince et lui. Mais le ciel, qui protège d'ordinaire
ceux qu'il élève au-dessus des autres, fit heureusement
passer les gens du prince assez près de là pour ouïr le
bruit des combattants et les cris des deux femmes. Ils y
coururent et reconnurent leur maître, dans le temps
qu'ayant choqué * celui qu'ils virent les armes à la main
contre lui, il l'avait porté par terre, où il ne le voulut pas
tuer, le réservant à une punition exemplaire. Il défendit à
ses gens de lui faire autre chose que de l'attacher à la

queue d'un cheval, de façon qu'il ne pût rien entreprendre
contre soi-même ni contre les autres. Deux cavaliers
portèrent les deux femmes en croupe et, en cet équipage-là, Mulei et sa troupe arrivèrent à Fez à l'heure que le
jour commençait de paraître. Ce jeune prince commandait dans Fez aussi absolument que s'il en eût déjà été roi.
Il fit venir devant lui le Maure, qui s'appelait Amet et qui
était fils d'un des plus riches habitants de Fez. Les deux
femmes ne furent connues de personne, à cause que les
Maures (les plus jaloux de tous les hommes) ont un
extrême soin de cacher aux yeux de tout le monde leurs
femmes et leurs esclaves. La femme que le prince avait
secourue le surprit, et toute sa cour aussi, par sa beauté,
plus grande que quelque autre qui fût en Afrique et par un
air majestueux que ne put cacher aux yeux de ceux qui
l'admirèrent un méchant habit d'esclave. L'autre femme
était vêtue comme le sont les femmes du pays qui ont
quelque qualité et pouvait passer pour belle, quoiqu'elle
le fût moins que l'autre ; mais, quand elle eût pu entrer en
concurrence de beauté avec elle, la pâleur que la crainte
faisait paraître sur son visage diminuait autant ce qu'elle
y avait de beau que celui de la première recevait d'avantage d'un beau rouge qu'une honnête pudeur y faisait
éclater. Le Maure parut devant Mulei avec la contenance
d'un criminel et tint toujours les yeux attachés contre
terre. Mulei lui commanda de confesser lui-même son
crime s'il ne voulait mourir dans les tourments *. « Je sais
bien ceux qu'on me prépare et que j'ai mérités, répondit-il fièrement, et, s'il y avait quelque avantage pour moi
à ne rien avouer, il n'y a point de tourments qui me le
fissent faire, mais je ne puis éviter la mort puisque je te
l'ai voulu donner et je veux bien que tu saches que la rage
que j'ai de ne t'avoir pas tué me tourmente davantage que
ne fera tout ce que tes bourreaux pourront inventer contre
moi. Ces Espagnoles, ajouta-t-il, ont été mes esclaves ;
l'une a su prendre un bon parti et s'accommoder à sa
fortune, se mariant à mon frère Zaïde ; l'autre n'a jamais
voulu changer de religion, ni me savoir bon gré de
l'amour que j'avais pour elle. » Il ne voulut pas parler
davantage, quelques menaces qu'on lui pût faire. Mulei

le fit jeter dans un cachot, chargé de fers ; la renégate,
femme de Zaïde fut mise en une prison séparée et la belle
esclave fut conduite chez un Maure nommé Zuléma,
homme de condition, Espagnol d'origine, et qui avait
abandonné l'Espagne pour n'avoir pu se résoudre à se
faire chrétien. Il était de l'illustre maison de Zégris,
autrefois si renommée dans Grenade [207] ; et sa femme
Zoraïde, qui était de la même maison, avait la réputation
d'être la plus belle femme de Fez et aussi spirituelle que
belle. Elle fut d'abord charmée de la beauté de l'esclave
chrétienne et le fut aussi de son esprit dès les premières
conversations qu'elle eut avec elle. Si cette belle chrétienne eût été capable de consolation, elle en eût trouvé
dans les caresses de Zoraïde, mais, comme si elle eut
évité tout ce qui pouvait soulager sa douleur, elle ne se
plaisait qu'à être seule pour pouvoir s'affliger davantage
et, quand elle était avec Zoraïde, elle se faisait une
extrême violence pour retenir devant elle ses soupirs et
ses larmes. Le prince Mulei avait une extrême envie
d'apprendre ses aventures. Il l'avait fait connaître à Zuléma et, comme il ne lui cachait rien, il lui avait aussi
avoué qu'il se sentait porté à aimer la belle chrétienne et
qu'il le lui aurait déjà fait savoir si la grande affliction
qu'elle faisait paraître ne lui eût fait craindre d'avoir un
rival inconnu en Espagne qui, tout éloigné qu'il eût été,
l'eût pu empêcher d'être heureux, même en un pays où il
était absolu. Zuléma donna donc ordre à sa femme d'apprendre de la chrétienne les particularités de sa vie et par
quel accident elle était devenue esclave d'Amet. Zoraïde
en avait autant d'envie que le prince et n'eut pas grand-
peine à y faire résoudre l'esclave espagnole, qui crut ne
devoir rien refuser à une personne qui lui donnait tant de
marques d'amitié et de tendresse. Elle dit à Zoraïde
qu'elle contenterait sa curiosité quand elle voudrait, mais
que, n'ayant que des malheurs à lui apprendre, elle craignait de lui faire un récit fort ennuyeux. « Vous verrez
bien qu'il ne me le sera pas, lui répondit Zoraïde ; par
l'attention que j'aurai à l'écouter et, par la part que j'y
prendrai, vous connaîtrez que vous ne pouvez en confier
le secret à personne qui vous aime plus que moi. » Elle

l'embrassa en achevant ces paroles, la conjurant de ne différer pas plus longtemps à lui donner la satisfaction qu'elle lui demandait. Elles étaient seules et la belle esclave, après avoir essuyé les larmes que le souvenir de ses malheurs lui faisait répandre, elle en commença le récit comme vous l'allez lire :

« Je m'appelle Sophie ; je suis espagnole, née à Valence, et élevée avec tout le soin que des personnes riches et de qualité, comme étaient mon père et ma mère, devaient avoir d'une fille qui était le premier fruit de leur mariage et qui, dès son bas âge, paraissait digne de leur plus tendre affection. J'eus un frère plus jeune que moi d'une année ; il était aimable autant qu'on le pouvait être ; il m'aima autant que je l'aimai et notre amitié mutuelle alla jusqu'au point que, lorsque nous n'étions pas ensemble, on remarquait sur nos visages une tristesse et une inquiétude que les plus agréables divertissements des personnes de notre âge ne pouvaient dissiper. On n'osa donc plus nous séparer ; nous apprîmes ensemble tout ce qu'on enseigne aux enfants de bonne maison de l'un et de l'autre sexe, et ainsi il arriva qu'au grand étonnement de tout le monde, je n'étais pas moins adroite que lui dans tous les exercices violents d'un cavalier et qu'il réussissait également bien dans tout ce que les filles de condition savent le mieux faire. Une éducation si extraordinaire fit souhaiter à un gentilhomme des amis de mon père que ses enfants fussent élevés avec nous. Il en fit la proposition à mes parents, qui y consentirent, et le voisinage des maisons facilita le dessein des uns et des autres. Ce gentilhomme égalait mon père en biens et ne lui cédait pas en noblesse. Il n'avait aussi qu'un fils et qu'une fille à peu près de l'âge de mon frère et de moi, et l'on ne doutait point dans Valence que les deux maisons ne s'unissent un jour par un double mariage. Dom Carlos et Lucie (c'était le nom du frère et de la sœur) étaient également aimables ; mon frère aimait Lucie et en était aimé ; dom Carlos m'aimait et je l'aimais aussi. Nos parents le savaient bien et, loin d'y trouver à redire, ils n'eussent pas différé de nous marier ensemble si nous eussions été moins jeunes que nous étions. Mais l'état heureux de nos amours inno-

centes fut troublé par la mort de mon aimable frère : une
fièvre violente l'emporta en huit jours et ce fut là le
premier de mes malheurs. Lucie en fut si touchée qu'on
ne put jamais l'empêcher de se rendre religieuse. J'en fus
malade à la mort et dom Carlos le fut assez pour faire
craindre à son père de se voir sans enfants, tant la perte de
mon frère, qu'il aimait, le péril où j'étais et la résolution
de sa sœur lui furent sensibles. Enfin la jeunesse nous
guérit et le temps modéra notre affliction. Le père de dom
Carlos mourut à quelque temps de là et laissa son fils fort
riche et sans dettes. Sa richesse lui fournit de quoi satisfaire son humeur magnifique* ; les galanteries* qu'il
inventa pour me plaire flattèrent ma vanité, rendirent son
amour publique et augmentèrent la mienne. Dom Carlos
était souvent aux pieds de mes parents pour les conjurer
de ne différer pas davantage de le rendre heureux en lui
donnant leur fille. Il continuait cependant ses dépenses et
ses galanteries ; mon père eut peur que son bien n'en
diminuât à la fin et c'est ce qui le fit résoudre à me marier
avec lui. Il fit donc espérer à dom Carlos qu'il serait
bientôt son gendre, et dom Carlos m'en fit paraître une
joie si extraordinaire qu'elle m'eût pu persuader qu'il
m'aimait plus que sa vie, quand je n'en aurais pas été
aussi assurée que je l'étais. Il me donna le bal et toute la
ville en fut priée. Pour son malheur et pour le mien, il s'y
trouva un comte napolitain que des affaires d'importance
avaient amené en Espagne. Il me trouva assez belle pour
devenir amoureux de moi et pour me demander en mariage à mon père, après avoir été informé du rang qu'il
tenait dans le royaume de Valence. Mon père se laissa
éblouir au bien et à la qualité de cet étranger ; il lui promit
tout ce qu'il lui demanda et, dès le jour même, il déclara à
dom Carlos qu'il n'avait rien plus à prétendre en sa fille,
me défendit de recevoir ses visites et me commanda en
même temps de considérer le comte italien comme un
homme qui me devait épouser au retour d'un voyage qu'il
allait faire à Madrid. Je dissimulai mon déplaisir devant
mon père mais, quand je fus seule, dom Carlos se représenta à mon souvenir comme le plus aimable homme du
monde. Je fis réflexion sur tout ce que le comte italien

avait de désagréable; je conçus une furieuse aversion
pour lui et je sentis que j'aimais dom Carlos plus que je
n'eusse jamais cru l'aimer et qu'il m'était également
impossible de vivre sans lui et d'être heureuse avec son
rival. J'eus recours à mes larmes, mais c'était un faible
remède pour un mal comme le mien. Dom Carlos entra
là-dessus dans ma chambre sans m'en demander la permission, comme il avait accoutumé. Il me trouva fondant
en pleurs, et il ne put retenir les siens, quelque dessein
qu'il eût fait de me cacher ce qu'il avait dans l'âme,
jusqu'à tant qu'il eût reconnu les véritables sentiments de
la mienne. Il se jeta à mes pieds et, me prenant les mains
qu'il mouilla de ses larmes : « Sophie, me dit-il, je vous
perds donc et un étranger qui à peine vous est connu sera
plus heureux que moi parce qu'il aura été plus riche? Il
vous possédera, Sophie, et vous y consentez, vous que
j'ai tant aimée, qui m'avez voulu faire croire que vous
m'aimiez et qui m'étiez promise par un père! mais,
hélas! un père injuste, un père intéressé et qui m'a manqué de parole! Si vous étiez, continua-t-il, un bien qui se
pût mettre à prix, c'est ma seule fidélité qui vous pouvait
acquérir et c'est par elle que vous seriez encore à moi
plutôt qu'à personne du monde, si vous vous souveniez
de celle que vous m'avez promise. Mais, s'écria-t-il,
croyez-vous qu'un homme qui a eu assez de courage pour
élever ses désirs jusqu'à vous n'en ait pas assez pour se
venger de celui que vous lui préférez et trouverez-vous
étrange qu'un malheureux qui a tout perdu entreprenne
toutes choses? Ah! si vous voulez que je périsse seul, il
vivra, ce rival bienheureux puisqu'il a pu vous plaire et
que vous le protégez; mais dom Carlos, qui vous est
odieux et que vous avez abandonné à son désespoir,
mourra d'une mort assez cruelle pour assouvir la haine
que vous avez pour lui. — Dom Carlos, lui répondis-je,
vous joignez-vous à un père injuste et à un homme que je
ne puis aimer pour me persécuter et m'imputez-vous
comme un crime particulier un malheur qui nous est
commun? Plaignez-moi au lieu de m'accuser et songez
aux moyens de me conserver pour vous plutôt que de me
faire des reproches. Je pourrais vous en faire de plus

justes et vous faire avouer que vous ne m'avez jamais
assez aimée puisque vous ne m'avez jamais assez
connue. Mais nous n'avons point de temps à perdre en
paroles inutiles ; je vous suivrai partout où vous me mè-
nerez ; je vous permets de tout entreprendre et vous promets de tout oser pour ne me séparer jamais de vous. »
Dom Carlos fut si consolé de mes paroles que sa joie le
transporta aussi fort qu'avait fait sa douleur. Il me demanda pardon de m'avoir accusée de l'injustice qu'il
croyait qu'on lui faisait et, m'ayant fait comprendre qu'à
moins que de me laisser enlever il m'était impossible de
n'obéir pas à mon père, je consentis à tout ce qu'il me
proposa et je lui promis que la nuit du jour suivant je me
tiendrais prête à le suivre partout où il voudrait me mener.
Tout est facile à un amant. Dom Carlos en un jour donna
ordre à ses affaires, fit provision d'argent et d'une barque
de Barcelone qui devait se mettre à la voile à telle heure
qu'il voudrait. Cependant j'avais pris sur moi toutes mes
pierreries et tout ce que je pus assembler d'argent et, pour
une jeune personne, j'avais su si bien dissimuler le dessein que j'avais que l'on ne s'en douta point. Je ne fus
donc pas observée et je pus sortir la nuit par la porte d'un
jardin où je trouvai Claudio, un page qui était cher à
Carlos parce qu'il chantait aussi bien qu'il avait la voix
belle et faisait paraître, dans sa manière de parler et dans
toutes ses actions, plus d'esprit, de bon sens et de poli-
tesse que l'âge et la condition d'un page n'en doivent
ordinairement avoir. Il me dit que son maître l'avait
envoyé au-devant de moi pour me conduire où l'attendait
une barque et qu'il n'avait pu me venir prendre lui-même
pour des raisons que je saurais de lui. Un esclave de dom
Carlos, qui m'était fort connu, nous vint joindre. Nous
sortîmes de la ville sans peine par le bon ordre qu'on y
avait donné et nous ne marchâmes pas longtemps sans
voir un vaisseau à la rade et une chaloupe qui nous
attendait au bord de la mer. On me dit que mon cher dom
Carlos viendrait bientôt et que je n'avais cependant * qu'à
passer dans le vaisseau. L'esclave me porta dans la chaloupe et plusieurs hommes, que j'avais vus sur le rivage
et que j'avais pris pour des matelots, firent aussi entrer

dans la chaloupe Claudio, qui me sembla comme s'en défendre et faire quelques efforts pour n'y entrer pas. Cela augmenta la peine que me donnait déjà l'absence de dom Carlos. Je le demandai à l'esclave qui me dit fièrement qu'il n'y avait plus de Carlos pour moi. Dans le même temps j'ouïs Claudio criant les hauts cris et qui disait, en pleurant, à l'esclave : « Traître Amet ! est-ce là ce que tu m'avais promis, de m'ôter une rivale et de me laisser avec mon amant ? — Imprudente Claudia, lui répondit l'esclave, est-on obligé de tenir sa parole à un traître et ai-je dû espérer qu'une personne qui manque de fidélité à son maître m'en gardât assez pour n'avertir pas les gardes de la côte de courir après moi et de m'ôter Sophie que j'aime plus que moi-même ? » Ces paroles dites à une femme que je croyais un homme et dans lesquelles je ne pouvais rien comprendre, me causèrent un si furieux déplaisir que je tombai comme morte entre les bras du perfide Maure qui ne m'avait point quittée.

Ma pâmoison fut longue et, lorsque j'en fus revenue, je me trouvais dans une chambre du vaisseau qui était déjà bien avant en mer. Figurez-vous quel dut être mon désespoir, me voyant sans dom Carlos et avec des ennemis de ma loi, car je reconnus que j'étais au pouvoir des Maures, que l'esclave Amet avait toute sorte d'autorité sur eux et que son frère Zaïde était le maître du vaisseau. Cet insolent ne me vit pas plus tôt en état d'entendre ce qu'il me dirait qu'il me déclara en peu de paroles qu'il y avait longtemps qu'il était amoureux de moi et que sa passion l'avait forcé à m'enlever et à me mener à Fez où il ne tiendrait qu'à moi que je ne fusse aussi heureuse que j'aurais été en Espagne, comme il ne tiendrait pas à lui que je n'eusse point à y regretter dom Carlos. Je me jetai sur lui, nonobstant la faiblesse que m'avait laissée ma pâmoison et, avec une adresse vigoureuse à quoi il ne s'attendait pas et que j'avais acquise par mon éducation (comme je vous ai déjà dit), je lui tirai le cimeterre du fourreau, et je m'allais venger de sa perfidie si son frère Zaïde ne m'eût saisi le bras assez à temps pour lui sauver la vie. On me désarma facilement, car, ayant manqué mon coup, je ne fis point de vains efforts contre un si

grand nombre d'ennemis. Amet, à qui ma résolution avait
fait peur, fit sortir tout le monde de la chambre où l'on
m'avait mise et me laissa dans un désespoir tel que vous
vous le devez figurer après le cruel changement qui venait
d'arriver en ma fortune. Je passai la nuit à m'affliger et le
jour qui la suivit ne donna pas le moindre relâche à mon
affliction. Le temps, qui adoucit souvent de pareils dé-
plaisirs, ne fit aucun effet sur les miens et au second jour
de notre navigation, j'étais encore plus affligée que je ne
la fus la sinistre nuit que je perdis avec ma liberté l'espérance de revoir dom Carlos et d'avoir jamais un moment
de repos le reste de ma vie. Amet m'avait trouvée si
terrible * toutes les fois qu'il avait osé paraître devant moi
qu'il ne s'y présentait plus. On m'apportait de temps en
temps à manger, que je refusais avec une opiniâtreté qui
fit craindre au Maure de m'avoir enlevée inutilement.
Cependant le vaisseau avait passé le détroit et n'était pas
loin de la côte de Fez quand Claudio entra dans ma
chambre. Aussitôt que je le vis : « Méchant, qui m'as
trahie, lui dis-je, que t'avais-je fait pour me rendre la plus
malheureuse personne du monde et pour m'ôter dom
Carlos ? — Vous en étiez trop aimée, me répondit-il, et,
puisque je l'aimais aussi bien que vous, je n'ai pas fait un
crime d'avoir voulu éloigner de lui une rivale. Mais si je
vous ai trahie, Amet m'a trahie aussi et j'en serais peut-
être aussi affligée que vous si je ne trouvais quelque
consolation à n'être pas seule misérable. — Explique-
moi ces énigmes, lui dis-je, et m'apprends qui tu es afin
que je sache si j'ai en toi un ennemi ou une ennemie.
— Sophie, me dit-il alors, je suis d'un même sexe que
vous et comme vous j'ai été amoureuse de dom Carlos.
Mais si nous avons brûlé d'un même feu, ce n'a pas été
avec un même succès. Dom Carlos vous a toujours aimée
et a toujours cru que vous l'aimiez et il ne m'a jamais
aimée et n'a même jamais dû croire que je pusse l'aimer,
ne m'ayant jamais connue pour ce que j'étais. Je suis de
Valence comme vous et je ne suis point née avec si peu de
noblesse et de bien que dom Carlos, m'ayant épousée,
n'eût pu être à couvert des reproches que l'on fait à ceux
qui se mésallient. Mais l'amour qu'il avait pour vous

l'occupait tout entier et il n'avait des yeux que pour vous
seule. Ce n'est pas que les miens ne fissent ce qu'ils
pouvaient pour exempter ma bouche de la confession
honteuse de ma faiblesse. J'allais partout où je le croyais
trouver, je me plaçais où il pouvait me voir et je faisais
pour lui toutes les diligences * qu'il eût dû faire pour moi
s'il m'eût aimée comme je l'aimais. Je disposais de mon
bien et de moi-même, étant demeurée sans parents dès
mon bas âge et l'on me proposait souvent des partis
sortables. Mais l'espérance que j'avais toujours eue d'engager enfin dom Carlos à m'aimer m'avait empêchée d'y
entendre. Au lieu de me rebuter de la mauvaise destinée
de mon amour, comme aurait fait toute autre personne qui
eût eu, comme moi, assez de qualités aimables pour
n'être pas méprisée, je m'excitais à l'amour de dom
Carlos par la difficulté que je trouvais à m'en faire aimer.
Enfin, pour n'avoir pas à me reprocher d'avoir négligé la
moindre chose qui pût servir à mon dessein, je me fis
couper les cheveux et, m'étant déguisée en homme, je me
fis présenter à dom Carlos par un domestique qui avait
vieilli dans ma maison, et qui se disait mon père, pauvre
gentilhomme des montagnes de Tolède. Mon visage et
ma mine, qui ne déplurent pas à votre amant, le disposè-
rent d'abord à me prendre. Il ne me reconnut point,
encore qu'il m'eût vue tant de fois, et il fut bientôt aussi
persuadé de mon esprit que satisfait de la beauté de ma
voix, de ma méthode de chanter et de mon adresse à jouer
de tous les instruments de musique dont les personnes de
condition peuvent se divertir sans honte. Il crut avoir
trouvé en moi des qualités qui ne se trouvent pas d'ordinaire en des pages et je lui donnai tant de preuves de
fidélité et de discrétion qu'il me traita bien plus en confident qu'en domestique. Vous savez mieux que personne
du monde si je m'en fais accroire dans ce que je vous
viens de dire à mon avantage. Vous-même m'avez cent
fois louée à dom Carlos en ma présence et m'avez rendu
de bons offices auprès de lui, mais j'enrageais de les
devoir à une rivale et, dans le temps qu'ils me rendaient
plus agréable à dom Carlos, ils vous rendaient plus haïssable à la malheureuse Claudia (car c'est ainsi que l'on

m'appelle). Votre mariage cependant s'avançait et mes
espérances reculaient; il fut conclu et elles se perdirent.
Le comte italien, qui devint en ce temps-là amoureux de
vous et dont la qualité et le bien donnèrent autant dans les
yeux de votre père que sa mauvaise mine et ses défauts
vous donnèrent d'aversion pour lui, me fit du moins avoir
le plaisir de vous voir troublée dans les vôtres et mon âme
alors se flatta de ces espérances folles que les changements font toujours avoir aux malheureux. Enfin votre
père préféra l'étranger que vous n'aimiez pas à dom
Carlos que vous aimiez. Je vis celui qui me rendait
malheureuse malheureux à son tour, et une rivale que je
haïssais encore plus malheureuse que moi puisque je ne
perdais rien en un homme qui n'avait jamais été à moi;
que vous perdiez dom Carlos qui était tout à vous et que
cette perte, quelque grande qu'elle fût, vous était peut-
être encore un moindre malheur que d'avoir pour votre
tyran éternel un homme que vous ne pouviez aimer. Mais
ma prospérité ou, pour mieux dire, mon espérance ne fut
pas longue. J'appris de dom Carlos que vous vous étiez
résolue à le suivre et je fus même employée à donner les
ordres nécessaires au dessein qu'il avait de vous emmener
à Barcelone et, de là, de passer en France ou en Italie.
Toute la force que j'avais eue jusqu'alors à souffrir ma
mauvaise fortune m'abandonna après un coup si rude et
qui me surprit d'autant plus que je n'avais jamais craint
un pareil malheur. J'en fus affligée jusqu'à en être malade et malade jusqu'à en garder le lit. Un jour que je me
plaignais à moi-même de ma triste destinée et que la
croyance de n'être ouïe de personne me faisait parler
aussi haut que si j'eusse parlé à quelque confident de mon
amour, je vis paraître devant moi le Maure Amet qui
m'avait écoutée et qui, après que le trouble où il m'avait
mise fut passé, me dit ces paroles : «Je te connais, Claudia, et dès le temps que tu n'avais point encore déguisé
ton sexe pour servir de page à dom Carlos; et si je ne t'ai
jamais fait savoir que je te connusse, c'est que j'avais un
dessein aussi bien que toi. Je te viens d'ouïr prendre des
résolutions désespérées; tu veux te découvrir à ton maître
pour une jeune fille qui meurt d'amour pour lui et qui

n'espère plus d'en être aimée ; et puis tu te veux tuer à ses
yeux pour mériter au moins des regrets de celui de qui tu
n'as pu gagner l'amour. Pauvre fille ! que vas-tu faire en
te tuant que d'assurer davantage à Sophie la possession de
dom Carlos ! J'ai bien un meilleur conseil à te donner, si
tu es capable de le prendre. Ote ton amant à ta rivale : le
moyen en est aisé, si tu me veux croire et, quoiqu'il
demande beaucoup de résolution, il ne t'est pas besoin
d'en avoir davantage que celle que tu as eue à t'habiller
en homme et à hasarder ton honneur pour contenter ton
amour. Écoute-moi donc avec attention, continua le
Maure ; je te vais révéler un secret que je n'ai jamais
découvert à personne et, si le dessein que je te vais
proposer ne te plaît pas, il dépendra de toi de ne le pas
suivre. Je suis de Fez, homme de qualité en mon pays ;
mon malheur me fit esclave de dom Carlos et la beauté de
Sophie me fit le sien. Je t'ai dit en peu de paroles bien des
choses. Tu crois ton mal sans remède parce que ton amant
enlève sa maîtresse et s'en va avec elle à Barcelone. C'est
ton bonheur et le mien, si tu te sais servir de l'occasion.
J'ai traité de ma rançon et l'ai payée. Une galiote *
d'Afrique m'attend à la rade, assez près du lieu où dom
Carlos en fait tenir une toute prête pour l'exécution de son
dessein. Il l'a différé d'un jour ; prévenons-le avec autant
de diligence que d'adresse. Va dire à Sophie, de la part de
ton maître, qu'elle se tienne prête à partir cette nuit à
l'heure que tu la viendras quérir ; amène-la dans mon
vaisseau, je l'emmènerai en Afrique et tu demeureras à
Valence seule à posséder ton amant qui, peut-être, t'aurait aimée aussitôt que [208] Sophie s'il avait su que tu
l'aimasses. »

    A ces dernières paroles de Claudia, je fus si pressée de
ma juste douleur qu'en faisant un grand soupir, je m'évanouis encore sans donner le moindre signe de vie. Les
cris que fis Claudia, qui se repentait peut-être alors de
m'avoir rendue malheureuse sans cesser de l'être attirèrent Amet et son frère dans la chambre du vaisseau où
j'étais. On me fit tous les remèdes qu'on me put faire ; je
revins à moi et j'ouïs Claudia qui reprochait encore au
Maure la trahison qu'il nous avait faite. « Chien infidèle !

lui disait-elle, pourquoi m'as-tu conseillé de réduire cette
belle fille au déplorable état où tu la vois si tu ne me
voulais pas laisser auprès de mon amant ? Et pourquoi
m'as-tu fait faire à un homme qui me fut si cher une
trahison qui me nuit autant qu'à lui ? Comment oses-tu
dire que tu es de noble naissance dans ton pays si tu es le
plus traître et le plus lâche de tous les hommes ? — Tais-
toi, folle ! lui répondit Amet, ne me reproche point un
crime dont tu es complice. Je t'ai déjà dit que qui a pu
trahir un maître, comme toi, méritait bien d'être trahie et
que, t'emmenant avec moi, j'assurais ma vie et peut-être
celle de Sophie, puisqu'elle pourrait mourir de douleur
quand elle saurait que tu serais demeurée avec dom
Carlos. » Le bruit que firent en même temps les matelots
qui étaient près d'entrer dans le port de la ville de Salé [209]
et l'artillerie du vaisseau, à laquelle répondit celle du
port, interrompirent les reproches que se faisaient Amet
et Claudia et me délivrèrent pour un temps de la vue de
ces deux personnes odieuses. On se débarqua, on nous
couvrit les visages d'un voile, à Claudia et à moi, et nous
fûmes logées avec le perfide Amet, chez un Maure de ses
parents. Dès le jour suivant on nous fit monter dans un
chariot couvert et prendre le chemin de Fez où, si Amet y
fut reçu de son père avec beaucoup de joie, j'y entrai la
plus affligée et plus désespérée personne du monde. Pour
Claudia, elle eut bientôt pris parti, renonçant au christia-
nisme et épousant Zaïde, le frère de l'infidèle Amet.
Cette méchante personne n'oublia aucun artifice pour me
persuader de changer aussi de religion et d'épouser Amet
comme elle avait fait Zaïde ; et elle devint le plus cruel de
mes tyrans, lorsqu'après avoir en vain essayé de me
gagner par toutes sortes de promesses, de bons traitements et de caresses *, Amet et tous les siens exercèrent
sur moi toute la barbarie dont ils étaient capables. J'avais
tous les jours à exercer ma constance contre tant d'ennemis et j'étais plus forte à souffrir mes peines que je ne le
souhaitais quand je commençai à croire que Claudia se
repentait d'être méchante. En public, elle me persécutait
apparemment avec plus d'animosité que les autres et, en
particulier, elle me rendait quelquefois de bons offices

qui me la faisaient considérer comme une personne qui
eût pu être vertueuse si elle eût été élevée à la vertu. Un
jour que toutes les autres femmes de la maison étaient
allées aux bains publics, comme c'est la coutume de vous
autres mahométans, elle me vint trouver où j'étais, ayant
le visage composé à la tristesse, et me parla en ces
termes : « Belle Sophie, quelque sujet que j'aie eu autrefois de vous haïr, ma haine a cessé en perdant l'espoir de
posséder jamais celui qui ne m'aimait pas assez, à cause
qu'il vous aimait trop. Je me reproche sans cesse de vous
avoir rendue malheureuse et d'avoir abandonné mon Dieu
pour la crainte des hommes. Le moindre de ces remords
serait capable de me faire entreprendre les choses du
monde les plus difficiles à mon sexe. Je ne puis plus vivre
loin de l'Espagne et de toute terre chrétienne, avec des
infidèles entre lesquels je sais bien qu'il est impossible
que je trouve mon salut, ni pendant ma vie, ni après ma
mort. Vous pouvez juger de mon véritable repentir par le
secret que je vous confie, qui vous rend maîtresse de ma
vie et qui vous donne moyen de vous venger de tous les
maux que j'ai été forcée de vous faire. J'ai gagné cinquante esclaves chrétiens, la plupart Espagnols, et tous
gens capables d'une grande entreprise. Avec l'argent que
je leur ai secrètement donné, ils se sont assurés d'une
barque capable de nous porter en Espagne, si Dieu favo-
rise un si bon dessein. Il ne tiendra qu'à vous de suivre
ma fortune, de vous sauver si je me sauve ou, périssant
avec moi, de vous tirer d'entre les mains de vos cruels
ennemis et de finir une vie aussi malheureuse qu'est la
vôtre. Déterminez-vous donc, Sophie ; et, tandis que nous
ne pouvons être soupçonnées d'aucun dessein, délibérons
sans perdre de temps sur la plus importante action de
votre vie et de la mienne. » Je me jetai aux pieds de
Claudia et, jugeant d'elle par moi-même, je ne doutai
point de la sincérité de ses paroles. Je la remerciai de
toutes les forces de mon expression et de toutes celles de
mon âme ; je ressentis * la grâce que je croyais qu'elle me
voulait faire. Nous prîmes jour pour notre fuite vers un
lieu du rivage de la mer où elle me dit que des rochers
tenaient notre petit vaisseau à couvert. Ce jour, que je

croyais bienheureux, arriva. Nous sortîmes heureusement, et de la maison, et de la ville. J'admirais la bonté
du ciel dans la facilité que nous trouvions à faire réussir
notre dessein et j'en bénissais Dieu sans cesse, mais la fin
de mes maux n'était pas si proche que je le pensais.
Claudia n'agissait que par l'ordre du perfide Amet et,
encore plus perfide que lui, elle ne me conduisait en un
lieu écarté, et la nuit, que pour m'abandonner à la violence du Maure, qui n'eût rien osé entreprendre contre ma
pudicité dans la maison de son père, quoique mahométan,
moralement homme de bien. Je suivais innocemment
celle qui me menait perdre et je ne pensais pas pouvoir
jamais être assez reconnaissante envers elle de la liberté
que j'espérais bientôt avoir par son moyen. Je ne me
lassais point de l'en remercier, ni de marcher bien vite
dans des chemins rudes, environnés de rochers, où elle
me disait que ses gens l'attendaient quand j'ouïs du bruit
derrière moi et, tournant la tête, j'aperçus Amet le cimeterre à la main. « Infâmes esclaves, s'écria-t-il, c'est donc
ainsi que l'on se dérobe à son maître ! » Je n'eus pas le
temps de répondre. Claudia me saisit les bras par-derrière
et Amet, laissant tomber son cimeterre, se joignit à la
renégate et tous deux ensemble firent ce qu'ils purent
pour me lier les mains avec des cordes dont ils s'étaient
pourvus pour cet effet. Ayant plus de vigueur et d'adresse
que les femmes n'en ont d'ordinaire, je résistai longtemps
aux efforts de ces deux méchantes personnes, mais à la
longue je me sentis affaiblir et, me défiant de mes forces,
je n'avais presque plus recours qu'à mes cris, qui pouvaient attirer quelque passant en ce lieu solitaire ou,
plutôt, je n'espérais plus rien quand le prince Mulei
survint lorsque je l'espérais le moins. Vous avez su de
quelle façon il me sauva l'honneur et je puis dire la vie
puisque je serais assurément morte de douleur si le dé-
testable Amet eût contenté sa brutalité. » Sophie acheva
ainsi le récit de ses aventures et l'aimable Zoraïde l'exhorta d'espérer de la générosité du prince les moyens de
retourner en Espagne, et dès le jour même elle apprit à
son mari tout ce qu'elle avait appris de Sophie, dont il
alla informer Mulei. Encore que tout ce qu'on lui conta

de la fortune de la belle chrétienne ne flattât point la passion qu'il avait pour elle, il fut pourtant bien aise, vertueux comme il était, d'en avoir eu connaissance et d'apprendre qu'elle était engagée d'affection en son pays afin de n'avoir point à tenter une action blâmable par l'espérance d'y trouver de la facilité. Il estima la vertu de Sophie et fut porté par la sienne à tâcher de la rendre moins malheureuse qu'elle n'était. Il lui fit dire par Zoraïde qu'il la renverrait en Espagne quand elle le voudrait et, depuis qu'il en eut pris la résolution, il s'empêcha de la voir, se défiant de sa propre vertu et de la beauté de cette aimable personne. Elle n'était pas peu empêchée * à prendre ses sûretés pour son retour. Le trajet était long jusqu'en Espagne, dont les marchands ne trafiquaient point à Fez. Et, quand elle eût pu trouver un vaisseau chrétien, belle et jeune comme elle était, elle pouvait trouver entre des hommes de sa loi ce qu'elle avait eu peur de trouver entre les Maures. La probité ne se rencontre guère sur un vaisseau ; la bonne foi n'y est guère mieux gardée qu'à la guerre ; et, en quelque lieu que la beauté et l'innocence se trouvent les plus faibles, l'audace des méchants se sert de son avantage et se porte facilement à tout entreprendre. Zoraïde conseilla à Sophie de s'habiller en homme puisque sa taille, avantageuse plus que celle des autres femmes, facilitait ce déguisement. Elle lui dit que c'était l'avis de Mulei qui ne trouvait personne dans Fez à qui il la pût sûrement confier ; et elle lui dit aussi qu'il avait eu la bonté de pourvoir à la bienséance de son sexe, lui donnant une compagne de sa croyance et travestie comme elle et qu'elle serait ainsi garantie de l'inquiétude qu'elle pourrait avoir de se voir seule dans un vaisseau entre des soldats et des matelots. Ce prince maure avait acheté d'un corsaire une prise qu'il avait faite sur mer : c'était d'un vaisseau du gouverneur d'Oran qui portait la famille entière d'un gentilhomme espagnol, que, par animosité, ce gouverneur envoyait prisonnier en Espagne. Mulei avait su que ce chrétien était un des plus grands chasseurs du monde et, comme la chasse était la plus forte passion de ce jeune prince, il avait voulu l'avoir pour esclave ; et,

afin de le mieux conserver, ne l'avait point voulu séparer
de sa femme, de son fils et de sa fille. En deux ans qu'il
vécut dans Fez au service de Mulei, il apprit à ce prince à
tirer parfaitement de l'arquebuse sur toute sorte de gibier
qui court sur la terre ou qui s'élève dans l'air et plusieurs
chasses inconnues aux Maures. Il avait par là si bien
mérité les bonnes grâces du prince et s'était rendu si
nécessaire à son divertissement qu'il n'avait jamais voulu
consentir à sa rançon, et par toutes sortes de bienfaits
avait tâché de lui faire oublier l'Espagne, mais le regret
de n'être pas en sa patrie et de n'avoir plus d'espérance
d'y retourner lui avait causé une mélancolie qui finit
bientôt par sa mort et sa femme n'avait pas vécu longtemps après son mari. Mulei se sentait du remords de
n'avoir pas remis en liberté, quand ils la lui avaient
demandée, des personnes qui l'avaient méritée par leurs
services et il voulut, autant qu'il le pouvait, réparer envers leurs enfants le tort qu'il croyait leur avoir fait. La
fille s'appelait Dorothée, était de l'âge de Sophie, belle,
et avait de l'esprit. Son frère n'avait pas plus de quinze
ans et s'appelait Sanche. Mulei les choisit l'un et l'autre
pour tenir compagnie à Sophie et se servit de cette occa-
sion-là pour les envoyer ensemble en Espagne. On tint
l'affaire secrète. On fit faire des habits d'homme à l'espagnole pour les deux demoiselles et pour le petit Sanche ; Mulei fit paraître sa magnificence dans la quantité de
pierreries qu'il donna à Sophie. Il fit aussi à Dorothée de
beaux présents qui, joints à tous ceux que son père avait
déjà reçus de la libéralité du prince, la rendirent riche
pour le reste de sa vie.

    Charles Quint, en ce temps-là, faisait la guerre en
Afrique et avait assiégé la ville de Tunis. Il avait envoyé
un ambassadeur à Mulei pour traiter de la rançon de
quelques Espagnols de qualité qui avaient fait naufrage à
la côte de Maroc. Ce fut à cet ambassadeur que Mulei
recommanda Sophie sous le nom de dom Fernand, gentilhomme de qualité, qui ne voulait pas être connu par son
nom véritable ; et Dorothée et son frère passaient pour
être de son train, l'un en qualité de gentilhomme, et
l'autre de page. Sophie et Zoraïde ne se purent quitter

sans regret et il y eut bien des larmes versées de part et
d'autre. Zoraïde donna à la belle chrétienne un rang de
perles si riche qu'elle ne l'eût point reçu si cette aimable
Maure et son mari Zuléma, qui n'aimait pas moins Sophie que faisait sa femme, ne lui eussent fait connaître
qu'elle ne pouvait davantage les désobliger qu'en refusant ce gage de leur amitié. Zoraïde fit promettre à Sophie
de lui faire savoir de temps en temps de ses nouvelles par
la voie de Tanger, d'Oran ou des autres places que l'empereur possédait en Afrique. L'ambassadeur chrétien
s'embarqua à Salé, emmenant avec lui Sophie, qu'il faut
désormais appeler dom Fernand. Il joignit l'armée de
l'empereur qui était encore devant Tunis. Notre Espagnole déguisée lui fut présentée comme un gentilhomme
d'Andalousie qui avait été longtemps esclave du prince
de Fez. Elle n'avait pas assez de sujet d'aimer sa vie pour
craindre de la hasarder à la guerre et, voulant passer pour
un cavalier, elle n'eût pu avec honneur n'aller pas souvent au combat, comme faisaient tant de vaillants hommes dont l'armée de l'empereur était pleine. Elle se mit
donc entre les volontaires, ne perdit pas une occasion de
se signaler et le fit avec tant d'éclat que l'empereur ouït
parler du faux dom Fernand. Elle fut assez heureuse pour
se trouver auprès de lui lorsque, dans l'ardeur d'un
combat dont les chrétiens eurent tout le désavantage, il
donna dans une embuscade de Maures, fut abandonné des
siens et environné des infidèles ; et il y a apparence qu'il
eût été tué, son cheval l'ayant déjà été sous lui, si notre
amazone ne l'eût remonté sur le sien et, secondant sa
vaillance par des efforts difficiles à croire, n'eût donné
aux chrétiens le temps de se reconnaître * et de venir
dégager ce vaillant empereur. Une si belle action ne fut
pas sans récompense. L'empereur donna à l'inconnu dom
Fernand une commanderie de Saint-Jacques de grand
revenu et le régiment de cavalerie d'un seigneur espagnol
qui avait été tué au dernier combat. Il lui fit donner aussi
tout l'équipage d'un homme de qualité et, depuis ce
temps-là, il n'y eut personne dans l'armée qui fût plus
estimé et plus considéré que cette vaillante fille. Toutes
les actions d'un homme lui étaient si naturelles, son

visage était si beau et la faisait paraître si jeune, sa
vaillance était si admirable en une si grande jeunesse et
son esprit était si charmant qu'il n'y avait pas une personne de qualité ou de commandement dans les troupes
de l'empereur qui ne recherchât son amitié. Il ne faut
donc pas s'étonner si, tout le monde parlant pour elle, et
plus encore ses belles actions, elle fut en peu de temps en
faveur auprès de son maître. Dans ce temps-là de nouvelles troupes arrivèrent d'Espagne sur les vaisseaux qui
apportèrent de l'argent et des munitions pour l'armée.
L'empereur les voulut voir sous les armes, accompagné
de ses principaux chefs, desquels était notre guerrière.
Entre ces soldats nouveaux venus, elle crut avoir vu dom
Carlos et elle ne s'était pas trompée. Elle en fut inquiétée * le reste du jour, le fit chercher dans le quartier de ces
nouvelles troupes et on ne le trouva pas parce qu'il avait
changé de nom. Elle n'en dormit point toute la nuit, se
leva aussitôt que le soleil et alla chercher elle-même ce
cher amant qui lui avait tant fait verser de larmes. Elle le
trouva et n'en fut point reconnue, ayant changé de taille,
parce qu'elle avait crû, et de visage, parce que le soleil
d'Afrique avait changé la couleur du sien. Elle feignit de
le prendre pour un autre de sa connaissance et lui demanda des nouvelles de Séville et d'une personne qu'elle
lui nomma du premier nom qui lui vint dans l'esprit. Dom
Carlos lui dit qu'elle se méprenait, qu'il n'avait jamais
été à Séville et qu'il était de Valence. « Vous ressemblez
extrêmement à une personne qui m'était fort chère, lui dit
Sophie et, à cause de cette ressemblance, je veux bien
être de vos amis si vous n'avez point de répugnance à
devenir des miens. — La même raison, lui répondit Dom
Carlos, qui vous oblige à m'offrir votre amitié vous aurait
déjà acquis la mienne si elle était du prix de la vôtre.
Vous ressemblez à une personne que j'ai longtemps aimée, et vous avez son visage et sa voix, mais vous n'êtes
pas de son sexe et assurément, ajouta-t-il en faisant un
grand soupir, vous n'êtes pas de son humeur. » Sophie ne
put s'empêcher de rougir à ces dernières paroles de dom
Carlos, à quoi il ne prit pas garde à cause peut-être que
ses yeux, qui commençaient à se mouiller de larmes, ne

purent voir les changements du visage de Sophie. Elle en
fut émue et, ne pouvant plus cacher cette émotion, elle
pria dom Carlos de la venir voir en sa tente où elle l'allait
attendre et le quitta après lui avoir appris son quartier et
qu'on l'appelait dans l'armée le Mestre de camp dom
Fernand. A ce nom-là dom Carlos eut peur de ne lui avoir
pas fait assez d'honneur. Il avait su déjà à quel point il
était estimé de l'empereur et que, tout inconnu qu'il était,
il partageait la faveur de son maître avec les premiers de
la cour. Il n'eut pas grand-peine à trouver son quartier et
sa tente, qui n'étaient ignorés de personne, et il en fut
reçu autant bien qu'un simple cavalier le pouvait être
d'un des principaux officiers du camp. Il reconnut encore
le visage de Sophie dans celui de dom Fernand, en fut
encore plus étonné qu'il ne l'avait été et le fut encore plus
davantage du son de sa voix qui lui entrait dans l'âme et y
renouvelait le souvenir de la personne du monde qu'il
avait le plus aimée. Sophie, inconnue à son amant, le fit
manger avec [elle [210]] ; et, après le repas, ayant fait retirer
les domestiques et donné ordre de n'être visitée de personne, se fit redire encore une fois par ce cavalier qu'il
était de Valence ; et ensuite se fit conter ce qu'elle savait
aussi bien que lui de leurs aventures communes jusqu'au
jour qu'il avait fait dessein de l'enlever. « Croiriez-vous,
lui disait dom Carlos, qu'une fille de condition qui avait
tant reçu de preuves de mon amour et qui m'en avait tant
donné de la sienne, fût sans fidélité et sans honneur, eût
l'adresse de me cacher de si grands défauts et fût si
aveuglée dans son choix qu'elle me préféra un jeune page
que j'avais, qui l'enleva un jour devant* celui que j'avais
choisi pour l'enlever ? — Mais en êtes-vous bien assuré ?
lui dit Sophie. Le hasard est maître de toutes choses et
prend souvent plaisir à confondre nos raisonnements par
des succès * les moins attendus. Votre maîtresse peut
avoir été forcée à se séparer de vous et est peut-être plus
malheureuse que coupable. — Plût à Dieu, lui répondit
dom Carlos, que j'eusse pu douter de sa faute ! toutes les
pertes et les malheurs qu'elle m'a causés ne m'auraient
pas été difficiles à souffrir et même je ne me croirais pas
malheureux si je pouvais croire qu'elle me fût encore

fidèle, mais elle ne l'est qu'au perfide Claudio et n'a jamais feint d'aimer le malheureux dom Carlos que pour le perdre. — Il paraît, par ce que vous dites, lui repartit Sophie, que vous ne l'avez guère aimée, de l'accuser ainsi sans l'entendre et de la publier* encore plus méchante que légère. — Et peut-on l'être davantage, s'écria dom Carlos, que l'a été cette impudente fille lorsque, pour ne faire pas soupçonner mon page de son enlèvement, elle laissa dans sa chambre, la nuit même qu'elle disparut de chez son père, une lettre qui est de la dernière malice et qui m'a rendu trop misérable pour n'être pas demeurée dans mon souvenir? Je vous la veux faire entendre et vous faire juger par là de quelle dissimulation cette jeune fille était capable.

LETTRE

« Vous n'avez pas dû me défendre d'aimer dom Carlos
« après me l'avoir ordonné. Un mérite aussi grand que le
« sien ne me pouvait donner que beaucoup d'amour et,
« quand l'esprit d'une jeune personne en est prévenu,
« l'intérêt n'y peut trouver de place. Je m'enfuis donc
« avec celui que vous avez trouvé bon que j'aimasse dès
« ma jeunesse et sans qui il me serait autant impossible de
« vivre que de ne mourir pas mille fois le jour avec un
« étranger que je ne pourrais aimer, quand il serait encore
« plus riche qu'il n'est pas. Notre faute (si c'en est une)
« mérite votre pardon. Si vous nous l'accordez, nous
« reviendrons le recevoir plus vite que nous n'avons fui
« l'injuste violence que vous nous vouliez faire.

                                               « SOPHIE. »

Vous vous pouvez figurer, poursuivit dom Carlos, l'extrême douleur que sentirent les parents de Sophie quand ils eurent lu cette lettre. Ils espérèrent que je serais encore avec leur fille, caché dans Valence, ou que je n'en serais pas loin. Ils tinrent leur perte secrète à tout le monde, hormis au vice-roi, qui était leur parent et à peine le jour commençait-il de paraître que la justice entra dans

ma chambre et me trouva endormi. Je fus surpris d'une
telle visite autant que j'avais sujet de l'être et quand,
après qu'on m'eut demandé où était Sophie, je demandai
aussi où elle était, mes parties * s'en irritèrent et me firent
conduire en prison avec une extrême violence. Je fus
interrogé et je ne pus rien dire pour ma défense contre la
lettre de Sophie. Il paraissait par là que je l'avais voulu
enlever, mais il paraissait encore plus que mon page avait
disparu en même temps qu'elle. Les parents de Sophie la
faisaient chercher et mes amis, de leur côté, faisaient
toutes sortes de diligences pour découvrir où ce page
l'avait emmenée ; c'était le seul moyen de faire voir mon
innocence, mais on ne put jamais apprendre des nouvelles
de ces amants fugitifs et mes ennemis m'accusèrent alors
de la mort de l'un et de l'autre. Enfin l'injustice, appuyée
de la force, l'emporta sur l'innocence opprimée. Je fus
averti que je serais bientôt jugé et que je le serais à mort.
Je n'espérai pas que le ciel fît un miracle en ma faveur et
je voulus donc hasarder ma délivrance par un coup de
désespoir. Je me joignis à des bandouliers*, prisonniers
comme moi, et tous gens de résolution ; nous forçâmes les
portes de notre prison et, favorisés de nos amis, nous
eûmes plus tôt gagné les montagnes les plus proches de
Valence que le vice-roi n'en put être averti. Nous fûmes
longtemps maîtres de la campagne. L'infidélité de Sophie, la persécution de ses parents, tout ce que je croyais
que le vice-roi avait fait d'injuste contre moi et enfin la
perte de mon bien me mirent dans un tel désespoir que je
hasardai ma vie dans toutes les rencontres où mes camarades et moi trouvâmes de la résistance ; et je m'acquis
par là une telle réputation parmi eux qu'ils voulurent que
je fusse leur chef. Je le fus avec tant de succès que notre
troupe devint redoutable aux royaumes d'Aragon et de
Valence et que nous eûmes l'insolence de mettre ces pays
à contribution. Je vous en fais ici une confidence bien
délicate, ajouta dom Carlos, mais l'honneur que vous me
faites et mon inclination me donnent tellement à vous que
je veux bien vous faire maître de ma vie, vous en révélant
des secrets si dangereux. Enfin, poursuivit-il, je me lassai
d'être méchant ; je me dérobai de mes camarades qui ne

s'y attendaient pas, et je pris le chemin de Barcelone où je fus reçu simple cavalier dans les recrues qui s'embarquaient pour l'Afrique et qui ont joint depuis peu l'armée. Je n'ai pas sujet d'aimer la vie et, après m'être mal servi de la mienne, je ne la puis mieux employer que contre les ennemis de ma loi et pour votre service puisque la bonté que vous avez pour moi m'a causé la seule joie dont mon âme ait été capable depuis que la plus ingrate fille du monde m'a rendu le plus malheureux de tous les hommes. » Sophie inconnue prit le partie de Sophie injustement accusée et n'oublia rien pour persuader à son amant de ne point faire de mauvais jugements de sa maîtresse avant que d'être mieux informé de sa faute. Elle dit au malheureux cavalier qu'elle prenait grande part de ses infortunes ; qu'elle voudrait de bon cœur les adoucir et, pour lui en donner des marques plus effectives que des paroles, qu'elle le priait de vouloir être à elle et que, lorsque l'occasion s'en présenterait, elle emploierait auprès de l'empereur son crédit et celui de tous ses amis pour le délivrer de la persécution des parents de Sophie et du vice-roi de Valence. Dom Carlos ne se rendit jamais à tout ce que le faux dom Fernand lui put dire pour la justification de Sophie, mais il se rendit à la fin aux offres qu'[elle] lui fit de sa table et de sa maison. Dès le jour même, cette fidèle amante parla au mestre de camp de dom Carlos et lui fit trouver bon que ce cavalier, qu'elle lui dit être son parent, prît parti * avec lui, je veux dire avec elle. Voilà notre amant infortuné au service de sa maîtresse qu'il croyait morte ou infidèle. Il se voit dès le commencement de sa servitude tout à fait bien avec celui qu'il croit son maître et est en peine lui-même de savoir comment il a pu faire en si peu de temps pour s'en faire tant aimer. Il est à la fois son intendant, son secrétaire, son gentilhomme et son confident. Les autres domestiques n'ont guère moins de respect pour lui que pour dom Fernand et il serait sans doute heureux, se connaissant aimé d'un maître qui lui paraît tout aimable et qu'un secret instinct le force d'aimer, si Sophie perdue, si Sophie infidèle ne lui revenait sans cesse à la pensée et ne lui causait une tristesse que les caresses * d'un si cher

maître et sa fortune rendue meilleure ne pouvaient vain-
cre. Quelque tendresse que Sophie eût pour lui, elle était
bien aise de le voir affligé, ne doutant point qu'elle ne fût
la cause de son affliction. Elle lui parlait si souvent de
Sophie et justifiait quelquefois avec tant d'emportement,
et même de colère et d'aigreur, celle que dom Carlos
n'accusait pas moins que d'avoir manqué à sa fidélité et à
son honneur qu'enfin il vint à croire que ce dom Fernand,
qui le mettait toujours sur le même sujet, avait peut-être
été autrefois amoureux de Sophie et peut-être l'était
encore.

La guerre d'Afrique s'acheva de la façon qu'on le voit
dans l'histoire. L'empereur la fit depuis en Allemagne,
en Italie, en Flandres et en divers lieux. Notre guerrière,
sous le nom de dom Fernand, augmenta sa réputation de
vaillant et expérimenté capitaine par plusieurs actions de
valeur et de conduite *, quoique la dernière de ces quali-
tés-là ne se rencontre que rarement en une personne aussi
jeune que le sexe de cette vaillante fille la faisait paraître.
L'empereur fut obligé d'aller en Flandres et de demander
au roi de France passage par ses États. Le grand roi qui
régnait alors voulut surpasser en générosité et en franchise un mortel ennemi qui l'avait toujours surmonté en
bonne fortune et n'en avait pas toujours bien usé, Charles
Quint fut reçu dans Paris comme s'il eût été roi de
France. Le beau dom Fernand fut du petit nombre des
personnes de qualité qui l'accompagnèrent et, si son
maître eût fait un plus long séjour dans la cour du monde
la plus galante, cette belle Espagnole, prise pour un
homme, eût donné de l'amour à beaucoup de dames
françaises et de la jalousie aux plus accomplis de nos
courtisans. Cependant * le vice-roi de Valence mourut en
Espagne. Dom Fernand espéra assez de son mérite et de
l'affection que lui portait son maître pour lui oser demander une si importante charge et il l'obtint sans qu'elle lui
fût enviée. Il fit savoir le plus tôt qu'il put le bon succès
de sa prétention à dom Carlos et lui fit espérer qu'aussitôt
qu'il aurait pris possession de la vice-royauté de Valence,
il ferait sa paix avec les parents de Sophie, obtiendrait sa
grâce de l'empereur pour avoir été chef de bandouliers *

et même essayerait de le remettre dans la possession de son bien sans cesser de lui en faire dans toutes les occasions qui s'en présenteraient. Dom Carlos eût pu recevoir quelque consolation de toutes ces belles promesses si le malheur de son amour lui eût permis d'être consolable. L'empereur arriva en Espagne et alla droit à Madrid, et dom Fernand alla prendre possession de son gouvernement. Dès le jour qui suivit celui de son entrée dans Valence, les parents de Sophie présentèrent requête contre dom Carlos qui faisait, auprès du vice-roi, la charge d'intendant de sa maison et de secrétaire de ses commandements. Le vice-roi promit de leur rendre justice et à dom Carlos de protéger son innocence. On fit de nouvelles informations contre lui ; l'on fit ouïr des témoins une seconde fois et enfin les parents de Sophie, animés par le regret qu'ils avaient de la perte de leur fille et par un désir de vengeance qu'ils croyaient légitime, pressèrent si fort l'affaire qu'en cinq ou six jours elle fut en état d'être jugée. Ils demandèrent au vice-roi que l'accusé entrât en prison. Il leur donna sa parole qu'il ne sortirait pas de son hôtel et leur marqua un jour pour le juger. La veille de ce jour fatal, qui tenait en suspens toute la ville de Valence, dom Carlos demanda une audience particulière au vice-roi qui la lui accorda. Il se jeta à ses pieds et lui dit ces paroles : « C'est demain, monseigneur, que vous devez faire connaître à tout le monde que je suis innocent. Quoique les témoins que j'ai fait ouïr me déchargent entièrement du crime dont on m'accuse, je viens encore jurer à Votre Altesse, comme si j'étais devant Dieu, que non seulement je n'ai pas enlevé Sophie, mais que, le jour devant celui qu'elle fut enlevée, je ne la vis point, je n'eus point de ses nouvelles et n'en ai pas eu depuis. Il est bien vrai que je la devais enlever, mais un malheur qui jusqu'ici m'est inconnu la fit disparaître, ou pour ma perte, ou pour la sienne. — C'est assez, dom Carlos, lui dit le vice-roi ; va dormir en repos. Je suis ton maître et ton ami, et mieux informé de ton innocence que tu ne penses et, quand j'en pourrais douter, je serais obligé à n'être pas exact à m'en éclaircir puisque que tu es dans ma maison et de ma maison et que tu n'es venu ici avec moi que sous la promesse que je t'ai faite de te protéger. » Dom Carlos remercia un si obligeant maître de tout ce qu'il eut d'éloquence ; il s'alla coucher et l'impatience qu'il eut de se voir bientôt absous ne lui permit pas de dormir.

Il se leva aussitôt que le jour parut et, propre et paré plus qu'à l'ordinaire, se trouva au lever de son maître ; mais je me trompe, il n'entra dans sa chambre qu'après qu'il fut habillé, car depuis que Sophie avait déguisé son sexe, la seule Dorothée, déguisée comme elle, et la confidente de son déguisement, couchait dans sa chambre et lui rendait tous les services qui, rendus par un autre, lui eussent pu donner connaissance de ce qu'elle voulait tenir si caché. Dom Carlos entra donc dans la chambre du vice-roi quand Dorothée l'eut ouverte à tout le monde et le vice-roi ne le vit pas plus tôt qu'il lui reprocha qu'il s'était levé bien matin pour un homme accusé qui se voulait faire croire innocent et lui dit qu'une personne qui ne dormait point devait sentir sa conscience chargée. Dom Carlos lui répondit, un peu troublé, que la crainte d'être convaincu* ne l'avait pas tant empêché de dormir que l'espérance de se voir bientôt à couvert des poursuites de ses ennemis par la bonne justice que lui rendait Son Altesse. « Mais vous êtes bien paré et bien galant*, lui dit encore le vice-roi, et je vous trouve bien tranquille le jour que l'on doit délibérer sur votre vie. Je ne sais plus ce que je dois croire du crime dont on vous accuse. Toutes les fois que nous nous entretenons de Sophie, vous en parlez avec moins de chaleur et plus d'indifférence que moi ; on ne m'accuse pourtant pas, comme vous, d'en avoir été aimé et de l'avoir tuée et, possible*, le jeune Claudio aussi, sur qui vous voulez faire tomber l'accusation de son enlèvement. Vous dites que vous l'avez aimée, continua le vice-roi, et vous vivez après l'avoir perdue, et vous n'oubliez rien pour vous voir absous et en repos, vous qui devriez haïr la vie et tout ce qui vous la pourrait faire aimer ! Ah ! inconstant dom Carlos, il faut bien qu'une autre amour vous ait fait oublier celle que vous deviez conserver à Sophie perdue si vous l'aviez véritablement aimée quand elle était toute à vous et osait tout

faire pour vous. » Dom Carlos, demi-mort à ces paroles
du vice-roi, voulut y répondre, mais il ne le lui permit
pas. « Taisez-vous, lui dit-il d'un visage sévère, et réser-
vez votre éloquence pour vos juges, car pour moi je n'en
serai pas surpris et je n'irai pas, pour un de mes domestiques, donner à l'empereur mauvaise opinion de mon
équité. Et cependant, ajouta le vice-roi se tournant vers le
capitaine de ses gardes, que l'on s'assure de lui : qui a
rompu sa prison peut bien manquer à la parole qu'il m'a
donnée de ne chercher point son impunité dans la fuite. »
On ôta aussitôt l'épée à dom Carlos qui fit grand-pitié à
tous ceux qui le virent environné de gardes, pâle et
défait*, et qui avait bien de la peine à retenir ses larmes.
Cependant que le pauvre gentilhomme se repent de ne
s'être pas assez défié de l'esprit changeant des grands
seigneurs, les juges qui le devaient juger entrèrent dans la
chambre et prirent leurs places après que le vice-roi eut
pris la sienne. Le comte italien, qui était encore à Valence, et le père et la mère de Sophie parurent et produi-
sirent leurs témoins contre l'accusé, qui était si désespéré
de son procès qu'il n'avait pas quasi le courage de répondre. On lui fit reconnaître les lettres qu'il avait autrefois
écrites à Sophie ; on lui confronta les voisins et les domestiques de la maison de Sophie et enfin on produisit
contre lui la lettre qu'elle avait laissée dans sa chambre le
jour que l'on prétendait qu'il l'avait enlevée. L'accusé fit
ouïr ses domestiques qui témoignèrent d'avoir vu coucher
leur maître, mais il pouvait s'être levé après avoir fait
semblant de s'endormir. Il jurait bien qu'il n'avait pas
enlevé Sophie et représentait* aux juges qu'il ne l'aurait
pas enlevée pour se séparer d'elle ; mais on ne l'accusait
pas moins que de l'avoir tuée, et le page aussi, le confident de son amour. Il ne restait plus qu'à le juger et il
allait être condamné tout d'une voix quand le vice-roi le
fit approcher et lui dit : « Malheureux dom Carlos ! tu
peux bien croire, après toutes les marques d'affection que
je t'ai données, que si je t'eusse soupçonné d'être coupable du crime dont on t'accuse, je ne t'aurais pas amené à
Valence. Il m'est impossible de ne te condamner pas si je
ne veux commencer l'exercice de ma charge par une

injustice et tu peux juger du déplaisir que j'ai de ton malheur par les larmes qui m'en viennent aux yeux. On pourrait rechercher d'accord tes parties [211], si elles étaient de moindre qualité ou moins animées à ta perte. Enfin, si Sophie ne paraît elle-même pour te justifier, tu n'as qu'à te préparer à bien mourir. » Carlos, désespéré de son salut, se jeta aux pieds du vice-roi et lui dit : « Vous vous souvenez bien, monseigneur, qu'en Afrique, et dès le temps que j'eus l'honneur d'entrer au service de Votre Altesse, et toutes les fois qu'elle m'a engagé au récit ennuyeux de mes infortunes, que je les lui ai toujours contées d'une même manière ; et elle doit croire qu'en ce pays-là, et partout ailleurs, je n'aurais pas avoué, à un maître qui me faisait l'honneur de m'aimer, ce qu'ici j'aurais dû nier devant un juge. J'ai toujours dit la vérité à Votre Altesse comme à mon Dieu et je lui dit encore que j'aimai, que j'adorai Sophie. — Dis que tu l'adores, ingrat, l'interrompit le vice-roi, surprenant tout le monde. — Je l'adore, reprit dom Carlos, fort étonné de ce que le vice-roi venait de dire. Je lui ai promis de l'épouser, continua-t-il, et j'ai convenu avec elle de l'emmener à Barcelone, mais si je l'ai enlevée, si je sais où elle se cache, je veux qu'on me fasse mourir de la mort la plus cruelle. Je ne puis l'éviter, mais je mourrai innocent, si ce n'est mériter la mort que d'avoir aimé plus que ma vie une fille inconstante et perfide. — Mais, s'écria le vice-roi, le visage furieux, que sont devenus cette fille et ton page ? Ont-ils monté au ciel ? Sont-ils cachés sous la terre ? — Le page était galant, lui répondit dom Carlos, elle était belle ; il était homme, elle était femme. — Ah ! traître ! lui dit le vice-roi, que tu découvres bien ici tes lâches soupçons et le peu d'estime que tu as eu pour la malheureuse Sophie ! Maudite soit la femme qui se laisse aller aux promesses des hommes et s'en fait mépriser par sa trop facile croyance ! Ni Sophie n'était point une femme de vertu commune, méchant ! ni ton page Claudio un homme. Sophie était une fille constante et ton page une fille perdue, amoureuse de toi et qui t'a volé Sophie qu'elle trahissait comme une rivale. Je suis Sophie, injuste amant ! amant ingrat, je suis Sophie, qui ai souffert

des maux incroyables pour un homme qui ne méritait pas
d'être aimé et qui m'a crue capable de la dernière infamie. » Sophie n'en put pas dire davantage ; son père, qui
la reconnut, la prit dans ses bras ; sa mère se pâma d'un
côté et dom Carlos de l'autre. Sophie se débarrassa des
bras de son père pour courir aux deux personnes éva-
nouies qui reprirent leurs esprits tandis qu'elle douta à qui
des deux elle courait. Sa mère lui mouilla le visage de
larmes ; elle mouilla de larmes le visage de sa mère. Elle
embrassa avec toute la tendresse imaginable son cher
dom Carlos qui pensa en évanouir encore. Il tint pourtant
bon pour le coup et, n'osant pas encore baiser Sophie de
toute sa force, se récompensa sur ses mains qu'il baisa
mille fois l'une après l'autre. Sophie pouvait à peine
suffire à toutes les embrassades et à tous les compliments
qu'on lui fit. Le comte italien, en faisant le sien comme
les autres, lui voulut parler des prétentions qu'il avait sur
elle, comme lui ayant été promise par son père et par sa
mère. Dom Carlos, qui l'ouït, en quitta une des mains de
Sophie, qu'il baisait alors avidement et, portant la sienne
à son épée qu'on lui venait de rendre, se mit en une
posture qui fit peur à tout le monde et, jurant à faire
abîmer * la ville de Valence, fit bien connaître que toutes
les puissances humaines ne lui ôteraient pas Sophie si
elle-même ne lui défendait de songer davantage en elle.
Mais elle déclara qu'elle n'aurait jamais d'autre mari que
son cher dom Carlos et conjura son père et sa mère de le
trouver bon ou de se résoudre à la voir enfermer dans un
couvent pour toute sa vie. Ses parents lui laissèrent la
liberté de choisir tel mari qu'elle voudrait et le comte
italien, dès le jour même, prit la poste pour l'Italie ou
pour tout autre pays où il voulut aller. Sophie conta toutes
ses aventures, qui furent admirées de tout le monde. Un
courrier alla porter la nouvelle de cette merveille à l'em-
ereur qui conserva à dom Carlos, après qu'il aurait
épousé Sophie, la vice-royauté de Valence et tous les
bienfaits que cette vaillante fille avait mérités sous le nom
de dom Fernand, et donna à ce bienheureux amant une
principauté dont ses descendants jouissent encore. La
ville de Valence fit la dépense des noces avec toute sorte

de magnificence, et Dorothée, qui reprit ses habits de
femme en même temps que Sophie, fut mariée en même
temps qu'elle avec un cavalier proche parent de dom
Carlos.

CHAPITRE XV

EFFRONTERIE DU SIEUR DE LA RAPPINIÈRE

Le conseiller de Rennes achevait de lire sa nouvelle,
quand La Rappinière arriva dans l'hôtellerie. Il entra en
étourdi dans la chambre où on lui avait dit qu'était monsieur de La Garouffière, mais son visage épanoui se
changea visiblement quand il vit Le Destin dans un coin
de la chambre et son valet, qui était aussi défait* et
effrayé qu'un criminel que l'on juge. La Garouffière
ferma la porte de la chambre par dedans et ensuite demanda au brave La Rappinière s'il ne devinait pas bien
pourquoi il l'avait envoyé quérir. « N'est-ce pas à cause
d'une comédienne dont j'ai voulu avoir ma part ? répondit
en se riant le scélérat. — Comment, votre part ! lui dit La
Garouffière, prenant un visage sérieux. Sont-ce là les
discours d'un juge comme vous êtes et avez-vous jamais
fait pendre de si méchant homme que vous ? » La Rappinière continua de tourner la chose en raillerie et de la
vouloir faire passer pour un tour de bon compagnon, mais
le sénateur* le prit toujours d'un ton si sévère qu'enfin il
avoua son mauvais dessein et en fit de mauvaises excuses
au Destin, qui avait eu besoin de toute sa sagesse pour ne
se pas faire raison d'un homme qui l'avait voulu offenser
si cruellement après lui être obligé de la vie, comme l'on
a pu voir au commencement de ces aventures comiques.
Mais il avait encore à démêler avec cet inique prévôt une
autre affaire qui lui était de grande importance et qu'il
avait communiquée à monsieur de La Garouffière qui lui
avait promis de lui faire avoir raison de ce méchant
homme. Quelque peine que j'aie prise à bien étudier
La Rappinière, je n'ai jamais pu découvrir s'il était moins

méchant envers Dieu qu'envers les hommes et moins
injuste envers son prochain que vicieux en sa personne.
Je sais seulement avec certitude que jamais homme n'a eu
plus de vices ensemble et en plus éminent degré. Il avoua
qu'il avait eu envie d'enlever mademoiselle de L'Étoile,
aussi hardiment que s'il se fût vanté d'une bonne action et
il dit effrontément au conseiller et au comédien que jamais il n'avait moins douté du succès d'une pareille
entreprise, «car, continua-t-il, se tournant vers Le Destin, j'avais gagné votre valet; votre sœur avait donné dans
le panneau et, pensant vous venir trouver où je lui avais
fait dire que vous étiez blessé, elle n'était pas à deux
lieues de la maison où je l'attendais quand je ne sais qui
diable l'a ôtée à ce grand sot qui me l'amenait et qui m'a
perdu un bon cheval après s'être bien fait battre.» Le
Destin pâlissait de colère et quelquefois aussi rougissait
de honte de voir de quel front ce scélérat lui osait parler à
lui-même de l'offense qu'il lui avait voulu faire comme
s'il lui eût conté une chose indifférente. La Garouffière
s'en scandalisait aussi et n'avait pas une moindre indi-
gnation contre un si dangereux homme. «Je ne sais pas,
lui dit-il, comment vous osez nous apprendre si franchement les circonstances d'une mauvaise action pour laquelle monsieur Le Destin vous aurait donné cent coups
si je ne l'en eusse empêché, mais je vous avertis qu'il le
pourra bien faire encore si vous ne lui restituez une boîte
de diamants que vous lui avez autrefois volée dans Paris
dans le temps que vous y tiriez la laine [212]. Doguin, votre
complice alors, et depuis votre valet, lui a avoué en
mourant que vous l'aviez encore et moi je vous déclare
que, si vous faites la moindre difficulté de la rendre, vous
m'avez pour aussi dangereux ennemi que je vous ai été
utile protecteur.» La Rappinière fut foudroyé de ce discours à quoi il ne s'attendait pas. Son audace à nier
absolument une méchanceté qu'il avait faite lui manqua
au besoin *. Il avoua, en bégayant comme un homme qui
se trouble, qu'il avait cette boîte au Mans et promit de la
rendre avec des serments exécrables * qu'on ne lui demandait point, tant on faisait peu de cas de tous ceux qu'il
eût pu faire. Ce fut peut-être là une des plus ingénues

actions qu'il fit de sa vie et encore n'était-elle pas nette,
car il est bien vrai qu'il rendit la boîte, comme il avait
promis ; mais il n'était pas vrai qu'elle fût au Mans
puisqu'il l'avait sur lui à l'heure même, à dessein d'en
faire un présent à mademoiselle de L'Étoile en cas qu'elle
n'eût pas voulu se donner à lui pour peu de chose. C'est
ce qu'il confessa en particulier à monsieur de La Garouffière dont il voulut par là regagner les bonnes grâces, lui
mettant entre les mains cette boîte de portrait pour en
disposer comme il lui plairait. Elle était composée de cinq
diamants d'un prix considérable. Le père de mademoiselle de L'Étoile y était peint en émail et le visage de cette
belle fille avait tant de rapport à ce portrait que cela seul
pouvait suffire pour la faire reconnaître à son père. Le
Destin ne savait comment remercier assez M. de La-
Garouffière quand il lui donna la boîte de diamants. Il se
voyait exempté par là d'avoir à se la faire rendre par force
de La Rappinière, qui ne savait rien moins que de resti-
tuer et qui eût pu se prévaloir contre un pauvre comédien
de sa charge de prévôt, qui est un dangereux bâton entre
les mains d'un méchant homme. Quand cette boîte fut
ôtée au Destin, il en avait eu un déplaisir très grand qui
s'augmenta encore par celui qu'en eut la mère de L'Étoile
qui gardait chèrement ce bijou comme un gage de l'amitié
de son mari. On peut donc aisément se figurer qu'il eut
une extrême joie de l'avoir recouvrée. Il alla en faire part
à L'Étoile, qu'il trouva chez la sœur du curé du bourg en
la compagnie d'Angélique et de Léandre. Ils délibérèrent
ensemble de leur retour au Mans qui fut résolu pour le
lendemain. Monsieur de La Garouffière leur offrit un
carrosse qu'ils ne voulurent pas prendre. Les comédiens
et les comédiennes soupèrent avec monsieur de La Garouffière et sa compagnie. On se coucha de bonne heure
dans l'hôtellerie et, dès la pointe du jour, Le Destin et
Léandre, chacun sa maîtresse en croupe, prirent le chemin du Mans où Ragotin, La Rancune et L'Olive étaient
déjà retournés. Monsieur de La Garouffière fit cent offres
de service au Destin. Pour la Bouvillon, elle fit la malade
plus qu'elle ne l'était pour ne point recevoir l'adieu du
comédien dont elle n'était pas satisfaite.

CHAPITRE XVI

DISGRACE DE RAGOTIN

Les deux comédiens qui retournèrent au Mans avec Ragotin furent détournés du droit chemin par le petit homme qui les voulut traiter dans une petite maison de campagne qui était proportionnée à sa petitesse. Quoiqu'un fidèle et exact historien soit obligé à particulariser les accidents importants de son histoire et les lieux où ils se sont passés, je ne vous dirai pas fort juste en quel endroit de notre hémisphère était la maisonnette où Ragotin mena ses confrères futurs, que j'appelle ainsi parce qu'il n'était pas encore reçu dans l'ordre vagabond des comédiens de campagne. Je vous dirai donc seulement que la maison était au deçà du Gange, et n'était pas loin de Sillé-le-Guillaume [213]. Quand il y arriva, il la trouva occupée par une compagnie de Bohémiens qui, au grand déplaisir de son fermier, s'y étaient arrêtés sous prétexte que la femme du capitaine avait été pressée d'accoucher ou plutôt par la facilité que ces voleurs espérèrent de trouver à manger impunément des volailles d'une métairie écartée du grand chemin. D'abord Ragotin se fâcha en petit homme fort colère et menaça les Bohémiens du prévôt du Mans dont il se dit allié à cause qu'il avait épousé une Portail [214], et là-dessus il fit un long discours, pour apprendre aux auditeurs de quelle façon les Portails étaient parents des Ragotins, sans que son long discours apportât aucun tempérament * à sa colère immodérée et l'empêchât de jurer scandaleusement. Il les menaça aussi du lieutenant de prévôt La Rappinière au nom duquel tout genou fléchissait [215], mais le capitaine bohême le fit enrager à force de lui parler civilement et fut assez effronté pour le louer de sa bonne mine qui sentait son homme de qualité et qui ne le faisait pas peu repentir d'être entré par ignorance dans son château (c'est ainsi que le scélérat appela sa maisonnette qui n'était fermée que de haies). Il ajouta encore que la dame en mal d'enfant serait bientôt

délivréc du sien et que la petite troupe délogerait après
avoir payé à son fermier ce qu'il leur avait fourni pour
eux et pour leurs bêtes. Ragotin se mourait de dépit de ne
pouvoir trouver à quereller avec un homme qui lui riait au
nez et lui faisait mille révérences, mais ce flegme du
Bohémien allait enfin échauffer la bile de Ragotin, quand
La Rancune et le frère du capitaine se reconnurent pour
avoir été autrefois grands camarades et cette reconnaissance fit grand bien à Ragotin qui s'allait sans doute
engager en une mauvaise affaire pour l'avoir prise d'un
ton trop haut. La Rancune le pria donc de s'apaiser, ce
qu'il avait grande envie de faire et ce qu'il eût fait de
lui-même si son orgueil naturel eût pu y consentir. Dans
ce même temps la dame bohémienne accoucha d'un garçon. La joie en fut grande dans la petite troupe et le
capitaine pria à souper les comédiens et Ragotin qui avait
déjà fait tuer des poulets pour en faire une fricassée. On
se mit à table. Les Bohémiens avaient des perdrix et des
lièvres qu'ils avaient pris à la chasse et deux poulets
d'Inde et autant de cochons de lait qu'ils avaient volés. Ils
avaient aussi un jambon et des langues de bœuf et on y
entama un pâté de lièvre dont la croûte même fut mangée
par quatre ou cinq Bohémillons qui servirent à table.
Ajoutez à cela la fricassée de six poulets de Ragotin et
vous avouerez que l'on n'y fit pas mauvaise chère. Les
convives, outre les comédiens, étaient au nombre de
neuf, tous bons danseurs et encore meilleurs larrons. On
commença des santés par celle du roi et de messieurs les
princes et on but en général celles de tous les bons
seigneurs qui recevaient dans leurs villages les petites
troupes. Le capitaine pria les comédiens de boire à la
mémoire de défunt Charles Dodo, oncle de la dame accouchée et qui fut pendu pendant le siège de La Rochelle,
par la trahison du capitaine La Grave [216]. On fit de grandes imprécations contre ce capitaine faux frère et contre
tous les prévôts, et on fit une grande dissipation du vin de
Ragotin dont la vertu fut telle que la débauche * fut sans
noise et que chacun des conviés, sans même en excepter
le misanthrope La Rancune, fit des protestations d'amitié
à son voisin, le baisa de tendresse et lui mouilla le visage

de larmes. Ragotin fit tout à fait bien les honneurs de sa
maison et but comme une éponge. Après avoir bu toute la
nuit, ils devaient vraisemblablement se coucher quand le
soleil se leva, mais ce même vin qui les avait rendus si
tranquilles buveurs leur inspira à tous en même temps un
esprit de séparation, si j'ose ainsi dire. La caravane fit ses
paquets, non sans y comprendre quelques guenilles du
fermier de Ragotin et le joli seigneur monta sur son mulet
et, aussi sérieux qu'il avait été emporté pendant le repas,
prit le chemin du Mans sans se mettre en peine si La
Rancune et L'Olive le suivaient et n'ayant de l'attention
qu'à sucer une pipe à tabac qui était vide il y avait plus
d'une heure. Il n'eut pas fait demi-lieue, toujours suçant
sa pipe vide, qui ne lui rendait aucune fumée, que celles
du vin lui étourdirent tout à coup la tête. Il tomba de son
mulet qui retourna avec beaucoup de prudence à la métairie d'où il était parti et, pour Ragotin, après quelques
soulèvements de son estomac trop chargé, qui fit ensuite
parfaitement son devoir, il s'endormit au milieu du chemin. Il n'y avait pas longtemps qu'il dormait, ronflant
comme une pédale d'orgue[217], quand un homme nu
(comme on peint notre premier père), mais effroyablement barbu, sale et crasseux, s'approcha de lui et se mit à
le déshabiller. Cet homme sauvage fit de grands efforts
pour ôter à Ragotin les bottes neuves que, dans une
hôtellerie, La Rancune s'était appropriées par la supposition * des siennes, de la manière que je vous l'ai conté en
quelque endroit de cette véritable histoire; et tous ses
efforts, qui eussent éveillé Ragotin s'il n'eût été mort-
ivre, comme on dit, et qui l'eussent fait crier comme un
homme que l'on tire à quatre chevaux[218], ne firent autre
effet que de le traîner à écorche-cul la longueur de sept ou
huit pas. Un couteau en tomba de la poche du beau
dormeur; ce vilain homme s'en saisit et, comme s'il eût
voulu écorcher Ragotin, il lui fendit sur la peau sa chemise, ses bottes et tout ce qu'il eut de la peine à lui ôter de
dessus le corps; et, ayant fait un paquet de toutes les
hardes* de l'ivrogne dépouillé, l'emporta, fuyant comme
un loup avec sa proie. Nous laisserons courir avec son
butin cet homme, qui était le même fou qui avait autrefois

fait si grand-peur au Destin, quand il commença la quête
de mademoiselle Angélique, et ne quitterons point Ragotin qui ne veille pas et qui a grand besoin d'être réveillé.
Son corps nu, exposé au soleil, fut bientôt couvert et
piqué de mouches et de moucherons de différentes espèces dont pourtant il ne fut point éveillé, mais il le fut
quelque temps après par une troupe de paysans qui
conduisaient une charrette. Le corps nu de Ragotin ne
leur donna pas plutôt dans la vue qu'ils s'écrièrent : « Le
voilà ! » ct, s'approchant de lui faisant le moins de bruit
qu'ils purent, comme s'ils eussent eu peur de l'éveiller,
ils s'assurèrent de ses pieds et de ses jambes qu'ils lièrent
avec de grosses cordes et, l'ayant ainsi garrotté, le portèrent dans leur charrette, qu'ils firent aussitôt partir avec
autant de hâte qu'en a un galant qui enlève une maîtresse
contre son gré et celui de ses parents. Ragotin était si ivre
que toutes les violences qu'on lui fit ne le purent éveiller,
non plus que les rudes cahots de la charrette que ces
paysans faisaient aller fort vite et avec tant de précipitation qu'elle versa en un mauvais pas plein d'eau et de
boue, et Ragotin par conséquent versa aussi. La fraîcheur
du lieu où il tomba, dont le fond avait quelques pierres ou
quelque chose d'aussi dur, et le rude branle * de sa chute
l'éveillèrent et l'état surprenant où il se trouva l'étonna
furieusement. Il se voyait lié pieds et mains et tombé dans
de la boue ; il se sentait la tête tout étourdie de son ivresse
et de sa chute et ne savait que juger de trois ou quatre
paysans qui le relevaient d'autant d'autres qui relevaient une charrette. Il était si effrayé de son aventure que
même il ne parla pas en un si beau sujet de parler, lui qui
était grand parleur de son naturel, et un moment après il
n'eût pu parler à personne quand il l'eût voulu ; car les
paysans, ayant tenu ensemble un conseil secret, délièrent
le pauvre petit homme des pieds seulement et, au lieu de
lui en dire la raison ou de lui en faire quelque civilité,
observant entre eux un grand silence, tournèrent la charrette du côté qu'elle était venue et s'en retournèrent avec
autant de précipitation qu'ils en avaient eu à venir là. Le
lecteur discret est, possible*, en peine de savoir ce que
les paysans voulaient à Ragotin et pourquoi ils ne lui

firent rien. L'affaire est assurément difficile à deviner et ne se peut savoir à moins que d'être révélée. Et, pour moi, quelque peine que j'y aie prise et après y avoir employé tous mes amis, je ne l'ai su depuis peu de temps que par hasard et lorsque je l'espérais le moins, de la façon que je vous le vais dire. Un prêtre du bas Maine, un peu fou mélancolique, qu'un procès avait fait venir à Paris, en attendant que son procès fût en état d'être jugé, voulut faire imprimer quelques pensées creuses qu'il avait eues sur l'Apocalypse. Il était si fécond en chimères et si amoureux des dernières productions de son esprit qu'il en haïssait les vieilles, et ainsi pensa faire enrager un imprimeur à qui il faisait vingt fois refaire une même feuille. Il fut obligé par là d'en changer souvent et enfin il s'était adressé à celui qui a imprimé le présent livre [219], chez qui il lut une fois quelques feuilles qui parlaient de cette même aventure que je vous raconte. Ce bon prêtre en avait plus de connaissance que moi, ayant su des mêmes paysans qui enlevèrent Ragotin de la façon que je vous ai dit le motif de leur entreprise que je n'avais pu savoir. Il connut donc d'abord où l'histoire était défectueuse et, en ayant donné connaissance à mon imprimeur qui en fut fort étonné (car il avait cru, comme beaucoup d'autres, que mon roman était un livre fait à plaisir), il ne se fit pas beaucoup prier par l'imprimeur pour me venir voir. Lors j'appris du véritable Manceau que les paysans qui lièrent Ragotin endormi étaient les proches parents du pauvre fou qui courait les champs, que Le Destin avait rencontré de nuit et qui avait dépouillé Ragotin en plein jour. Ils avaient fait dessein d'enfermer leur parent, avaient souvent essayé de le faire et avaient souvent été bien battus par le fou qui était un fort et puissant homme. Quelques personnes du village, qui avaient vu de loin reluire au soleil le corps de Ragotin, le prirent pour le fou endormi, et, n'en ayant osé approcher, de peur d'être battus, ils en avaient averti ces paysans qui vinrent avec toutes les précautions que vous avez vues, prirent Ragotin sans le reconnaître et, l'ayant reconnu pour n'être pas celui qu'ils cherchaient, le laissèrent les mains liées afin qu'il ne pût rien entreprendre contre eux. Les mémoires * que j'eus de ce prêtre me donnèrent beaucoup de joie et j'avoue qu'il me rendit un grand service, mais je ne lui en rendis pas un petit en lui conseillant en ami de ne pas faire imprimer son livre plein de visions * ridicules. Quelqu'un m'accusera peut-être d'avoir conté ici une particularité fort inutile, quelque autre m'en louera de beaucoup de sincérité. Retournons à Ragotin, le corps crotté et meurtri, la bouche sèche, la tête pesante et les mains liées derrière le dos. Il se leva le mieux qu'il put et, ayant porté sa vue de part et d'autre, le plus loin qu'elle se put étendre sans voir ni maisons ni hommes, il prit le premier chemin battu qu'il trouva, bandant tous les ressorts de son esprit pour connaître quelque chose en son aventure. Ayant les mains liées comme il avait, il recevait une furieuse incommodité de quelques moucherons opiniâtres qui s'attachaient par malheur aux parties de son corps où ses mains garrottées ne pouvaient aller et l'obligeaient quelquefois à se coucher par terre pour s'en délivrer en les écrasant ou en leur faisant quitter prise. Enfin, il attrapa un chemin creux revêtu de haies et plein d'eau et ce chemin allait au gué d'une petite rivière. Il s'en réjouit, faisant état* de se laver le corps qu'il avait plein de boue, mais, en approchant du gué, il vit un carrosse versé d'où le cocher et un paysan tiraient, par les exhortations d'un vénérable homme d'église, cinq ou six religieuses fort mouillées. C'était la vieille abbesse d'Estival [220] qui revenait du Mans où une affaire importante l'avait fait aller et qui, par la faute de son cocher, avait fait naufrage. L'abbesse et les religieuses tirées du carrosse aperçurent de loin la figure nue de Ragotin qui venait droit à elles, dont elles furent fort scandalisées, et encore plus qu'elles père Giflot, le directeur discret de l'abbaye [221]. Il fit tourner vitement le dos aux bonnes mères, de peur d'irrégularité, et cria de toute sa force à Ragotin qu'il n'approchât pas de plus près. Ragotin poussa toujours en avant et commença d'enfiler une longue planche qui était là pour la commodité des gens de pied, et père Giflot vint au-devant de lui, suivi du cocher et du paysan, et douta d'abord s'il le devait exorciser, tant il trouvait sa figure diabolique. Enfin il lui demanda qui il était, d'où il venait, pourquoi il était nu, pourquoi il avait les mains liées, et lui fit toutes ces questions-là avec beaucoup d'éloquence et ajustant à ses paroles le ton de la voix et l'action * des mains. Ragotin lui répondit incivilement : « Qu'en avez-vous à faire ? » et, voulant passer outre sur la planche, il poussa si rudement le révérend père Giflot, qu'il le fit choir dans l'eau. Le bon prêtre entraîna avec lui le cocher, le cocher le paysan ; et Ragotin trouva leur manière de tomber dans l'eau si divertissante qu'il en éclata de rire. Il continua son chemin vers les religieuses qui, le voile baissé, lui tournèrent le dos en haie, toutes le visage tourné vers la campagne. Ragotin eut beaucoup d'indifférence pour les visages des religieuses, et passait outre, pensant en être quitte, ce que ne pensait pas le père Giflot. Il suivit Ragotin, secondé du paysan et du cocher qui, le plus colère des trois et déjà de mauvaise humeur à cause que madame l'abbesse l'avait grondé, se détacha du gros, joignit Ragotin et, à grands coups de fouet, se vengea sur la peau d'autrui de l'eau qui avait mouillé la sienne. Ragotin n'attendit pas une seconde décharge ; il s'enfuit comme un chien qu'on fouette ; et le cocher, qui n'était pas satisfait d'un seul coup de fouet, le hâta * d'aller de plusieurs autres qui tous tirèrent le sang de la peau du fustigé. Giflot, quoique essoufflé d'avoir couru, ne se lassait pas de crier ; « Fouettez, fouettez ! » de toute sa force ; et le cocher de toute la sienne redoublait ses coups sur Ragotin et commençait à s'y plaire quand un moulin se présenta au pauvre homme comme un asile. Il y courut, ayant toujours son bourreau à ses trousses et, trouvant la porte d'une basse-cour ouverte, y entra et y fut reçu d'abord par un mâtin * qui le prit aux fesses. Il en jeta des cris douloureux et gagna un jardin ouvert avec tant de précipitation qu'il renversa six ruches e mouches à miel qui y étaient posées à l'entrée ; et ce fut là le comble de ses infortunes. Ces petits éléphants ailés, pourvus de proboscides * et armés d'aiguillons, s'acharnèrent sur ce petit corps nu qui n'avait point de mains pour se défendre et le blessèrent d'une horrible manière. Il en cria si haut que le chien qui le mordait s'enfuit de la peur qu'il en eut, ou plutôt des mouches. Le cocher impitoyable fit comme le chien et père Giflot, à qui la colère avait fait oublier pour un temps la charité, se repentit d'avoir été trop vindicatif et alla lui-même hâter le meunier et ses gens qui, à son gré, venaient trop lentement au secours d'un homme qu'on assassinait * dans leur jardin. Le meunier retira Ragotin d'entre les glaives pointus et venimeux de ces ennemis volants et, quoiqu'il fût enragé de la chute de ses ruches, il ne laissa pas d'avoir pitié du misérable. Il lui demanda où diable il se venait fourrer nu et les mains liées entre des paniers à mouches. Mais quand Ragotin eût voulu lui répondre, il ne l'eût pu dans l'extrême douleur qu'il sentait par tout son corps. Un petit ours nouveau-né, qui n'a point encore été léché de sa mère, est plus formé en sa figure oursine que ne le fut Ragotin en sa figure humaine après que les piqûres des mouches l'eurent enflé depuis les pieds jusqu'à la tête. La femme du meunier, pitoyable comme une femme, lui fit dresser un lit et le fit coucher. Père Giflot, le cocher et le paysan retournèrent à l'abbesse d'Estival et à ses religieuses qui se rembarquèrent dans leur carrosse et, escortées du révérend père Giflot, monté sur une jument, continuèrent leur chemin. Il se trouva que le moulin était à l'élu Du Rignon [222] ou à son gendre Bagottière (je n'ai pas bien su lequel). Ce Du Rignon était parent de Ragotin qui, s'étant fait connaître au meunier et à sa femme, en fut servi avec beaucoup de soin et pansé heureusement par le chirurgien* d'un bourg voisin jusqu'à son entière convalescence. Aussitôt qu'il put marcher, il retourna au Mans où la joie de savoir que La Rancune et L'Olive avaient trouvé son mulet et l'avaient ramené au Mans lui fit oublier la chute de la charrette, les coups de fouet du cocher, les morsures du chien et les piqûres des mouches.

CHAPITRE XVII

CE QUI SE PASSA ENTRE LE PETIT RAGOTIN
ET LE GRAND BAGUENODIÈRE

Le Destin et L'Étoile, Léandre et Angélique, deux couples de beaux et parfaits amants, arrivèrent dans la capitale du Maine sans faire de mauvaise rencontre. Le Destin remit Angélique dans les bonnes grâces de sa mère à qui il sut si bien faire valoir le mérite, la condition et l'amour de Léandre que la bonne Caverne commença d'approuver la passion que ce jeune garçon et sa fille avaient l'un pour l'autre autant qu'elle s'y était opposée. La pauvre troupe n'avait pas encore bien fait ses affaires dans la ville du Mans, mais un homme de condition, qui aimait fort la comédie, suppléa à l'humeur chiche des Manceaux. Il avait la plus grande partie de son bien dans le Maine, avait pris une maison dans Le Mans et y attirait souvent des personnes de condition de ses amis, tant courtisans que provinciaux, et même quelques beaux esprits de Paris, entre lesquels il se trouvait des poètes du premier ordre ; et enfin, il était une manière de Mécénas [223] moderne. Il aimait passionnément la comédie et tous ceux qui s'en mêlaient et c'est ce qui attirait tous les ans dans la capitale du Maine les meilleures troupes de comédiens du royaume. Ce seigneur que je vous dis arriva au Mans dans le temps que nos pauvres comédiens en voulaient sortir, mal satisfaits de l'auditoire manceau ; il les pria d'y demeurer encore quinze jours pour l'amour de lui et, pour les y obliger, leur donna cent pistoles et leur en promit autant quand ils s'en iraient. Il était bien aise de donner le divertissement de la comédie à plusieurs personnes de qualité de l'un et de l'autre sexe qui arrivèrent au Mans dans le même temps et qui y devaient faire séjour à sa prière. Ce seigneur, que j'appellerai le marquis d'Orsé [224], était grand chasseur et avait fait venir au Mans son équipage de chasse qui était des plus beaux qui fût en France. Les landes et les forêts du Maine font un

des plus agréables pays de chasse qui se puisse trouver
dans tout le reste de la France, soit pour le cerf, soit pour
le lièvre et, en ce temps-là, la ville du Mans se trouva
pleine de chasseurs que le bruit de cette grande fête y
attira, la plupart avec leurs femmes qui furent ravies de
voir des dames de la cour pour en pouvoir parler le reste
de leurs jours auprès de leur feu. Ce n'est pas une petite
ambition aux provinciaux que de pouvoir dire quelquefois
qu'ils ont vu en tel lieu et en tel temps des gens de la cour
dont ils prononcent toujours le nom tout sec, comme, par
exemple : « Je perdis mon argent contre Roquelaure [225] ;
Créqui [226] a tant gagné ; Coatquin [227] courre le cerf en
Touraine » ; et, si on leur laisse quelquefois entamer un
discours de politique ou de guerre, ils ne départent * pas
(si j'ose ainsi dire) tant qu'ils aient épuisé la matière
autant qu'ils en sont capables. Finissons la digression. Le
Mans donc se trouva plein de noblesse grosse et menue.
Les hôtelleries furent pleines d'hôtes et la plupart des
gros bourgeois qui logèrent des personnes de qualité ou
des nobles campagnards de leurs amis salirent en peu de
temps tous leurs draps fins et leur linge damassé. Les
comédiens ouvrirent leur théâtre en humeur de bien faire
comme des comédiens payés par avance. Le bourgeois du
Mans se réchauffa pour la comédie. Les dames de la ville
et de la province étaient ravies d'y voir tous les jours des
dames de la cour, de qui elles apprirent à se bien habiller,
au moins mieux qu'elles ne faisaient, au grand profit de
leurs tailleurs à qui elles donnèrent à réformer * quantité
de vieilles robes. Le bal se donnait tous les soirs, où de
très méchants danseurs dansèrent de très mauvaises courantes* et où plusieurs jeunes gens de la ville dansèrent en
bas de drap de Hollande ou d'Usseau [228] et en souliers
cirés. Nos comédiens furent souvent appelés pour jouer
en visite [229]. L'Étoile et Angélique donnèrent de l'amour
aux cavaliers et de l'envie aux dames. Inézille, qui dansa
la sarabande à la prière des comédiens, se fit admirer ;
Roquebrune en pensa mourir de réplétion * d'amour tant
le sien s'augmenta tout à coup ; et Ragotin avoua à La
Rancune que, s'il différait plus longtemps à le mettre bien
dans l'esprit de L'Étoile, la France allait être sans Rago-

tin. La Rancune lui donna de bonnes espérances et, pour
lui témoigner l'estime particulière qu'il faisait de lui, le
pria de lui prêter pour vingt-cinq ou trente francs de
monnaie. Ragotin pâlit à cette prière incivile, se repentit
de ce qu'il lui venait de dire et renonça quasi à son
amour. Mais enfin, en enrageant tout vif, il fit la somme
en toutes sortes d'espèces qu'il tira de différents bour-
sons* et la donna fort tristement à La Rancune qui lui
promit que, dès le jour d'après, il entendrait parler de lui.
Ce jour-là on joua le *Dom Japhet* [230], ouvrage de théâtre
aussi enjoué que celui qui l'a fait a sujet de l'être peu.
L'auditoire fut nombreux, la pièce fut bien représentée et
tout le monde fut satisfait, à la réserve du désastreux*
Ragotin. Il vint tard à la comédie et, pour la punition de
ses péchés, il se plaça derrière un gentilhomme provincial, homme à large échine et couvert d'une grosse casaque* qui grossissait beaucoup sa figure. Il était d'une
taille si haute au-dessus des plus grandes qu'encore qu'il
fût assis, Ragotin, qui n'était séparé de lui que d'un rang
de sièges, crut qu'il était debout et lui cria incessamment
qu'il s'assît comme les autres, ne pouvant croire qu'un
homme assis ne dût pas avoir sa tête au niveau de toutes
celles de la compagnie. Ce gentilhomme, qui se nommait
La Baguenodière [231], ignora longtemps que Ragotin
parlât à lui. Enfin Ragotin l'appela «monsieur à la plume
verte» et, comme véritablement il en avait une bien
touffue, bien sale et peu fine, il tourna la tête et vit le petit
impatient qui lui dit assez rudement qu'il s'assît. La Baguenodière en fut si peu ému qu'il se retourna vers le
théâtre comme si de rien n'eût été. Ragotin lui recria
encore qu'il s'assît. Il tourna encore la tête devers lui, le
regarda et se retourna vers le théâtre. Ragotin recria;
Baguenodière tourna la tête pour la troisième fois, pour la
troisième fois regarda son homme et, pour la troisième
fois, se retourna vers le théâtre. Tant que dura la comédie, Ragotin lui cria de même force qu'il s'assît et La
Baguenodière le regarda toujours d'un même flegme capable de faire enrager tout le genre humain. On eût pu
comparer La Baguenodière à un grand dogue et Ragotin à
un roquet qui aboie après lui sans que le dogue en fasse

autre chose que d'aller pisser contre une muraille. Enfin
tout le monde prit garde à ce qui se passait entre le plus
grand homme et le plus petit de la compagnie et tout le
monde commença d'en rire dans le temps que Ragotin
commença d'en jurer d'impatience sans que La Baguenodière fît autre chose que de le regarder froidement. Ce
Baguenodière était le plus grand homme et le plus grand
brutal * du monde ; il demanda avec sa froideur accoutumée à deux gentilshommes qui étaient auprès de lui de
quoi ils riaient. Ils lui dirent ingénument que c'était de lui
et de Ragotin et pensaient bien par là le congratuler que
plutôt lui déplaire. Ils lui déplurent pourtant et un « Vous
êtes de bons sots », que La Baguenodière, d'un visage
refrogné, leur lâcha assez mal à propos, leur apprit qu'il
prenait mal la chose et les obligea à lui repartir *, chacun
pour sa part, d'un grand soufflet. La Baguenodière ne put
d'abord que les pousser des coudes à droite et à gauche,
ses mains étant embarrassées dans sa casaque* et, devant * qu'il les eût libres, les gentilshommes, qui étaient
frères et fort actifs de leur naturel, lui purent donner
demi-douzaine de soufflets, dont les intervalles furent par
hasard si bien compassés que ceux qui les ouïrent sans les
voir donner crurent que quelqu'un avait frappé six fois
des mains l'une contre l'autre à égaux intervalles. Enfin
Baguenodière tira ses bras de dessous sa lourde casaque
mais, pressé comme il était des deux frères qui le gourmaient* comme des lions, ses longs bras n'eurent pas
leurs mouvements libres. Il se voulut reculer et il tomba à
la renverse sur un homme qui était derrière lui et le
renversa, lui et son siège, sur le malheureux Ragotin, qui
fut renversé sur un autre, qui fut renversé sur un autre,
qui fut aussi renversé sur un autre, et ainsi de même
jusqu'où finissaient les sièges, dont une file entière fut
renversée comme des quilles. Le bruit des tombants, des
dames foulées, de celles qui avaient peur, des enfants qui
criaient, des gens qui parlaient, de ceux qui riaient, de
ceux qui se plaignaient et de ceux qui battaient des mains
fit une rumeur infernale. Jamais un aussi petit sujet ne
causa de plus grands accidents ; et ce qu'il y eut de
merveilleux, c'est qu'il n'y eut pas une épée tirée, quoi-

que le principal démêlé fût entre des personnes qui en
portaient et qu'il y en eût plus de cent dans la compagnie.
Mais ce qui fut encore plus merveilleux, c'est que La
Baguenodière se gourma* et fut gourmé sans s'émouvoir
non plus que de l'affaire du monde la plus indifférente et,
de plus, on remarqua que, de toute l'après-dînée, il
n'avait pas ouvert la bouche que pour dire les quatre
malheureux mots qui lui attirèrent cette grêle de souffle-
tades et ne l'ouvrit pas jusqu'au soir, tant ce grand
homme avait un flegme et une taciturnité proportionnée à
sa taille. Ce hideux* chaos de tant de personnes et de
sièges mêlés les uns dans les autres fut longtemps à se
débrouiller. Tandis que l'on y travaillait et que les plus
charitables se mettaient entre Baguenodière et ses deux
ennemis, on entendait des hurlements effroyables qui
sortaient comme de dessous terre. Qui pouvait-ce être que
Ragotin? En vérité, quand la fortune a commencé de
persécuter un misérable, elle le persécute toujours. Le
siège du pauvre petit était justement posé sur l'ais qui
couvre l'égout* du tripot. Cet égout est toujours au
milieu, immédiatement sous la corde. Il sert à recevoir
l'eau de la pluie et l'ais qui le couvre se lève comme un
dessus de boîte. Comme les ans viennent à bout de toutes
choses, l'ais de ce tripot où se faisait la comédie était fort
pourri et s'était rompu sous Ragotin, quand un homme
honnêtement pesant l'accabla de son corps et de son
siège. Cet homme fourra une jambe dans le trou où
Ragotin était tout entier; cette jambe était bottée et
l'éperon en piquait Ragotin à la gorge, ce qui lui faisait
faire ces furieux hurlements qu'on ne pouvait deviner.
Quelqu'un donna la main à cet homme et, dans le temps
que sa jambe, engagée dans le trou, changea de place,
Ragotin lui mordit le pied si serré que cet homme crut être
mordu d'un serpent et fit un cri qui fit tressaillir celui qui
le secourait qui, de peur, en lâcha prise. Enfin il se
reconnut*, redonna la main à son homme qui ne criait
plus parce que Ragotin ne le mordait plus et tous deux
ensemble déterrèrent le petit qui ne vit pas plutôt la
lumière du jour que, menaçant tout le monde de la tête et
des yeux, et principalement ceux qu'il vit rire en le

regardant, il se fourra dans la presse de ceux qui sortaient, méditant quelque chose de bien glorieux pour lui
et bien funeste pour La Baguenodière. Je n'ai pas su de
quelle façon La Baguenodière fut accommodé * avec les
deux frères, tant il y a qu'il le fut; du moins n'ai-je ouï
dire qu'ils se soient depuis rien fait les uns aux autres. Et
voilà ce qui troubla en quelque façon la première représentation que firent nos comédiens devant l'illustre
compagnie qui se trouvait lors dans la ville du Mans.

CHAPITRE XVIII

QUI N'A PAS BESOIN DE TITRE

On représenta le jour suivant le *Nicomède* de l'inimita-
ble monsieur de Corneille. Cette comédie est admirable à
mon jugement et celle de cet excellent poète de théâtre en
laquelle il a le plus mis du sien et a plus fait paraître la
fécondité et la grandeur de son génie [232], donnant à tous
les acteurs des caractères fiers tous différents les uns des
autres. La représentation n'en fut point troublée et ce fut
peut-être à cause que Ragotin ne s'y trouva pas. Il ne se
passait guère de jour qu'il ne s'attirât quelque affaire, à
quoi sa mauvaise gloire * et son esprit violent et présomptueux contribuaient autant que sa mauvaise fortune
qui jusqu'alors ne lui avait point fait de quartier. Le petit
homme avait passé l'après-dînée dans la chambre du mari
d'Inézille, l'opérateur * Ferdinando Ferdinandi, Nor-
mand se disant Vénitien (comme je vous ai déjà dit),
médecin spagirique [233] de profession et, pour dire franchement ce qu'il était, grand charlatan et encore plus
grand fourbe. La Rancune, pour se donner quelque relâche des importunités que lui faisait sans cesse Ragotin à
qui il avait promis de le faire aimer de mademoiselle de
L'Étoile, lui avait fait accroire que l'opérateur était un
grand magicien qui pouvait faire courir en chemise après
un homme la femme du monde la plus sage, mais qu'il ne

faisait de semblables merveilles que pour ses amis parti-
culiers dont il connaissait la discrétion, à cause qu'il
s'était mal trouvé d'avoir fait agir son art pour des plus
grands seigneurs de l'Europe. Il conseilla à Ragotin de
mettre tout en usage pour gagner ses bonnes grâces, ce
qu'il lui assura ne lui devoir pas être difficile, l'opérateur
étant homme d'esprit qui devenait aisément amoureux de
ceux qui en avaient et qui, quand une fois il aimait
quelqu'un, n'avait plus rien de réservé pour lui. Il n'y a
qu'à louer ou à respecter un homme glorieux * : on lui fait
faire ce que l'on veut. Il n'en est pas de même d'un
homme patient, il n'est pas aisé à gouverner ; et l'expérience apprend qu'une personne humble et qui a le pouvoir sur soi de remercier quand on l'a refusée, vient plutôt
à bout de ce qu'elle entreprend que celle qui s'offense
d'un refus. La Rancune persuada à Ragotin ce qu'il
voulut et Ragotin, dès l'heure même, alla persuader à
l'opérateur qu'il était un grand magicien. Je ne vous
redirai point ce qu'il lui dit ; il suffit que l'opérateur, qui
avait été averti par La Rancune, joua bien son personnage
et nia qu'il fût magicien, d'une manière à faire croire
qu'il l'était. Ragotin passa l'après-dînée auprès de lui qui
avait un matras * sur le feu pour quelque opération chimi-
que et, pour ce jour-là, n'en put rien tirer d'affirmatif,
dont l'impatient Manceau passa une nuit fort mauvaise.
Le jour suivant il entra dans la chambre de l'opérateur,
qui était encore dans le lit. Inézille le trouva fort mauvais,
car elle n'était plus d'âge à sortir de son lit fraîche comme
une rose et elle avait besoin tous les matins d'être longtemps enfermée en particulier devant * que d'être en état
de paraître en public. Elle se coula donc dans un petit
cabinet, suivie de sa servante morisque qui lui porta
toutes ses munitions d'amour ; et cependant Ragotin remit
le sieur Ferdinandi sur la magie et le sieur Ferdinandi
s'ouvrit plus qu'il n'avait fait, mais sans lui vouloir rien
promettre. Ragotin lui voulut donner des marques de sa
largesse ; il fit fort bien apprêter à dîner et y convia les
comédiens et les comédiennes. Je ne vous dirai point les
particularités du repas ; vous saurez seulement qu'on s'y
réjouit beaucoup et qu'on y mangea de grande force *.

Après dîner, Inézille fut priée par Le Destin et les comédiennes de leur lire quelque historiette espagnole, de celles qu'elle composait ou traduisait tous les jours, à l'aide du divin Roquebrune, qui lui avait juré par Apollon et les neuf Sœurs qu'il lui apprendrait dans six mois toutes les grâces et les finesses de notre langue. Inézille ne se fit point prier et, tandis que Ragotin fit la cour au magicien Ferdinandi, elle lut d'un ton de voix charmant la nouvelle que vous allez lire dans le suivant chapitre.

CHAPITRE XIX

LES DEUX FRÈRES RIVAUX [234]

Dorothée et Féliciane de Monsalve étaient les deux plus aimables filles de Séville, et quand elles ne l'eussent pas été, leur bien et leur condition les eussent fait rechercher de tous les cavaliers qui avaient envie de se bien marier. Dom Manuel, leur père, ne s'était point encore déclaré en faveur de personne; et Dorothée, sa fille qui, comme aînée, devait être mariée devant* sa sœur, avait comme elle si bien ménagé ses regards et ses actions que le plus présomptueux de ses prétendants avait encore à douter si ses promesses amoureuses étaient bien ou mal reçues. Cependant ces belles filles n'allaient point à la messe sans un cortège d'amants bien parés; elles ne prenaient point d'eau bénite que plusieurs mains, belles ou laides, ne leur en offrissent à la fois; leurs beaux yeux ne se pouvaient lever de dessus leur livre de prières qu'ils ne se trouvassent le centre de je ne sais combien de regards immodérés et elles ne faisaient pas un pas dans l'église qu'elles n'eussent des révérences à rendre. Mais, si leur mérite leur causait tant de fatigue dans les lieux publics et dans les églises, il leur attirait souvent, devant les fenêtres de la maison de leur père, des divertissements qui leur rendaient supportable la sévère clôture à quoi les obligeaient leur sexe et la coutume de la nation. Il ne se

passait guère de nuit qu'elles ne fussent régalées* de
quelque musique et l'on courait fort souvent la bague*
devant leurs fenêtres qui donnaient sur une place publique. Un jour entre autres un étranger s'y fit admirer par
son adresse sur tous les cavaliers de la ville et fut remarqué pour un homme parfaitement bien fait par les deux
belles sœurs. Plusieurs cavaliers de Séville, qui l'avaient
connu en Flandres où il avait commandé un régiment de
cavalerie, le convièrent de courir la bague avec eux; ce
qu'il fit, habillé à la soldate. A quelques jours de là on fit
dans Séville la cérémonie de sacrer un évêque. L'étranger, qui se faisait appeler dom Sanche de Sylva, se trouva
dans l'église où se faisait la cérémonie avec les plus
galants de Séville; et les belles sœurs de Monsalve s'y
trouvèrent aussi, entre plusieurs dames déguisées*
comme elles, à la mode de Séville, avec une mante* de
grosse étoffe et un petit chapeau couvert de plume sur la
tête. Dom Sanche se trouva par hasard entre les deux
belles sœurs et une dame qu'il accosta, mais qui le pria
civilement de ne parler point à elle et de laisser libre la
place qu'il occupait à une personne qu'elle attendait.
Dom Sanche lui obéit et, approchant de Dorothée de
Monsalve qui était plus près de lui que sa sœur et qui
avait vu ce qui s'était passé entre cette dame et lui:
«J'avais espéré, lui dit-il, qu'étant étranger, la dame à
qui j'ai voulu parler ne me refuserait pas sa conversation,
mais elle m'a puni d'avoir cru trop témérairement que la
mienne n'était pas à mépriser. Je vous supplie, continua-t-il, de n'avoir pas tant de rigueur qu'elle pour un
étranger qu'elle vient de maltraiter et, pour la gloire des
dames de Séville, de lui donner sujet de se louer de leur
bonté. — Vous m'en donnez un bien grand de vous
traiter aussi mal qu'a fait cette dame, lui répondit Dorothée, puisque vous n'avez recours à moi qu'à son refus,
mais afin que vous n'ayez pas à vous plaindre des dames
de mon pays, je veux bien ne parler qu'avec vous tant que
durera la cérémonie, et par là vous jugerez que je n'ai
point donné ici de rendez-vous à personne. — C'est de
quoi je suis étonné, faite comme vous êtes, lui dit dom
Sanche, et il faut que vous soyez bien à craindre ou que

les galants de cette ville soient bien timides, ou plutôt que
celui dont j'occupe le poste soit absent. — Et pensez-
vous, lui dit Dorothée, que je sache si peu comment il
faut aimer qu'en l'absence d'un galant je ne m'empê-
chasse pas bien d'aller en une assemblée où je le trouverais à redire [235] ? Ne faites pas une autre fois un si mauvais jugement d'une personne que vous ne connaissez
pas. — Vous connaîtriez bien, répliqua dom Sanche, que
je juge de vous plus avantageusement que vous ne pensez
si vous me permettiez de vous servir autant que mon
inclination m'y porte. — Nos premiers mouvements ne
sont pas toujours bons à suivre, lui dit Dorothée, et, de
plus, il se trouve une grande difficulté dans ce que vous
me proposez. — Il n'y en a point que je ne surmonte pour
mériter d'être à vous, lui repartit dom Sanche. — Ce
n'est pas un dessein de peu de jours, lui répondit Dorothée ; vous ne songez peut-être pas que vous ne faites
que passer par Séville, et peut-être ne savez-vous pas
aussi que je ne trouverais pas bon qu'on ne m'aimât qu'en
passant. — Accordez-moi seulement ce que je vous demande, lui dit-il, et je vous promets que je serai dans
Séville toute ma vie. — Ce que vous me dites là est bien
galant, repartit Dorothée, et je m'étonne fort qu'un
homme qui sait dire de pareilles choses n'ait point encore
ici choisi de dame à qui il pût débiter sa galanterie.
N'est-ce point qu'il ne croit pas qu'elles en valent la
peine ? — C'est plutôt qu'il se défie de ses forces, lui dit
dom Sanche. — Répondez-moi précisément à ce que je
vous demande, lui dit Dorothée, et m'apprenez confi-
demment celle de nos dames qui aurait le pouvoir de vous
arrêter dans Séville. — Je vous ai déjà dit que vous m'y
arrêteriez si vous vouliez, lui répondit dom Sanche.
— Vous ne m'avez jamais vue, lui dit Dorothée ; décla-
rez-vous donc sur quelque autre. — Je vous avouerai
donc, puisque vous me l'ordonnez, lui dit dom Sanche,
que, si Dorothée de Monsalve avait autant d'esprit que
vous, je croirais un homme heureux dont elle estimerait le
mérite et souffrirait les soins. — Il se trouve dans Séville
plusieurs dames qui l'égalent et même qui la surpassent,
lui dit Dorothée, mais, ajouta-t-elle, n'avez-vous point

ouï dire qu'entre ses galants il s'en trouvât quelqu'un qu'elle favorisât plus que les autres? — Comme je me suis vu fort éloigné de la mériter, lui dit dom Sanche, je ne me suis pas beaucoup mis en peine de m'informer de ce que vous dites. — Pourquoi ne la mériteriez-vous pas aussitôt* qu'un autre? lui demanda Dorothée. Le caprice des dames est quelquefois étrange et, souvent, le premier abord d'un nouveau venu fait plus de progrès que plusieurs années de service des galants qui sont tous les jours devant leurs yeux. — Vous vous défaites de moi adroitement, dit dom Sanche, en me donnant courage d'en aimer une autre que vous et je vois bien par là que vous ne considéreriez guère les services d'un nouveau galant au préjudice de celui avec qui il y a longtemps que vous êtes engagée. — Ne vous mettez pas cela dans l'esprit, lui répondit Dorothée, et croyez plutôt que je ne suis pas assez facile à persuader par une simple cajolerie* pour croire la vôtre l'effet d'une inclination naissante, et même ne m'ayant jamais vue. — S'il ne manque que cela à la déclaration d'amour que je vous fais pour la rendre recevable, repartit dom Sanche, ne vous cachez pas davantage à un étranger qui est déjà charmé de votre esprit. — Le vôtre ne le serait pas de mon visage, lui répondit Dorothée. — Ah! vous ne pouvez être que fort belle, répliqua dom Sanche, puisque vous avouez si franchement que vous ne l'êtes pas et je ne doute plus à cette heure que vous ne vous vouliez défaire de moi parce que je vous ennuie ou que toutes les places de votre cœur ne soient déjà prises. Il n'est donc pas juste, ajouta-t-il, que la bonté que vous avez eue à me souffrir se lasse davantage et je ne veux pas vous laisser croire que je n'ai eu dessein que de passer mon temps lorsque je vous offrais tout celui de ma vie. — Pour vous témoigner, lui dit Dorothée, que je ne veux pas avoir perdu celui que j'ai employé à m'entretenir avec vous, je serais bien aise de ne m'en séparer point que je ne sache qui vous êtes. — Je ne puis faillir en vous obéissant. Sachez donc, aimable inconnue, lui dit-il, que je porte le nom de Sylva qui est celui de ma mère, que mon père est gouverneur de Quito dans le Pérou, que je suis dans Séville par son ordre et

que j'ai passé toute ma vie en Flandres où j'ai mérité des
plus beaux emplois de l'armée et une commanderie de
Saint-Jacques. Voilà en peu de paroles ce que je suis,
continua-t-il, et il ne tiendra désormais qu'à vous que je
ne vous puisse faire savoir, en un lieu moins public, ce
que je veux être toute ma vie. — Ce sera le plus tôt que je
pourrai, lui dit Dorothée, et cependant *, sans vous mettre en peine de me connaître davantage, si vous ne voulez
vous mettre en danger de ne me connaître jamais,
contentez-vous de savoir que je suis de qualité et que mon
visage ne fait pas peur. » Dom Sanche la quitta, lui faisant
une profonde révérence et alla joindre un grand nombre
de galants à louer [236] qui s'entretenaient ensemble. Quelques dames tristes, de celles qui sont toujours en peine de
la conduite des autres et fort en repos de la leur, qui se
font d'elles-mêmes arbitres du mal et du bien, quoiqu'on
puisse faire des gageures sur leur vertu comme sur tout ce
qui n'est pas bien avéré, et qui croient qu'avec un peu de
rudesse brutale et de grimace* dévote elles ont de l'honneur à revendre; quoique l'enjouement de leur jeunesse
ait été plus scandaleux que le chagrin de leurs rides n'a
été de bon exemple, ces dames donc, le plus souvent de
connaissance très courte, diront ici que mademoiselle
Dorothée est pour le moins une étourdie, non seulement
d'avoir si brusquement fait de si grandes avances à un
homme qu'elle ne connaissait que de vue, mais aussi
d'avoir souffert qu'on lui parlât d'amour; et que si une
fille sur qui elles auraient du pouvoir en avait fait autant,
elle ne serait pas un quart d'heure dans le monde. Mais
que les ignorantes sachent que chaque pays a ses coutu-
mes particulières et que, si, en France, les femmes et
même les filles qui vont partout sur leur bonne foi [237],
s'offensent, ou du moins le doivent faire, de la moindre
déclaration d'amour, qu'en Espagne, où elles sont res-
serrées comme des religieuses, on ne les offense point de
leur dire qu'on les aime quand celui qui le leur dirait
n'aurait pas de quoi se faire aimer. Elles font bien davantage : ce sont toujours presque les dames qui font les
premières avances et qui sont les premières prises parce
qu'elles sont les dernières à être vues des galants qu'elles

voient tous les jours dans les églises, dans le cours et de
leurs balcons et jalousies*. Dorothée fit confidence à sa
sœur Féliciane de la conversation qu'elle avait eue avec
dom Sanche et lui avoua que cet étranger lui plaisait
davantage que tous les cavaliers de Séville et sa sœur
approuva fort le dessein qu'elle avait fait sur sa liberté.
Les deux belles sœurs moralisèrent longtemps sur les
privilèges avantageux qu'avaient les hommes par-dessus
les femmes, qui n'étaient presque jamais mariées qu'au
choix de leurs parents qui n'était pas toujours à leur gré,
au lieu que les hommes se pouvaient choisir des femmes
aimables. « Pour moi, disait Dorothée à sa sœur, je suis
bien assurée que l'amour ne me fera jamais rien faire
contre mon devoir, mais je suis aussi bien résolue de ne
me marier jamais avec un homme qui ne possédera pas lui
seul tout ce que j'aurais à chercher en plusieurs autres et
j'aime bien mieux passer ma vie dans un couvent qu'avec
un mari que je ne pourrais pas aimer. » Féliciane dit à sa
sœur qu'elle avait pris cette résolution-là aussi bien
qu'elle et elles s'y fortifièrent l'une l'autre par tous les
raisonnements que leurs beaux esprits leur fournirent sur
le sujet. Dorothée trouvait de la difficulté à tenir à dom
Sanche la parole qu'elle lui avait donnée de se faire
connaître à lui, et elle en témoignait à sa sœur beaucoup
d'inquiétude. Mais Féliciane, qui était heureuse à trouver
des expédients, fit souvenir sa sœur qu'une dame de leurs
parentes et de plus de leurs intimes amies (car toutes les
parentes n'en sont pas), la servirait de tout son cœur dans
une affaire où il y allait de son repos. « Vous savez bien,
lui disait cette bonne sœur, la plus commode* du monde,
que Marine, qui nous a servies si longtemps, est mariée à
un chirurgien* qui loue de notre parente une petite maison jointe à la sienne et que les deux maisons ont une
entrée l'une dans l'autre. Elles sont dans un quartier
éloigné et quand on remarquerait que nous irions visiter
notre parente plus souvent que nous n'aurions jamais fait,
on ne prendra pas garde que ce dom Sanche entre chez un
chirurgien, outre qu'il y peut entrer de nuit et déguisé. »
Cependant que Dorothée dresse, à l'aide de sa sœur, le
plan de son intrigue amoureuse, qu'elle dispose sa pa-

rente à la servir et instruit Marine de ce qu'elle a à faire,
dom Sanche songe en son inconnue, ne sait si elle lui a
promis de lui faire savoir de ses nouvelles pour se moquer
de lui et la voit tous les jours sans la connaître, ou dans
les églises, ou à son balcon, recevant les adorations de ses
galants, qui sont tous de la connaissance de dom Sanche
et les plus grands amis qu'il ait dans Séville. Il s'habillait
un matin, songeant à son inconnue, quand on lui vint dire
qu'une femme voilée le demandait. On la fit entrer et il en
reçut le billet que vous allez lire.

BILLET

« Je vous aurais plus tôt fait savoir de mes nouvelles si
« je l'avais pu. Si l'envie que vous avez eue de me
« connaître vous dure encore, trouvez-vous au commen-
« cement de la nuit où celle qui vous a donné mon billet
« vous dira et d'où elle vous conduira où je vous atten-
« drai. »
    Vous pouvez vous figurer la joie qu'il eut. Il embrassa
avec emportement la bienheureuse ambassadrice et lui
donna une chaîne d'or qu'elle prit après quelque petite
cérémonie. Elle lui donna heure au commencement de la
nuit, en un lieu écarté qu'elle lui marqua, où il se devait
rendre sans suite, et prit congé de lui, le laissant l'homme
du monde le plus aise et le plus impatient. Enfin la nuit
vint ; il se trouva à l'assignation *, embelli et parfumé, où
l'attendait l'ambassadrice du matin. Il fut introduit par
elle dans une petite maison de mauvaise mine et ensuite
en un fort bel appartement où il trouva trois dames, toutes
le visage couvert d'un voile. Il reconnut son inconnue à
sa taille et lui fit d'abord des plaintes de ce qu'elle ne
levait pas son voile. Elle ne fit point de façons, et sa sœur
et elle se découvrirent au bienheureux dom Sanche pour
les belles dames de Monsalve. « Vous voyez, lui dit
Dorothée en ôtant son voile, que je disais la vérité quand
je vous assurais qu'un étranger obtenait quelquefois en un
moment ce que des galants qu'on voyait tous les jours ne
méritaient pas en plusieurs années ; et vous seriez, ajouta-t-elle, le plus ingrat de tous les hommes si vous n'esti-

miez pas la faveur que je vous fais ou si vous en faisiez
des jugements à mon désavantage. — J'estimerai toujours tout ce qui me viendra de vous comme s'il me
venait du ciel, lui dit le passionné dom Sanche, et vous
verrez bien, par le soin que j'aurai à me conserver le bien
que vous me ferez, que si jamais je le perds, ce sera plutôt
par mon malheur que par ma faute. »

> Ils se dirent en peu de temps
> Tout ce que l'amour nous fait dire
> Quand il est maître de nos sens[238].

La maîtresse du logis et Féliciane, qui savaient bien
vivre, s'étaient éloignées d'une honnête distance de nos
deux amants ; et ainsi ils eurent toute la commodité qu'il
leur fallait pour s'entre-donner de l'amour encore plus
qu'ils n'en avaient, quoiqu'ils en eussent déjà beaucoup,
et prirent jour pour s'en donner, s'il se pouvait, encore
davantage. Dorothée promit à dom Sanche de faire ce
qu'elle pourrait pour se voir souvent avec lui. Il l'en
remercia le plus spirituellement qu'il put. Les deux autres
dames se mêlèrent quelque temps dans leur conversation
et Marine les fit souvenir de se séparer quand il en fut
temps. Dorothée en fut triste, dom Sanche en changea de
visage, mais il fallut pourtant se dire adieu. Le brave
cavalier écrivit dès le jour suivant à sa belle dame qui lui
fit une réponse telle qu'il la pouvait souhaiter. Je ne vous
ferai point voir ici de leurs billets amoureux, car il n'en
est point tombé entre mes mains. Ils se virent souvent
dans le même lieu et de la même façon qu'ils s'étaient vus
la première fois et vinrent à s'aimer si fort que, sans
répandre leur sang comme Pyrame et Thisbé[239], ils ne
leur en durent guère[240] en tendresse impétueuse. On dit
que l'amour, le feu et l'argent ne se peuvent longtemps
cacher[241]. Dorothée, qui avait son galant étranger dans la
tête, n'en pouvait parler petitement et elle le mettait si
haut au-dessus de tous les gentilshommes de Séville que
quelques dames qui avaient leurs intérêts cachés aussi
bien qu'elle et qui l'entendaient incessamment parler de
dom Sanche et l'élever au mépris de ce qu'elles aimaient,
y prirent garde et s'en piquèrent. Féliciane l'avait souvent

avertie en particulier d'en parler avec plus de retenue et, cent fois en compagnie, quand elle la voyait se laisser emporter au plaisir qu'elle prenait de parler de son galant, lui avait marché sur les pieds jusqu'à lui faire mal. Un cavalier, amoureux de Dorothée, en fut averti par une dame de ses intimes amies et n'eut point de peine à croire que Dorothée aimait dom Sanche parce qu'il se souvint que, depuis que cet étranger était dans sa ville, les esclaves de cette belle fille, desquels il était le plus enchaîné, n'en avaient pas reçu le moindre petit regard favorable. Ce rival de dom Sanche était riche, de bonne maison et était agréable à dom Manuel qui ne pressait pourtant pas sa fille de l'épouser à cause que, toutes les fois qu'il lui en parlait, elle le conjurait de ne la marier pas si jeune. Ce cavalier (je me viens de souvenir qu'il s'appelait dom Diègue) voulut s'assurer davantage de ce qu'il ne faisait encore que soupçonner. Il avait un valet de chambre, de ceux qu'on appelle braves* garçons, qui ont d'aussi beau linge que leurs maîtres ou qui portent le leur, qui font les modes entre les autres valets et qui en sont autant enviés qu'estimés des servantes. Ce valet se nommait Gusman et, ayant eu du ciel une demi-teinture de poésie, faisait la plupart des romances de Séville, ce qui est à Paris des chansons de Pont-Neuf [242] ; il les chantait sur sa guitare et ne les chantait pas toutes unies et sans y faire de la broderie des lèvres ou de la langue. Il dansait la sarabande, n'était jamais sans castagnettes, avait eu envie d'être comédien et faisait entrer dans la composition de son mérite quelque bravoure mais, pour vous dire les choses comme elles sont, un peu filoutière. Tous ces beaux talents, joints à quelque éloquence de mémoire que lui avait communiquée celle de son maître, l'avaient rendu sans contredit le blanc* (si je l'ose ainsi dire) de tous les désirs amoureux des servantes qui se croyaient aimables. Dom Diègue lui commanda de se radoucir pour Isabelle, jeune fille qui servait les dames de Monsalve. Il obéit à son maître ; Isabelle s'en aperçut et se crut heureuse d'être aimée de Gusman qu'elle aima en peu de temps et qui, de son côté, vint aussi à l'aimer et à continuer tout de bon ce qu'il n'avait commencé que pour

obéir à son maître. Si Gusman éveillait la convoitise des
servantes de la plus grande ambition, Isabelle était un
parti avantageux pour le valet d'Espagne qui eût eu les
pensées les plus hautes. Elle était aimée de ses maîtresses, qui étaient fort libérales, et avait à attendre quelque
bien de son père qui était un honnête artisan. Gusman
songea donc sérieusement à être son mari; elle l'agréa
pour tel; ils se donnèrent mutuellement la foi de mariage
et vécurent depuis ensemble comme s'ils eussent été
mariés. Isabelle avait bien du déplaisir de ce que Marine,
la femme du chirurgien chez qui Dorothée et dom Sanche
se voyaient secrètement, et qui avait servi sa maîtresse
devant* elle, était encore sa confidente dans une affaire
de cette nature où la libéralité d'un amant se faisait
toujours paraître. Elle avait eu connaissance de la chaîne
d'or que dom Sanche avait donnée à Marine, de plusieurs
autres présents qu'il lui avait faits et s'imaginait qu'elle
en avait reçu bien d'autres. Elle en haïssait Marine à mort
et c'est ce qui m'a fait croire que la belle fille était un peu
intéressée. Il ne faut donc pas s'étonner si, à la première
prière que lui fit Gusman de lui avouer s'il était vrai que
Dorothée aimât quelqu'un, elle fit part du secret de sa
maîtresse à un homme à qui elle s'était donnée tout
entière. Elle lui apprit tout ce qu'elle savait de l'intrigue
de nos jeunes amants et exagéra longtemps la bonne
fortune de Marine, que dom Sanche enrichissait, et ensuite pesta contre elle d'emporter ainsi des profits qui
étaient mieux dus à une servante de la maison. Gusman la
pria de l'avertir du jour que Dorothée se trouverait avec
son galant. Elle le fit et il ne manqua pas d'en avertir son
maître, à qui il apprit tout ce qu'il avait appris de la peu
fidèle Isabelle. Dom Diègue, habillé en pauvre, se posta
auprès de la porte du logis de Marine la nuit que lui
marqua son valet, y vit entrer son rival et, à quelque
temps de là, arrêter un carrosse devant la maison de la
parente de Dorothée d'où cette belle fille et sa sœur
descendirent, laissant dom Diègue dans la rage que vous
pouvez vous imaginer. Il fit dessein dès lors de se délivrer
d'un si redoutable rival en l'ôtant du monde, s'assura
d'assassins de louage, attendit dom Sanche plusieurs

nuits de suite et enfin le trouva et l'attaqua, secondé de
deux braves* bien armés aussi bien que lui. Dom Sanche,
de son côté, était en état de se défendre et, outre le
poignard et l'épée, avait deux pistolets à sa ceinture. Il se
défendit d'abord comme un lion et connut bien que ses
ennemis en voulaient à sa vie et étaient couverts à
l'épreuve des coups d'épée. Dom Diègue le pressait plus
que les autres, qui n'agissaient qu'au prix de l'argent
qu'ils en avaient reçu. Il lâcha quelque temps le pied*
devant ses ennemis pour tirer le bruit du combat loin de la
maison où était sa Dorothée, mais enfin, craignant de se
faire tuer à force d'être trop discret et se voyant trop
pressé de dom Diègue, il lui tira un de ses pistolets et
l'étendit par terre demi-mort et demandant un prêtre à
haute voix. Au bruit du coup de pistolet les braves*
disparurent; dom Sanche se sauva chez lui et les voisins
sortirent dans la rue et trouvèrent dom Diègue, qu'ils
reconnurent, tirant à la fin et qui accusa dom Sanche de sa
mort. Notre cavalier en fut averti par ses amis qui lui
dirent que, quand la justice ne le chercherait pas, les
parents de dom Diègue ne laisseraient pas la mort de leur
parent impunie et tâcheraient assurément de le tuer en
quelque lieu qu'ils le trouvassent. Il se retira donc dans
un couvent, d'où il fit savoir de ses nouvelles à Dorothée
et donna ordre à ses affaires pour pouvoir sortir de Séville
quand il le pourrait faire sûrement. La justice cependant
fit ses diligences, chercha dom Sanche et ne le trouva
point.

Après que la première ardeur des poursuites fut passée
et que tout le monde fut persuadé qu'il s'était sauvé,
Dorothée et sa sœur, sous un prétexte de dévotion, se
firent mener par leur parente dans le couvent où s'était
retiré dom Sanche; et là, par l'entremise d'un bon père,
les deux amants se virent dans une chapelle, se promirent
une fidélité à toutes épreuves et se séparèrent avec tant de
regrets et se dirent des choses si pitoyables que sa sœur,
sa parente et le bon religieux, qui en furent témoins, en
pleurèrent et en ont toujours pleuré depuis toutes les fois
qu'ils y ont songé. Il sortit déguisé de Séville et laissa
devant* que de partir, des lettres au facteur de son père

pour les lui faire tenir aux Indes [243]. Par ces lettres il lui
faisait savoir l'accident qui l'obligeait à s'absenter de
Séville et qu'il se retirait à Naples. Il y arriva heureusement et fut bien venu auprès du vice-roi, à qui il avait
l'honneur d'appartenir. Quoiqu'il en reçût toutes sortes
de faveurs, il s'ennuya dans la ville de Naples pendant
une année entière, puisqu'il n'avait point de nouvelles de
Dorothée. Le vice-roi arma six galères qu'il envoya en
course contre le Turc. Le courage de dom Sanche ne lui
laissa pas négliger une si belle occasion de l'exercer; et
celui qui commandait ces galères le reçut dans la sienne et
le logea dans la chambre de poupe [244], ravi d'avoir avec
lui un homme de sa condition et de son mérite. Les six
galères de Naples en trouvèrent huit turques presque à la
vue de Messine et n'hésitèrent point à les attaquer. Après
un long combat, les chrétiens prirent trois galères enne-
mies et en coulèrent deux à fond. La patronne [245] des
galères chrétiennes s'était attachée à celle des Turcs qui,
pour être mieux armée que les autres, avait fait aussi plus
de résistance. La mer cependant était devenue grosse et
l'orage s'était augmenté si furieusement qu'enfin les
chrétiens et les Turcs songèrent moins à s'entre-nuire
qu'à se garantir de l'orage. On déprit donc de part et
d'autre les crampons de fer dont les galères avaient été
accrochées et la patronne turque s'éloigna de la chrétienne dans le temps que le trop hardi dom Sanche s'était
jeté dedans et n'avait été suivi de personne. Quand il se
vit lui seul au pouvoir des ennemis, il préféra la mort à
l'esclavage et, au hasard de tout ce qui en pourrait arriver, se lança dans la mer, espérant en quelque façon,
comme il était grand nageur, de gagner à la nage les
galères chrétiennes, mais le mauvais temps empêcha qu'il
n'en fût aperçu, quoique le général chrétien, qui avait été
témoin de l'action de dom Sanche et qui se désespérait de
sa perte qu'il croyait inévitable, fît revirer sa galère du
côté qu'il s'était jeté dans la mer. Dom Sanche cependant
fendait les vagues de toute la force de ses bras et, après
avoir nagé quelque temps vers la terre, où le vent et la
marée le portaient, il trouva heureusement une planche
des galères turques que le canon avait brisées et se servit

utilement de ce secours venu à propos qu'il crut que le
ciel lui avait envoyé. Il n'y avait pas plus d'une lieue et
demie du lieu où le combat s'était fait jusqu'à la côte de
Sicile et dom Sanche y aborda plus vite qu'il ne l'espérait, aidé, comme il était, du vent et de la marée. Il prit
terre sans se blesser contre le rivage et, après avoir
remercié Dieu de l'avoir tiré d'un péril si évident, il alla
plus avant en terre, autant que sa lassitude le put permettre ; et, d'une éminence qu'il monta, aperçut un hameau
habité de pêcheurs qu'il trouva les plus charitables du
monde. Les efforts qu'il avait faits pendant le combat,
qui l'avaient fort échauffé, et ceux qu'il avait faits dans la
mer et le froid qu'il y avait souffert, et ensuite dans ses
habits mouillés, lui causèrent une violente fièvre qui lui
fit longtemps garder le lit ; mais enfin il guérit sans y faire
autre chose que de vivre de régime. Pendant sa maladie,
il fit dessein de laisser tout le monde dans la croyance
qu'on devait avoir de sa mort pour n'avoir plus tant à se
garder de ses ennemis les parents de dom Diègue et pour
éprouver la fidélité de Dorothée. Il avait fait grande
amitié en Flandres avec un marquis sicilien, de la maison
de Montalte, qui s'appelait Fabio. Il donna ordre à un
pêcheur de s'informer s'il était à Messine où il savait
qu'il demeurait ; et, ayant su qu'il y était, il y alla en habit
de pêcheur et entra la nuit chez ce marquis, qui l'avait
pleuré avec tous ceux qui avaient été affligés de sa perte.
Le marquis Fabio fut ravi de retrouver un ami qu'il avait
cru perdu. Dom Sanche lui apprit de quelle façon il s'était
sauvé et lui conta son aventure de Séville sans lui cacher
la violente passion qu'il avait pour Dorothée. Le marquis
sicilien s'offrit d'aller en Espagne et même d'enlever
Dorothée, si elle y consentait, et de l'amener en Sicile.
Dom Sanche ne voulut pas recevoir de son ami de si
périlleuses marques d'amitié, mais il eut une extrême joie
de ce qu'il voulait bien l'accompagner en Espagne. Sanchez, valet de dom Sanche, avait été si affligé de la perte
de son maître que, quand les galères de Naples vinrent se
rafraîchir * à Messine, il entra dans un couvent pour y
passer le reste de ses jours. Le marquis Fabio l'envoya
demander au supérieur, qui l'avait reçu à la recomman-

dation de ce seigneur sicilien et qui ne lui avait pas encore
donné l'habit de religieux. Sanchez pensa mourir de joie
quand il revit son cher maître et ne songea plus à retourner dans son couvent. Dom Sanche l'envoya en Espagne
préparer ses voies et pour lui faire savoir des nouvelles de
Dorothée qui, cependant, avait cru avec tout le monde
que dom Sanche était mort. Le bruit en alla jusqu'aux
Indes ; le père de dom Sanche en mourut de regret et
laissa à un autre fils qu'il avait quatre cent mille écus de
bien, à condition d'en donner la moitié à son frère si la
nouvelle de sa mort se trouvait fausse. Le frère de dom
Sanche se nommait dom Juan de Péralte, du nom de son
père. Il s'embarqua pour l'Espagne avec tout son argent
et arriva à Séville un an après l'accident qui y était arrivé
à dom Sanche. Ayant un nom différent du sien, il lui fut
aisé de cacher qu'il fût son frère, ce qu'il lui était important de tenir secret à cause du long séjour que ses affaires
l'obligèrent de faire dans une ville où son frère avait des
ennemis. Il vit Dorothée et en devint amoureux comme
son frère, mais il n'en fut pas aimé comme lui. Cette belle
fille affligée ne pouvait rien aimer après son cher dom
Sanche ; tout ce que dom Juan de Péralte faisait pour lui
plaire l'importunait et elle refusait tous les jours les
meilleurs partis de Séville que son père dom Manuel lui
proposait. Dans ce temps-là Sanchez arriva à Séville et,
suivant les ordres que lui avait donnés son maître, il
voulut s'informer de la conduite de Dorothée. Il sut du
bruit de la ville qu'un cavalier fort riche, venu depuis peu
des Indes, en était amoureux et faisait pour elle toutes les
galanteries d'un amant bien raffiné. Il l'écrivit à son
maître et lui fit le mal plus grand qu'il n'était et son
maître se l'imagina encore plus grand que son valet ne le
lui avait fait. Le marquis Fabio et dom Sanche s'embar-
quèrent à Messine sur des galères d'Espagne qui y retour-
naient et arrivèrent heureusement à San-Lucar où ils prirent la poste jusqu'à Séville. Ils y entrèrent de nuit et
descendirent dans le logis que Sanchez leur avait arrêté.
Ils gardèrent la chambre le lendemain et, la nuit, dom
Sanche et le marquis Fabio allèrent faire la ronde dans le
quartier de dom Manuel. Ils ouïrent accorder des instru-

ments sous les fenêtres de Dorothée et ensuite une excellente musique, après laquelle une voix seule, accompagnée d'un théorbe, se plaignit longtemps des rigueurs
d'une tigresse déguisée en ange. Dom Sanche fut tenté de
charger messieurs de la sérénade, mais le marquis Fabio
l'en empêcha, lui représentant que c'était tout ce qu'il
pourrait faire si Dorothée avait paru à son balcon pour
obliger son rival ou si les paroles de l'air qu'on avait
chanté étaient des remerciements de faveurs reçues plutôt
que des plaintes d'un amant qui n'étaient pas content. La
sérénade se retira peut-être assez mal satisfaite et dom
Sanche et le marquis Fabio se retirèrent aussi. Cependant
Dorothée commençait à se trouver importunée de l'amour
du cavalier indien. Son père, dom Manuel, avait une
extrême passion de la voir mariée et elle ne doutait point
que si cet Indien, dom Juan de Péralte, riche et de bonne
maison comme il était, s'offrait à lui pour son gendre, il
ne fût préféré à tous les autres et elle plus pressée de son
père qu'elle n'avait encore été. Le jour qui suivit la
sérénade, dont le marquis Fabio et dom Sanche avaient eu
leur part, Dorothée s'en entretint avec sa sœur et lui dit
qu'elle ne pouvait plus souffrir les galanteries de l'Indien
et qu'elle trouvait étrange qu'il les fît si publiques devant
que d'avoir fait parler à son père. « C'est un procédé que
je n'ai jamais approuvé, lui dit Féliciane, et, si j'étais en
votre place, je le traiterais si mal la première fois que
l'occasion s'en présenterait qu'il serait bientôt désabusé
de l'espérance qu'il a de vous plaire. Pour moi, il ne m'a
jamais plu, ajouta-t-elle ; il n'a point ce bon air qu'on ne
prend qu'à la cour et la grande dépense qu'il fait dans
Séville n'a rien de poli et rien qui ne sente son étranger. »
Elle s'efforça ensuite de faire une fort désagréable peinture de dom Juan de Péralte, ne se souvenant pas qu'au
commencement qu'il parut dans Séville elle avait avoué à
sa sœur qu'il ne lui déplaisait pas et que, toutes les fois
qu'elle avait eu à en parler, elle l'avait fait en le louant
avec quelque sorte d'emportement. Dorothée, remar-
quant sa sœur si changée, ou qui feignait de l'être dans les
sentiments qu'elle avait eus autrefois pour ce cavalier, la
soupçonna d'avoir de l'inclination pour lui autant qu'elle

lui voulait faire croire de n'en avoir point et, pour s'en
éclaircir, elle lui dit qu'elle n'était point offensée des
galanteries de dom Juan par l'aversion qu'elle eût pour sa
personne et qu'au contraire, lui trouvant dans le visage
quelque air de celui de dom Sanche, il aurait été plus
capable de lui plaire qu'aucun autre cavalier de Séville,
outre qu'elle savait bien qu'étant riche et de bonne maison, il obtiendrait aisément le consentement de son père;
«mais, ajouta-t-elle, je ne puis rien aimer après dom
Sanche et, puisque je n'ai pu être sa femme, je ne la serai
jamais d'un autre et je passerai le reste de mes jours dans
un couvent. — Quand vous ne seriez pas encore bien
résolue à un si étrange dessein, lui dit Féliciane, vous ne
pouvez m'affliger davantage que de me le dire. — N'en
doutez point, ma sœur, lui répondit Dorothée, vous serez
bientôt le plus riche parti de Séville et c'est ce qui me
faisait avoir envie de voir dom Juan pour lui persuader
d'avoir pour vous les sentiments d'amour qu'il a pour
moi, après l'avoir désabusé de l'espérance qu'il a que je
puisse jamais consentir à l'épouser; mais je ne le verrai
que pour le prier de ne m'importuner plus de ses galanteries puisque je vois que vous avez tant d'aversion pour
lui. Et, en vérité, continua-t-elle, j'en ai du déplaisir, car
je ne vois personne dans Séville avec qui vous puissiez
être aussi bien mariée que vous le seriez avec lui. — Il
m'est plus indifférent que haïssable, lui dit Féliciane et, si
je vous ai dit qu'il me déplaisait, ç'a été plutôt par
quelque complaisance que j'ai voulu avoir pour vous que
par une véritable aversion que j'eusse pour lui.
— Avouez plutôt, ma chère sœur, lui répondit Dorothée,
que vous ne me parlez pas ingénument; et, quand vous
m'avez témoigné peu d'estime pour dom Juan, que vous
ne vous êtes pas souvenue que vous me l'avez quelquefois extrêmement loué ou que vous avez plutôt craint
qu'il ne me plût trop que découvert qu'il ne vous plaisait
guère. » Féliciane rougit à ces dernières paroles de Dorothée, et se défit * extrêmement; elle lui dit, l'esprit fort
troublé, quantité de choses mal arrangées qui la défendirent moins qu'elles ne la convainquirent de ce que l'accusait sa sœur, et enfin elle lui confessa qu'elle aimait dom

Juan. Dorothée ne désapprouva pas son amour et lui
promit de la servir de tout son pouvoir. Dès le jour même,
Isabelle, qui avait rompu tout commerce avec son Gusman depuis l'accident arrivé à dom Sanche, eut ordre de
Dorothée d'aller trouver dom Juan, de lui porter la clef
d'une porte de jardin de dom Manuel et de lui dire que
Dorothée et sa sœur l'y attendraient et qu'il se rendît à
l'assignation * à minuit quand leur père serait couché.
Isabelle, qui avait été gagnée de dom Juan et qui avait fait
ce qu'elle avait pu pour le mettre bien dans l'esprit de sa
maîtresse sans y avoir réussi, fut fort surprise de la voir si
changée et fort aise de porter une bonne nouvelle à une
personne à qui elle n'en avait encore porté que de mauvaises et de qui elle avait déjà reçu beaucoup de présents.
Elle vola chez ce cavalier, qui eût en peine à croire sa
bonne fortune sans la fatale clef du jardin qu'elle lui mit
dans les mains. Il mit dans les siennes une petite bourse
de senteur pleine de cinquante pistoles dont elle eut pour
le moins autant de joie qu'elle venait de lui en donner. Le
hasard voulut que, la même nuit que dom Juan devait
avoir entrée dans le jardin du père de Dorothée, dom
Sanche, accompagné de son ami le marquis, vînt encore
faire la ronde alentour du logis de cette belle fille pour
s'assurer davantage des desseins de son rival. Le marquis
et lui étaient sur les onze heures dans la rue de Dorothée
quand quatre hommes bien armés s'arrêtèrent auprès
d'eux. L'amant jaloux crut que c'était son rival. Il s'approcha de ces hommes et leur dit que le poste qu'ils
occupaient lui était commode pour un dessein qu'il avait
et qu'il les priait de le lui céder. «Nous le ferions par
civilité, lui répondirent les autres, si le même poste que
vous nous demandez n'était absolument nécessaire à un
dessein que nous avons aussi et qui sera exécuté assez tôt
pour ne retarder pas longtemps l'exécution du vôtre.» La
colère de dom Sanche était déjà au plus haut point où elle
pouvait aller; mettre donc l'épée à la main et charger ces
hommes qu'il trouvait incivils fut presque la même
chose. Cette attaque imprévue de dom Sanche les surprit
et les mit en désordre et le marquis, les chargeant d'aussi
grande vigueur qu'avait fait son ami, ils se défendirent

mal et furent poussés plus vite que le pas jusqu'au bout de la rue. Là, dom Sanche reçut une légère blessure dans un bras, et perça celui qui l'avait blessé d'un si grand coup qu'il fut longtemps à retirer son épée du corps de son ennemi et crut l'avoir tué. Le marquis cependant s'était opiniâtré à poursuivre les autres, qui fuirent devant lui de toute leur force aussitôt qu'ils virent tomber leur camarade. Dom Sanche vit à l'un des deux bouts de la rue des gens avec de la lumière qui venaient au bruit du combat. Il eut peur que ce ne fût la justice, et c'était elle. Il se retira en diligence dans la rue où le combat avait commencé et, de cette rue, dans une autre au milieu de laquelle il trouva tête pour tête un vieux cavalier qui s'éclairait d'une lanterne et qui avait mis l'épée à la main au bruit que faisait dom Sanche qui venait à lui en courant. Ce vieux cavalier était dom Manuel qui revenait de jouer chez un de ses voisins, comme il faisait tous les soirs, et allait entrer chez lui par la porte de son jardin qui était proche du lieu où le trouva dom Sanche. Il cria à notre amoureux cavalier : « Qui va là ? — Un homme, lui répondit dom Sanche, à qui il importe de passer vite si vous ne l'en empêchez. — Peut-être, lui dit dom Manuel, vous est-il arrivé quelque accident qui vous oblige à chercher un asile ; ma maison, qui n'est pas éloignée, vous en peut servir. — Il est vrai, lui répondit dom Sanche, que je suis en peine de me cacher à la justice qui, peut-être, me cherche ; et, puisque vous êtes assez généreux pour offrir votre maison à un étranger, il vous fie son salut en toute assurance et vous promet de n'oublier jamais la grâce que vous lui faites et de ne s'en servir qu'autant de temps qu'il lui est nécessaire pour laisser passer outre ceux qui le cherchent. » Dom Manuel là-dessus ouvrit sa porte d'une clef qu'il avait sur lui et, ayant fait entrer dom Sanche dans son jardin, le mit dans un bois de lauriers en attendant qu'il irait donner ordre à le cacher mieux dans sa maison sans qu'il fût vu de personne. Il n'y avait pas longtemps que dom Sanche était caché entre ces lauriers quand il vit venir à lui une femme qui lui dit en l'approchant : « Venez, mon cavalier, ma maîtresse Dorothée vous attend. » A ce nom-là dom San-

che pensa qu'il pouvait bien être dans la maison de sa
maîtresse et que le vieux cavalier était son père. Il soupçonna Dorothée d'avoir donné l'assignation dans le
même lieu à son rival et suivit Isabelle, plus tourmenté de
sa jalousie que de la peur de la justice. Cependant dom
Juan vint à l'heure qu'on lui avait donnée, ouvrit la porte
du jardin de dom Manuel avec la clef qu'Isabelle lui avait
donnée et se cacha dans les mêmes lauriers d'où dom
Sanche venait de sortir. Un moment après il vit venir un
homme droit à lui ; il se mit en état de se défendre s'il était
attaqué et fut bien surpris quand il reconnut cet homme pour
dom Manuel, qui lui dit qu'il le suivît et qu'il l'allait mettre
en un lieu où il n'aurait pas à craindre d'être pris. Dom Juan
conjectura, des paroles de dom Manuel, qu'il pouvait avoir
fait sauver dans son jardin quelque homme poursuivi de la
justice. Il ne put faire autre chose que de le suivre en le
remerciant du plaisir qu'il lui faisait ; et l'on peut croire qu'il
ne fut pas moins troublé du péril qu'il courait que fâché de
l'obstacle qui faisait manquer son amoureux dessein. Dom
Manuel le conduisit dans sa chambre et l'y laissa pour s'aller
faire dresser un lit dans une autre.

Laissons-le dans la peine où il doit être et reprenons
son frère dom Sanche de Silva. Isabelle le conduisit dans
une chambre basse qui donnait sur le jardin où Dorothée
et Féliciane attendaient dom Juan de Péralte, l'une
comme un amant à qui elle a grande envie de plaire,
l'autre pour lui déclarer qu'elle ne peut l'aimer et qu'il
ferait mieux de tâcher à plaire à sa sœur. Dom Sanche
entra donc où étaient les deux belles sœurs qui furent bien
surprises de le voir. Dorothée en demeura sans sentiment,
comme une personne morte et, si sa sœur ne l'eût soutenue et ne l'eût mise dans une chaise, elle serait tombée de
sa hauteur. Dom Sanche demeura immobile ; Isabelle
pensa mourir de peur et crut que dom Sanche mort leur
apparaissait pour venger le tort que lui faisait sa maîtresse. Féliciane, quoique fort effrayée de voir dom Sanche ressuscité, était encore plus en peine de l'accident de
sa sœur, qui reprit enfin ses esprits ; et alors dom Sanche
lui dit ces paroles : « Si le bruit qui a couru de ma mort,
ingrate Dorothée, n'excusait en quelque façon votre in-

constance, le désespoir qu'elle me cause ne me laisserait
pas assez de vie pour vous en faire des reproches. J'ai
voulu faire croire à tout le monde que j'étais mort pour
être oublié de mes ennemis, et non pas de vous qui
m'avez promis de n'aimer jamais que moi et qui avez si
tôt manqué à votre promesse. Je me pourrais venger et
faire tant de bruit par mes cris et par mes plaintes que
votre père s'en éveillerait et trouverait l'amant que vous
cachez dans sa maison; mais, insensé que je suis! j'ai
peur encore de vous déplaire et je m'afflige davantage de
ce que je ne dois plus vous aimer que de ce que vous en
aimez un autre. Jouissez, belle infidèle, jouissez de votre
cher amant; ne craignez plus rien dans vos nouvelles
amours; je vous délivrerai bientôt d'un homme qui vous
pourrait reprocher toute votre vie que vous l'avez trahi
lorsqu'il exposait sa vie pour venir vous revoir. » Dom
Sanche voulut s'en aller après ces paroles, mais Dorothée
l'arrêta et allait tâcher de se justifier quand Isabelle lui
dit, fort effrayée, que Dom Manuel la suivait. Dom
Sanche n'eut que le temps de se mettre derrière la porte;
le vieillard fit une réprimande à ses filles de ce qu'elles
n'étaient pas encore couchées; et, cependant* qu'il eut le
dos tourné vers la porte de la chambre, dom Sanche en
sortit et, gagnant le jardin, s'alla remettre dans le même
bois de lauriers où il s'était déjà mis et où, préparant son
courage à tout ce qui lui pourrait arriver, il attendit une
occasion de sortir quand elle se présenterait. Dom Manuel était entré dans la chambre de ses filles pour y
prendre de la lumière et pour aller de là ouvrir la porte de
son jardin aux officiers de la justice qui y frappaient pour
la faire ouvrir parce qu'on leur avait dit que dom Manuel
avait retiré dans sa maison un homme qui pouvait être de
ceux qui venaient de se battre dans la rue. Dom Manuel
ne fit pas difficulté de les laisser chercher dans sa maison,
croyant bien qu'ils ne feraient pas ouvrir sa chambre et
que le cavalier qu'ils cherchaient y était enfermé. Dom
Sanche, voyant qu'il ne pouvait éviter d'être trouvé par le
grand nombre de sergents qui s'étaient épandus par le
jardin, sortit du bois de lauriers où il était; et, s'approchant de dom Manuel, qui était fort surpris de le voir, lui

dit à l'oreille qu'un cavalier d'honneur gardait sa parole
et n'abandonnait jamais une personne qu'il avait mise en
sa protection. Dom Manuel pria le prévôt, qui était son
ami, de lui laisser dom Sanche en sa garde; ce qui lui fut
aisément accordé, et à cause de sa qualité, et parce que le
blessé ne l'était pas dangereusement. La justice se retira;
et dom Manuel, ayant reconnu par les mêmes discours
qu'il avait tenus à dom Sanche quand il le trouva et que ce
cavalier lui redit, que c'était véritablement celui qu'il
avait reçu dans son jardin, ne douta point que l'autre ne
fût quelque galant introduit dans sa maison par ses filles
ou par Isabelle. Pour s'en éclaircir, il fit entrer dom
Sanche de Silva dans une chambre et le pria d'y demeurer
jusqu'à ce qu'il le vînt trouver. Il alla dans celle où il
avait laissé dom Juan de Péralte à qui il feignit que son
valet était entré en même temps que les officiers de la
justice et qu'il demandait à parler à lui. Dom Juan savait
bien que son valet de chambre était fort malade et peu en
état de le venir trouver; outre qu'il ne l'eût pas fait sans
son ordre quand il eût su où il était, ce qu'il ignorait. Il fut
donc fort troublé de ce que lui dit dom Manuel, à qui à
tout hasard il répondit que son valet n'avait qu'à l'aller
attendre dans son logis. Dom Manuel le reconnut alors
pour ce jeune gentilhomme indien qui faisait tant de bruit
dans Séville et, étant bien informé de sa qualité et de son
bien, résolut de ne le laisser point sortir de sa maison
qu'il n'eût épousé celle de ses filles avec qui il aurait le
moindre commerce. Il s'entretint quelque temps avec lui
pour s'éclaircir davantage des doutes dont il avait l'esprit
agité. Isabelle, du pas de la porte, les vit parlant ensemble
et l'alla dire à sa maîtresse. Dom Manuel entrevit Isabelle
et crut qu'elle venait de faire quelque message à dom
Juan de la part de sa fille. Il le quitta pour courir après elle
dans le temps que le flambeau qui éclairait la chambre
acheva de brûler et s'éteignit de lui-même. Cependant
que le vieillard ne trouve pas Isabelle où il la cherche,
cette fille apprend à Dorothée et à Féliciane que dom
Sanche était dans la chambre de leur père et qu'on les
avait vus parler ensemble. Les deux sœurs y coururent sur
sa parole. Dorothée ne craignait point de trouver son cher

dom Sanche avec son père, résolue qu'elle était de lui
confesser qu'elle l'aimait et qu'elle en avait été aimée et
de lui dire à quelle intention elle avait donné assignation*
à dom Juan. Elle entra donc dans la chambre, qui était
sans lumière, et s'étant rencontrée avec dom Juan dans le
temps qu'il en sortait, elle le prit pour dom Sanche,
l'arrêta par le bras et lui parla en cette sorte : « Pourquoi
me fuis-tu, cruel dom Sanche, et pourquoi n'as-tu pas
voulu entendre ce que j'aurais pu répondre aux injustes
reproches que tu m'as faits ? J'avoue que tu ne m'en
pourrais faire d'assez grands si j'étais aussi coupable que
tu as en quelque façon sujet de le croire, mais tu sais bien
qu'il y a des choses fausses qui ont quelquefois plus
d'apparence de vérité que la vérité même et qu'elle se
découvre toujours avec le temps ; donne-moi donc celui
de te la faire voir en débrouillant la confusion où ton
malheur et le mien, et peut-être celui de plusieurs autres,
nous viennent de mettre. Aide-moi à me justifier et ne
hasarde* pas d'être injuste pour être trop précipité à me
condamner devant* de m'avoir convaincue. Tu peux
avoir ouï dire qu'un cavalier m'aime, mais as-tu ouï dire
que je l'aime aussi ? Tu peux l'avoir trouvé ici, car il est
vrai que je l'y ai fait venir, mais quand tu sauras à quel
dessein je l'ai fait, je suis assurée que tu auras un cruel
remords de m'avoir offensée lorsque je te donne la plus
grande marque de fidélité que je te puis donner. Que
n'est-il en ta présence, ce cavalier dont l'amour m'im-
portune ! tu connaîtrais, par ce que je lui dirais, si jamais
il a pu me dire qu'il m'aimât et si j'ai jamais voulu lire les
lettres qu'il m'a écrites. Mais mon malheur, qui me l'a
toujours fait voir quand sa vue m'a pu nuire, m'empêche
de le voir quand il me pourrait servir à te désabuser. »
Dom Juan eut la patience de laisser parler Dorothée sans
l'interrompre pour en apprendre encore davantage qu'elle
ne lui en venait de découvrir. Enfin, il allait peut-être la
quereller quand dom Sanche, qui cherchait de chambre en
chambre le chemin du jardin qu'il avait manqué, et qui
ouït la voix de Dorothée qui parlait à dom Juan, s'approcha d'elle avec le moindre bruit qu'il put et fut pourtant
ouï de dom Juan et des deux sœurs. Dans ce même temps,

dom Manuel entra dans la même chambre avec de la
lumière que portaient devant lui quelques-uns de ses
domestiques. Les deux frères rivaux se virent et furent
vus se regardant fièrement l'un l'autre, la main sur la
garde de leurs épées. Dom Manuel se mit au milieu d'eux
et commanda à sa fille d'en choisir un pour mari afin qu'il
se battît contre l'autre. Dom Juan prit la parole et dit que,
pour lui, il cédait toutes sortes de prétentions, s'il en
pouvait avoir, au cavalier qu'il voyait devant lui. Dom
Sanche dit la même chose et ajouta que, puisque dom
Juan avait été introduit chez dom Manuel par sa fille, il y
avait apparence qu'elle l'aimait et en était aimée, et que,
pour lui, il mourrait mille fois plutôt que de se marier
avec le moindre scrupule. Dorothée se jeta aux pieds de
son père et le conjura de l'entendre. Elle lui conta tout ce
qui s'était passé entre elle et dom Sanche de Silva devant* qu'il eût tué dom Diègue pour l'amour d'elle. Elle
lui apprit que dom Juan de Péralte était ensuite devenu
amoureux d'elle, le dessein qu'elle avait eu de le désabuser et de lui proposer de demander sa sœur en mariage, et
elle conclut que, si elle ne pouvait persuader son innocence à dom Sanche, elle voulait, dès le jour suivant,
entrer dans un couvent pour n'en sortir jamais. Par sa
relation les deux frères se reconnurent; dom Sanche se
raccommoda avec Dorothée qu'il demanda en mariage à
dom Manuel; dom Juan lui demanda aussi Féliciane, et
dom Manuel les reçut pour ses gendres avec une satisfaction qui ne se peut exprimer. Aussitôt que le jour parut,
dom Sanche envoya quérir le marquis Fabio qui vint
prendre part en la joie de son ami. On tint l'affaire secrète
jusqu'à tant que dom Manuel et le marquis eurent disposé
un cousin, héritier de dom Diègue, à oublier la mort de
son parent et à s'accommoder avec dom Sanche. Pendant
la négociation le marquis Fabio devint amoureux de la
sœur de ce cavalier et la lui demanda en mariage. Il reçut
avec beaucoup de joie une proposition si avantageuse à sa
sœur et, dès lors, se laissa aller à tout ce qu'on lui
proposa en faveur de dom Sanche. Les trois mariages se
firent en un même jour; tout y alla bien de part et d'autre
et même longtemps, ce qui est à considérer.

CHAPITRE XX

DE QUELLE FAÇON LE SOMMEIL DE RAGOTIN
FUT INTERROMPU

L'agréable Inézille acheva de lire sa nouvelle et fit regretter à tous ses auditeurs de ce qu'elle n'était pas plus longue. Tandis qu'elle la lut, Ragotin qui, au lieu de l'écouter, s'était mis à entretenir son mari sur le sujet de la magie, s'endormit sur une chaise basse où il était, ce que l'opérateur * fit aussi. Le sommeil de Ragotin n'était pas tout à fait volontaire et, s'il eût pu résister aux vapeurs des viandes* qu'il avait mangées en grande quantité, il eût été attentif par bienséance à la lecture de la nouvelle d'Inézille. Il ne dormait donc pas de toute sa force, laissant souvent aller sa tête jusqu'à ses genoux et la relevant tantôt demi-endormi, et tantôt se réveillant en sursaut, comme on fait plus souvent qu'ailleurs au sermon quand on s'y ennuie. Il y avait un bélier dans l'hôtellerie, à qui la canaille qui va et vient d'ordinaire en de semblables maisons, avait accoutumé de présenter la tête, les mains devant, contre lesquelles le bélier prenait sa course et choquait rudement de la sienne, je veux dire de sa tête, comme tous les béliers font de leur naturel. Cet animal allait sur sa bonne foi [246] par toute l'hôtellerie et entrait même dans les chambres où l'on lui donnait souvent à manger. Il était dans celle de l'opérateur dans le temps qu'Inézille lisait sa nouvelle. Il aperçut Ragotin, à qui le chapeau était tombé de la tête, et qui (comme je vous ai déjà dit), la haussait et baissait souvent. Il crut que c'était un champion qui se présentait à lui pour exercer sa valeur contre la sienne. Il recula quatre ou cinq pas en arrière, comme l'on fait pour mieux sauter, et, partant comme un cheval dans une carrière *, alla heurter de sa tête armée de cornes celle de Ragotin qui était chauve par le haut. Il la lui aurait cassée comme un pot de terre, de la force qu'il la choqua *, mais par bonheur pour Ragotin, il la prit dans le temps qu'il la haussait et ainsi ne fit que lui froisser superficiellement le visage. L'action du bélier surprit tellement ceux qui la virent qu'ils en demeurèrent comme en extase, sans toutefois oublier d'en rire. Si bien que le bélier, qu'on faisait toujours choquer plus d'une fois, put sans empêchement reprendre autant de champ qu'il lui en fallait pour une seconde course et vint inconsidérément donner dans les genoux de Ragotin dans le temps que, tout étourdi du choc du bélier et le visage écorché et sanglant en plusieurs endroits, il avait porté les mains à ses yeux qui lui faisaient grand mal, ayant été également foulés l'un et l'autre, chacun de sa corne en particulier, parce que celles du bélier étaient entre elles à la même distance qu'étaient entre eux les yeux du malheureux Ragotin. Cette seconde attaque du bélier les lui fit ouvrir et il n'eut pas plutôt reconnu l'auteur de son dommage qu'en la colère où il était il frappa de sa main fermée le bélier par la tête et se fit grand mal contre ses cornes. Il en enragea beaucoup et encore plus d'ouïr rire toute l'assistance qu'il querella en général et sortit de la chambre en furie. Il sortait aussi de l'hôtellerie, mais l'hôte l'arrêta pour compter [247], ce qui lui fut peut-être aussi fâcheux que les coups de cornes du bélier.

FIN DE LA DEUXIÈME PARTIE

NOTES

1. A — *Le Romant comique* (sans nom d'auteur sur la page de titre) Paris, Toussainct Quinet, 1651. In-8º de 8 ff. non chiffrés (y compris le frontispice gravé non signé, représentant trois comédiens en habits de farceurs sur une scène), 527 p. et 2 ff. non chiffrés. Privilège du 20 août 1650 ; achevé d'imprimer du 15 septembre 1651. (Rééditions en 1652, 1654 et 1655.)

B — *Le Romant comique. Première Partie.*
Paris, Guillaume de Luynes, 1655. In-8º de 8 ff. n. ch., 491 p. et 2 ff. n. ch. (même frontispice). Édition revue par Scarron.

C — *Le Romant comique de Mᵣ Scarron. Seconde Partie.*
Paris, Guillaume de Luyne *(sic)*, 1657. In-8º de 7 ff. n. ch., 541 p. et 1 f. n. ch. Privilège du 18 décembre 1654 ; achevé d'imprimer du 20 septembre 1657.

Le titre de l'ouvrage orthographiera « *Romant* » jusqu'en 1717. Cette graphie, sans être dominante, est assez fréquente au XVIIᵉ siècle, en concurrence avec « roman » ; c'est une forme ancienne, datant du XIIIᵉ siècle, et qui explique le dérivé « romantique ».

2. *Le Coadjuteur* : Jean-François Paul de Gondi, cardinal de Retz (1613-1679), auteur des fameux *Mémoires* publiées en 1717. Il était alors coadjuteur de Jean-François de Gondi, archevêque de Paris depuis 1643, auquel il succédera en 1654. Scarron l'avait rencontré vers 1630 chez Marion de L'Orme ; puis, pendant la Fronde, il fut de nouveau en rapports avec lui. Retz, farouche anti-Mazarin, lui rendit souvent visite et l'incita à publier sa *Mazarinade*, vigoureuse diatribe inspirée par la rancune (Mazarin n'avait donné aucune gratification en échange de la dédicace du *Typhon* et Scarron le rendait responsable du non-paiement de sa pension depuis 1649). Retz figurait au nombre de ceux qui écoutèrent Scarron « essayer » le *Roman comique*.

3. *Au Lecteur* : dans l'édition de 1651.

4. Tout ce début, parodie fameuse du langage noble, relève déjà du cliché : cf. *Don Quichotte*, II, 14 ; Théophile, début du *Fragment d'une histoire comique* ; Sorel, *Francion*, et *Le Berger extravagant*, III, Le Banquet des Dieux (avec remarques) ; etc. Voir encore ci-après le début de la Deuxième Partie.

5. Vieilles halles en bois, construites en 1568.

6. Procédé de déguisement assez courant à l'époque (Henri IV, Bussy-Rabutin, et dans *Francion,* VIᵉ livre).

7. *A la petite guerre :* maraudés, chapardés.

8. Le tripot de la Biche était un jeu de paume avec auberge, situé sur la place des Halles. Il était effectivement géré par une femme, la veuve Despins.

9. La Rappinière serait M. de La Rousselière, selon la clef manuscrite de l'Arsenal, ou François Nourry de Vauseillon, selon H. Chardon ; tous deux furent lieutenants du prévôt du Mans. La maréchaussée du Maine comptait trois lieutenants du prévôt, chargés de la police ordinaire (délits, agressions, crimes).

10. On a pensé que Scarron peignait, sous ces pseudonymes conformes à une habitude déjà vieillissante, les acteurs de la troupe de Molière lors de ses pérégrinations provinciales : Molière et Armande Béjart auraient alors servi de modèle au couple Destin-L'Étoile. H. Chardon a ruiné cette thèse. On ne peut non plus retenir une identification, même partielle, avec la troupe de Valeran-le-Comte ou de Filandre (J.-B. de Mouchaingre).

11. *N'en a pas pour un :* n'en manque pas.

12. La troupe du prince d'Orange était alors dirigée par Filandre, après l'avoir été par Valeran-le-Comte et par Mondory. Troupe nomade, elle était protégée par le prince dont elle avait pris le nom.

13. La troupe de Bordeaux, entretenue par le duc d'Épernon, gouverneur de Guyenne, était alors dirigée par Charles Dufresne. Molière et Madeleine Béjart s'y associèrent un moment vers 1645.

14. *Le feu saint Antoine :* mal des ardents, sorte d'épilepsie provoquée par le seigle ergoté.

15. *Mondory :* célèbre acteur, interprète favori de Corneille et directeur du Marais (1594-1654 ?). Sa diction était volontiers emphatique et ronflante.

16. Début de *La Mariamne,* tragédie de Tristan L'Hermite (1637).

17. Or, Marianne et Salomé paraissent ensemble sur la scène (II, 2) !

18. Il en reste une bonne dizaine !

19. *Rimer richement en Dieu :* jurer, blasphémer (pardieu, mordieu, etc.).

20. *Vivre de Turc à More :* vivre en mauvais termes, comme des ennemis mortels.

21. « Les joueurs de paume se font frotter par les marqueurs pour se nettoyer quand ils ont sué » (Furetière).

22. *Prendre en queue :* attaquer par-derrière.

23. Le sénéchal du Maine (personnage responsable de la justice dans une province) était alors Tanneguy des Essarts, ami de Scarron.

24. *Mademoiselle :* l'emploi de ce titre est loin d'être aussi déterminé

qu'on le dit couramment. Il désigne: 1) une femme de qualité, non mariée; 2) une femme de petite noblesse ou de bonne bourgeoisie, mariée; 3) «on appelle aussi de ce nom une femme ou une fille qui est belle et bien mise, ou qui paraît riche; mais c'est un abus que l'amour et la flatterie ont introduit» (Richelet).

La femme du lieutenant s'appelait Élisabeth du Mans (H. Chardon).

25. *Jusques aux gardes:* tant qu'on peut, excessivement. «S'en donner à tirelarigot» (Leroux).

26. Voir note 11.

27. *Bellerose:* comédien, puis directeur de l'Hôtel de Bourgogne; interprète de Corneille, au jeu très appuyé, à la déclamation grandiloquente. Il s'était retiré du théâtre dès 1643; il mourut en 1671.

28. *Floridor:* comédien d'origine noble, qui joua d'abord au Marais, avant de passer à l'Hôtel de Bourgogne, dont il fut également directeur. Il créa les grands rôles de Corneille et de Racine. Il mourut en 1671.

29. Alexandre Hardy, dramaturge célèbre et très fécond (1560 env.-1632), qui fut poète à gages, parcourant la France avec les comédiens, et dont la production domine toute la période entre 1610 et 1635 environ.

30. *En fausset:* en voix de tête, nasillarde et aiguë.

31. Les rôles de nourrice étaient traditionnellement joués par des hommes, non seulement dans la farce, mais aussi dans le théâtre sérieux.

32. Le portier était chargé d'encaisser la recette. Le méfiant La Rancune préfère garder un œil sur la caisse...

33. *Se fariner à la farce:* la tradition des rôles farcesques non masqués imposait, souvent avec le béguin, le maquillage de la face à l'aide de farine (ainsi Jodelet).

34. *Sortir de la côte de Saint Louis:* «se dit d'un qui veut faire le grand seigneur» (Oudin). Cf. Molière, *Le Bourgeois gentilhomme*, III, 12 (Mme Jourdain).

35. *Diamant d'Aleçon:* nom donné aux cristaux de quartz (faux diamants) que l'on trouvait près de cette ville.

36. *Chausses de pages:* chausses courtes et plissées; grègues ou trousses ou culottes; habillement réservé aux pages.

37. *Avoir affaire:* avoir besoin des services de quelqu'un.

38. *Voici le reste de l'écu:* locution familière, «il ne manquait plus que cela!»

39. *Voire qui en aurait:* «comment pourrait-il y en avoir! comme si j'en avais!»

40. *Compter:* régler sa note, payer son compte.

41. *Ce n'est pas la raison:* ce n'est pas raisonnable.

42. *Faire renier un théatin:* le faire jurer. L'expression s'explique

sans doute par le fait que les membres de cet ordre italien, introduit en France par Mazarin en 1644, étaient réputés pour leur exquise urbanité.

43. Selon Segrais, c'est M. de Riandé, receveur des décimes et fort goutteux, qui aurait fourni à Scarron cette anecdote.

44. *Bonnétable :* à une trentaine de km au nord-est du Mans, au bord de la Dive, était reliée au Mans par un mauvais chemin.

45. *Château-du-Loir :* à une quarantaine de km au sud-est du Mans, sur la route de Tours.

46. *Homme de pied :* domestique qui marche à côté du cheval.

47. *Domfront-en-Passais :* à une quarantaine de km du Mans.

48. *Bellême :* près Mortagne, dans le Perche, où les eaux thermales de la Herse étaient assez fréquentées.

49. Parce que ses œuvres invendues servaient à envelopper la marchandise.

50. *Partager :* recevoir une part de la recette. C'est ce système des parts qui est en usage chez les comédiens de l'époque.

51. *Faire la débauche :* se divertir sans contrainte et sans retenue, principalement à table ou au cabaret (voir au glossaire).

52. *Saint-Amant,* poète bachique et bon vivant (1594-1661), passait pour un pilier de cabaret.

53. *Charles Beys* (1610-1659), également poète, autre « biberon » célèbre.

54. *Rotrou :* auteur dramatique, ami et rival de Corneille, au caractère noble et généreux. Scarron l'avait connu à Paris et au Mans. Il venait de mourir de la peste en 1650.

55. Selon Chardon, Scarron aurait pris pour modèle Angélique Monnier, femme du comédien Filandre.

56. *Pointes :* traits d'esprit qui provoquent l'admiration, bons mots.

57. Allusion au *Roland furieux* de l'Arioste.

58. Allusion aux pièces interminables auxquelles se complaisait la génération précédente ; ainsi, *Les Chastes et Loyalles Amours de Théagène et Chariclée,* de Hardy, comptent huit « journées » de cinq actes chacune.

59. Il s'agit, comme on le découvrira par la suite, du recueil de nouvelles *Los Alivios de Casandra,* d'Alonso del Castillo Solórzano, publié à Barcelone en 1640 (chez Romeu). Le recueil a été traduit par Vanel (*Les Divertissements de Cassandre et de Diane,* 1685).

60. *Peau d'âne :* ce n'est pas le conte de Perrault, mais un conte populaire dont parle Retz dans ses *Mémoires,* caractérisé par sa naïveté et son invraisemblance.

61. *Ragotin :* nom forgé par Scarron à partir de « ragot » : « cheval qui a les jambes courtes, la taille renforcée, et qui est large du côté de la croupe » (Richelet), d'où petit homme mal bâti, gros et trapu.

Les chefs parlent ici de René Denisot (clef de l'Arsenal) ou d'Ambrois Denisot, avocat, secrétaire de l'évêque du Mans depuis 1622, veuf vers 1636, entré dans les ordres en 1637 et mort en 1647 (clef Chardon). Ni l'une ni l'autre de ces identifications ne semble probante.

62. Adaptation de la troisième nouvelle du recueil de Solórzano (voir note 59) : *Los Efectos que haze Amor.*

63. *Masques à la française :* selon l'usage, les dames de condition ne sortaient à pied que portant un masque de velours noir couvrant le visage jusqu'au menton.

64. La symbolique des couleurs restait très appréciée (voir, par exemple, la fameuse *Guirlande de Julie*). Les cavaliers portaient les couleurs de leur dame. Le noir signifie ici le refus de l'amour, et le blanc l'indifférence (voir le P. Ménestrier, *Traité des tournois, joutes, carrousels,* Lyon, Muguet, 1669).

65. *Combats assignés :* qui ont lieu à la suite d'un cartel ou défi.

66. Allusion au mal souvent rapporté de Naples par des Français trop amateurs de compagnie galante.

67. Après la Fronde, l'usurpation de titres nobiliaires fut en effet chose assez courante.

68. *Parler gras :* grasseyer; prononciation affectée qui « frotte » les r. Cf. La Bruyère, *Iphis (De la mode,* 14).

69. *A leur avantage :* en profitant d'une supériorité numérique.

70. Allusion à un détail de l'étiquette turque.

71. *C'est pour le moins :* c'est la moindre des choses.

72. *Polexandre :* roman de Gomberville (1629, version définitive en 1639). Le personnage en question s'appelle en réalité Zelmatide, successeur des Incas et ami du héros.

73. *Ibrahim ou l'Illustre Bassa,* roman de Mlle de Scudéry (1641). Le palais d'Ibrahim est minutieusement décrit au Troisième Livre.

74. *Artamène ou le Grand Cyrus,* autre roman du même auteur (1649-53).

75. *S'en donner jusqu'aux gardes :* cf. note 25. Au sens premier de « boire et manger tout son saoul » s'ajoute ici un sens figuré : « s'en faire accroire, se bercer d'idées avantageuses » ou même « se faire une très haute idée de soi-même ».

76. *Esplandian :* héros d'un roman de chevalerie espagnol (1521) attribué à García Ordoñez de Montalvo, faisant suite à l'*Amadis.* Esplandian est le fils inconnu d'Amadis et de la princesse Oriane.

77. *Amadis :* héros du célèbre roman espagnol *Amadis de Gaules,* traduit par Herberay des Essarts (1500 sq.). Cervantes parodie cette œuvre dans *Don Quichotte.*
Amadis et Esplandian sont la terreur des chevaliers félons et des géants malfaisants.

78. *Dresser une toilette :* « grand morceau de linge ou de taffetas qui est ordinairement embelli de quelque dentelle de fil d'or ou d'argent, qu'on étend sur une petite table et sur lequel on met la trousse garnie de peignes, de brosses et de tout ce qui est nécessaire » (Richelet).

79. Vers de Malherbe (*Ode à la Reine Mère du Roi sur sa bienvenue en France,* v. 31-34).

80. *Urgande la déconnue :* fée qui joue un rôle important dans les romans du cycle d'Amadis.

81. *A bien attaqué bien défendu :* proverbe cité par Leroux (*Dictionnaire comique*).

82. Vers d'auteur inconnu, passés en proverbe. « Mademoiselle de... a écrit à son déloyal *tout ce que fait dire la rage,* etc. » (Voiture, billet à Costar). Voir un tour analogue dans II, 19, p. 326.

83. *Pour reverdir* (planter quelqu'un —) : locution populaire, abandonner quelqu'un sans venir le rechercher, le faire « poireauter ».

84. *Renaud et Armide :* allusion à un épisode de la *Jérusalem délivrée* du Tasse, où la magicienne païenne Armide retient prisonnier dans un palais enchanté le chevalier chrétien séduit par ses charmes.

85. *La moyenne région :* allusion aux diverses couches de l'atmosphère selon la terminologie du temps ; la moyenne région de l'air est « l'endroit où se forment les éclairs, les foudres et les tonnerres » (Richelet).

86. *Rétrogradation :* terme d'astronomie. « Action par laquelle on marche ou on se meut en arrière. Ne se dit guère que des planètes » (Furetière).

87. *Glorieux comme un barbier :* locution populaire dénonçant l'excessive vanité. Cf. I, 4, p. 72 : « qui avait de la mauvaise gloire autant que barbier de la ville ».

88. *Se faire tout blanc de quelque chose :* se vanter indûment de quelque chose, s'enorgueillir, se promettre de faire des choses irréalisables.

89. *Robert Garnier,* le plus grand dramaturge du XVIe siècle (1534-1601), était originaire de La Ferté-Bernard, village du Maine. Il fut d'ailleurs lieutenant-général criminel de cette même province.

90. Allusion à une réplique attribuée à Malherbe.

91. Dans les pièces des jésuites, grands amateurs de spectacles, on représentait quelquefois des scènes de bataille.

92. *La Flèche :* célèbre collège jésuite du Maine, bâti sous Henri IV (1603). Léandre dira y avoir été écolier (II,5).

93. Champ de bataille près d'Angers, où Créqui défit en 1620 les troupes de la reine mère insurgées contre le roi, qui se débandèrent sans presque combattre.

94. *Le chien de Tobie :* peut-être allusion à une tragi-comédie de J. Ouyn, *Thobie* (1606), où le chien paraît sur scène au 5e acte.

95. *Pyrame et Thisbé* : tragédie de Théophile de Viau, jouée en 1617, éditée en 1623.

96. *Anagrammes* : encore en vogue dans les milieux bourgeois, ils représentent un divertissement un peu démodé pour les précieux et les beaux esprits.

97. *Hardy* : voir note 29.

98. *Mondory* : voir note 14. Atteint de paralysie, il se retira du théâtre et vécut d'une pension que lui donnait Richelieu ainsi que des libéralités de plusieurs grands personnages.

99. Les deux salles de théâtre du Paris d'alors ; la première fondée par les Confrères de la Passion en 1548 ; la seconde créée par Mondory en 1635.

100. Le partisan La Rallière a réellement existé. Ce financier et collecteur d'impôts fut embastillé pendant la Fronde et souvent dénoncé dans les écrits du temps pour ses spéculations douteuses ; il mourut avant 1653.

101. *Le Grand Cyrus* : voir note 74. L'ouvrage compte 10 volumes totalisant environ 8 500 pages.

102. *Le Grand et Dernier Soliman,* tragédie de Jean Mairet, représentée en 1637, éditée en 1639. Scarron connaissait cet auteur, rival jaloux de Corneille.

103. *Feu Saint-Elme* : phénomène électrique produisant des flammèches ou étincelles aux mâts et aux cordages des navires après une tempête.

104. *Écuyer* : l' « écuyer de main » accompagne une dame de haute condition et lui donne la main pour l'aider à marcher.

105. *Ferrer la mule* : locution populaire, se dit des valets et des servantes qui volent leurs maîtres sur les sommes qu'on leur confie pour le ménage ; friponner.

106. Ici se place la seule variante de quelque intérêt offerte par l'édition de 1655 (voir la note sur le texte, p. 41). La phrase qui se lit dans notre texte remplace à cette date ce que Scarron avait écrit en 1651 : « Mon père a l'honneur d'avoir inventé le morceau de chair attaché à une corde, qui tient à l'anse du pot pour le retirer quand il a assez bouilli, afin qu'il serve plusieurs fois à faire du potage. »

C'est sans doute le souvenir de sa belle-mère qui inspire à Scarron ces traits d'avarice. Il écrit d'ailleurs qu'elle était « assez avare pour avoir un jour fait apetisser les trous de son sucrier. J'en pourrais conter cent stratagèmes de ménage aussi plaisants que rares » *(Factum ou Requête).*

107. On songe ici à l'épisode fameux de Cimon allaité par sa fille (Valère-Maxime, V, 4) ou à la « Charité romaine ».

108. *Tenir* : sur les fonts baptismaux ; être parrain ou marraine.

109. Le faubourg Saint-Germain était alors en construction.

110. Les habits de luxe étaient de brocart d'or ou d'argent.

111. *Le pays latin :* formule courante (Guez de Balzac l'utilise souvent) pour désigner le monde de l'Université, royaume des pédants en « -us » (comme dirait Sorel), dont les œuvres sont lourdement indigestes.

112. *Amadis de Gaule :* voir note 77. C'est le type du roman chevaleresque.

113. *Astrée :* roman pastoral d'Honoré d'Urfé, dont le succès considérable fit oublier les romans de l'époque précédente.

114. *Académie :* école particulière où les jeunes nobles apprennent l'escrime, l'équitation, les règles du savoir-vivre et diverses sciences (mathématiques, art des fortifications, etc.).

115. Allusion à la guerre de la république de Venise, soutenue par le pape, contre les Turcs (1640-1667). Voir plus loin, note 119.

116. *Que :* avant que, sans que.

117. *Vivre à la française :* sortir librement, sans être accompagnées.

118. Rome comptait alors à peine plus de 100 000 habitants (120 596 au « censimento » de 1656).

119. La Candie était le « point chaud » des guerres contre les Turcs, ardemment défendue par les Vénitiens.

120. *Saluer à la française :* en donnant un baiser sur les joues.

121. *A la chartreuse :* en silence, sans échanger un seul mot.

122. *Trouver quelqu'un en tête :* se trouver nez à nez avec quelqu'un.

123. La Trinité du Mont, église romaine sur le mont Pincio, dépendant d'un couvent de cordeliers.

124. *Le cours : corso,* artère de Rome très fréquentée et lieu de promenade.

125. *Mettre le pied en faute :* broncher, trébucher, faire un faux-pas.

126. *Étui de carte :* boîte de carton.

127. *Excommunié comme un loup-garou :* les loups-garous passaient pour très fréquents dans le Maine et dans le Poitou; on pouvait les soumettre au rituel de l'exorcisme.

128. *Gorron,* petite ville voisine de Mayenne (bas Maine), réputée pour la facilité avec laquelle ses habitants acceptaient de porter de faux témoignages moyennant gratification.

129. *Perdre la tramontane :* locution familière, perdre la tête.

130. *Homme de bien :* antiphrase, pour : coquin. *Lieu… :* cachot, au sol couvert de paille; ou allusion à la potence ?

131. *Théophile* de Viau : poète que la génération de 1645 critique pour ses irrégularités de versification et les négligences de son style.

132. *Protecteur de France :* cardinal chargé de représenter les inté-

rêts spirituels de la France à la cour de Rome. A l'époque, c'était le cardinal Barberini.

133. En 1641, Urbain VIII attaqua Parme et Plaisance et se heurta aux troupes d'Odoardo Farnèse, prince de Parme. La paix se fit par la médiation de la France.

134. Voir note 109. Vers 1630, l'ancien Pré-aux-Clercs se construisit rapidement autour de l'église Saint-Germain-des-Prés, pour devenir le faubourg Saint-Germain.

135. *Le Cours :* à Paris, le Cours-la-Reine, promenade à la mode au sud-est de la ville, ouverte sous la Régence en 1628 sur les bords de Seine.

136. Les Bas-Bretons jouissaient d'une solide réputation de balourdise.

137. *Comme :* en sa qualité de.

138. La plaine de Grenelle était l'un des rendez-vous favoris des bretteurs et des duellistes.

138 *bis. En venir aux prises :* au corps-à-corps pour tenter de désarmer son adversaire.

139. *Se faire de fête :* se mettre en avant, prendre sa part, participer, « se mêler d'une chose où l'on n'est point appelé » (Leroux).

140. Début d'un air de cour. Il est chanté en sérénade par Alidor dans la *Comédie des chansons,* IV, 3 (1640).

141. *Exaudiat :* début du psaume XIX.

142. *Chanter ténèbres :* l'un des offices du vendredi saint.

143. *Gagner au pied :* locution familière, pour : s'enfuir, décamper.

144. *Rompre les chiens :* détourner la conversation.

145. Le Marais : quartier neuf et « chic » du Paris de Louis XIII, où habitent les gens de qualité, de goût et de bel air. Marion de L'Orme, puis Ninon de L'Enclos y tenaient salon ; c'est là que Scarron habita de 1641 à 1649, puis à partir de 1654.

146. La place Royale (actuelle place des Vosges) : lieu de rencontre et de promenade des gens de qualité, centre de la vie mondaine et théâtre de nombreux duels.

147. *De nos quartiers :* le peuple de nos régions. Il s'agit de la Gascogne ; le poète vantard est évidemment originaire du pays des hâbleurs.

148. *Un charivari :* « chahut » traditionnel sous les fenêtres d'une personne âgée qui se remarie.

149. *La cour de la reine Marguerite :* fille de Henri II, épouse de Henri de Navarre, répudiée par celui-ci devenu Henri IV en 1599. Elle s'entoura alors d'une cour de lettrés et de savants, en province, puis à Paris, en face du Louvre. Elle mourut en 1615.

150. *Avoir le haut de la rue :* tenir le haut du pavé, soit marcher le

long des édifices, en évitant la partie centrale de la rue, parcourue par un
caniveau charriant des immondices et encombrée par les voitures. Privilège réservé aux personnes à qui l'on doit le respect.

151. *Avoir les osselets :* avoir le pouce ou le poignet muni d'un nœud
coulant serré par un os du pied du mouton. Pratique en usage pour
obliger les prisonniers à suivre celui qui les conduisait.

152. *Prendre parti :* se décider à faire quelque chose.

153. La guerre de Parme : voir note 133.

154. C'est à partir de Roanne que la Loire était navigable pour les
coches d'eau et autres embarcations du même type.

155. *Jouer au pot cassé :* jeu mentionné au XVIᵉ siècle par Mathurin
Cordier ; Rabelais parle de « casse-pot » (*Gargantua,* I, 22).

156. Les jardins de Saint-Cloud, autour du château de Mgr de
Gondi, archevêque de Paris, étaient le lieu de rendez-vous des prome-
neurs, renommé pour ses cabarets (ses « maisons de bouteilles ») dont
les tarifs étaient élevés. Celui qu'évoque Scarron pourrait être le cabaret
de la Duryer.

157. Allusion à la guerre civile qui opposa Charles Iᵉʳ d'Angleterre
aux parlementaires (1643-1645).

158. *Prendre parti :* s'engager, s'enrôler.

159. *Roquebrune :* le poète de la troupe est ici nommé pour la
première fois. Selon Chardon, il s'agirait de Nicolas Desfontaines,
poète à gages et comédien ; mais cette affirmation ne repose sur aucun
argument probant.

160. *Ferdinando Ferdinandi* serait, selon Chardon, Pierre Methe-
reau, opérateur, qui se trouvait dans le Maine en 1638. Sa femme
s'appelait Jehanne Jehan. Identification dénuée de fondement. La
Bruyère a pu se souvenir de ce patronyme en portraiturant Carro Carri
(*De quelques usages,* 68).

161. *Mâchelaurier :* mot composé forgé par Ronsard et repris par la
langue burlesque pour désigner les (mauvais) poètes.

162. Éd. 1651 : « onze heures » ; éd. 1655 : « deux heures » (coquille
entraînée par les « deux carrosses » de la ligne précédente). É. Magne
rétablissait : « dix heures ».

163. *S'ériger en petit Saint-Georges :* faire le fier en chevauchant sa
monture.

164. *Laisser sur sa bonne foi :* laisser libre d'agir à sa guise.

165. La règle des vingt-quatre heures avait été discutée par Chape-
lain en 1630 dans une lettre de réponse à Godeau. Cette exigence mit
assez longtemps à s'imposer et ne triompha qu'après 1640.

166. Contestation de la règle « multa tolle ex oculis », selon laquelle
une grande partie des événements doit être rapportée en récit plutôt que
mise en scène.

167. *Cassandre* et *Cléopâtre* sont des romans de La Calprenède,

le premier en 10 volumes, le second en 12 tomes et 23 volumes.

168. Allusion à María de Zayas, auteur de deux recueils de contes (1637 et 1647), dont Scarron imitera deux nouvelles (*La Précaution inutile* et, dans le *Roman comique*, *Le Juge de sa propre cause*, II, 14).

169. Nouvelle adaptée de Solórzano (*A un engano otro mayor*, seconde du recueil de 1640, ou mieux *A lo que obliga el honor*, remaniement de la précédente, paru dans *La Garduña de Sevilla* en 1642).

170. Portocarrero est réellement le nom d'une maison parmi les plus considérables d'Espagne.

171. Les Indes espagnoles, le Mexique et le Pérou.

172. On sait que Scarron avait d'excellentes raisons d'en vouloir aux marâtres et belles-mères.

173. *Parfums à la mode d'Espagne :* renommés et fort répandus chez les élégants, les galants, les dames de qualité.

174. Proverbe espagnol : *Al grande y al loco se le soporta todo.*

175. *Danser aux chansons :* en fredonnant des airs, faute d'instruments de musique.

176. *Représenter ses nécessités :* déclarer sa passion.

177. *Léandre :* valet de Destin, dont le nom n'avait point été livré jusqu'ici. Chardon a voulu l'identifier avec Filandre, comédien ambulant, évoqué dans la note 10 : c'est pure fantaisie.

178. *La Surintendante :* Marie-Madeleine de Castille-Villemareuil (1633-1716), mariée en 1651 à Nicolas Fouquet. Comme son époux, elle protégeait les gens de lettres et leur dispensait des gratifications avec une généreuse discrétion. Scarron fait allusion à une visite qu'il en a reçue.

179. Le combat des Lapithes et des Centaures troubla les noces de Pirithoüs et d'Hippodamie.

180. Voir note 95.

181. *Le baron de Sigognac :* on sait que ce patronyme sera repris par Théophile Gautier dans *Le Capitaine Fracasse*, œuvre fortement influencée par *Le Roman comique*.

182. Le titre de cette tragi-comédie inspirée de l'Arioste (1582) est simplement *Bradamante*.

183. Citation empruntée à l'acte II, scène 2 de la pièce.

184. *Je vous ai fait trop de fête :* je vous ai trop vanté.

185. *Battre grand pays :* faire beaucoup de chemin, parcourir une longue route.

186. *Qu'il en était quelque chose :* qu'il y avait du vrai dans sa réflexion.

187. *Pour être :* bien qu'étant, tout en étant.

188. *Duretail :* Durtal, village non loin de La Flèche et de Baugé.

189. *Se cramponner comme deux vaisseaux :* lors d'un abordage, les navires sont maintenus côte à côte par des crochets de fer jetés sur le bastingage par les assaillants.

190. *La vallée de Josaphat :* selon la tradition hébraïque, les morts y seront rassemblés pour le Jugement dernier.

191. *Qui plus y mit, plus y perdit :* le plus excité en fut pour sa peine.

192. *La Discorde :* allégorie représentée avec des cheveux de serpents (Virgile : « Discordia viperum crinem vittis innexa cruentis »). Cf. Ripa-Baudouin, II, 151.

193. *Foulant l'étain d'un pied superbe :* souvenir de Virgile.

194. *Arabe :* « usurier, avare » (Leroux). *Faire payer en Arabe :* pratiquer le « coup de fusil ».

195. *La Garouffière :* le conseiller du Parlement déjà présenté (I, 21) est le seul Manceau sympathique du livre ! Il peut s'agir de Jacques Chouet de La Gandie (Chardon).

196. *Hors de son semestre :* en dehors des six mois où il exerce sa charge au Parlement.

197. Madame Bouvillon : le modèle de cette inoubliable créature serait Marguerite Le Divin, veuve Bautru (Chardon).

198. L'usage n'imposait la fourchette que dans les milieux très distingués ou dans les occasions solennelles.

199. *Le prêtre Jean :* personnage fabuleux, connu dès le Moyen Age, empereur et pontife chrétien d'Abyssinie.

200. *Rompre le dé :* empêcher quelqu'un de faire quelque chose ; interrompre celui qui parle.

201. *Battre grand pays :* voir note 185. Ici, sens figuré : s'éloigner de son sujet, dire des choses hors de propos, parler abondamment.

202. *Se remuer en son harnais :* s'agiter dans ses vêtements.

203. « Mademoiselle de L'Étoile » dans le texte. Mauvais correcteur de ses œuvres, Scarron n'a jamais pris garde à cette confusion.

204. Bourbon-l'Archambault, ville d'eaux du Nivernais, était le rendez-vous de la bonne société ; les comédiens pouvaient y espérer un bon public.

205. *Serrer les pouces :* entre le chien et le bassinet ; pratique de torture assez commune.

206. Nouvelle adaptée de la troisième des *Novelas ejemplares y amorosas* de Doña María de Zayas y Sotomayor (Barcelone, Joseph Giralt, 1634), intitulée *El Juez de su causa.* L'héroïne s'appelle Estela : Scarron lui donne évidemment un autre nom. Il modifie assez considérablement la conduite du récit ainsi que nombre de détails. C'est le texte le plus librement traité parmi les nouvelles adaptées de l'espagnol. Le recueil a été traduit par Antoine Le Métel d'Ouville en 1656 (*Les Nouvelles amoureuses et exemplaires,* Paris, G. de Luynes) et par Vanel en 1680.

207. La maison de Zégris est l'adversaire de celle des Abencérages dans les fameuses *Guerres civiles de Grenade* de Perez de Hita *(Nouvelles grenadines)*.

208. *Aussitôt que :* plutôt que, avant de.

209. *Salé :* port de la côte marocaine, repaire des pirates barbaresques.

210. Dans tout ce passage, Scarron emploie les pronoms masculins pour désigner Sophie déguisée en dom Fernand.

211. *Rechercher d'accord les parties :* tenter une conciliation auprès des plaignants lors d'une affaire judiciaire.

212. *Tirer la laine :* voler les manteaux à la tire, à l'arrachée.

213. *Sillé-le-Guillaume :* bourgade à une trentaine de kilomètres au N.-O. du Mans.

214. Le prévôt du Mans, qui s'appelait alors Daniel Neveu des Étrichés, avait effectivement épousé une Marie Portail.

215. Allusion irrévérencieuse à une formule du Nouveau Testament.

216. *Charles Dodo :* personnage non identifié. Un capitaine La Grave était à la tête des Égyptiens (Bohémiens) au service du duc de Cossé-Brissac ; il fut assassiné en 1629 pour avoir trahi ses troupes.

217. *Une pédale d'orgue :* une note grave et soutenue, jouée au pédalier.

218. C'est le supplice de l'écartèlement.

219. *Celui qui a imprimé le présent livre :* Guillaume de Luynes, libraire dans la galerie du Palais, gendre de Toussaint Quinet, qui avait été l'éditeur attitré de Scarron, lequel désignait ses revenus du titre de « marquisat de Quinette ».

220. *Abbesse d'Estival :* il s'agit de Claire Nau, abbesse rigoriste et austère du couvent de bénédictines situé à 8 lieues du Mans.

221. *Père Giflot :* religieux inconnu, sans doute imaginaire. *Directeur discret :* qui fait partie du conseil de l'abbesse.

222. *L'élu Du Rignon :* un élu est l'officier chargé de l'administration d'une circonscription financière, donc de la répartition des impôts. Un Du Bignon était élu de La Ferté à l'époque de Scarron.

223. *Mécénas :* Mécène, protecteur de Virgile, modèle des « sponsors » !

224. *Le marquis d'Orsé :* sous ce nom, Scarron désigne sans doute le comte de Belin, protecteur des comédiens et des poètes. Il demeurait souvent dans son château d'Averton, entre Le Mans et Sillé-Le-Guillaume. Il mourut en 1637. V. Fournel l'identifiait, non sans vraisemblance, au comte de Tessé, avec lequel Scarron fut également en relation.

225. Le duc de Roquelaure avait la réputation d'un bon vivant, joueur et libertin.

226. Créqui, maréchal de France, futur duc de Lesdiguières, était un autre joueur célèbre.

227. Le marquis de Coatquin, gouverneur de Saint-Malo, capitaine de la garde de Richelieu, est ici donné pour un fameux chasseur.

228. *Drap d'Usseau* : fabriqué en Languedoc, près de Carcassonne.

229. *Jouer en visite* : on nommait ainsi les représentations privées données par les comédiens chez quelque personnage important.

230. *Dom Japhet d'Arménie* : la plus célèbre des comédies de Scarron, jouée probablement en 1647, imprimée en 1653.

231. *La Baguenodière* : nom forgé sur le verbe « baguenauder », dire des niaiseries.

232. *Nicomède* a été représenté en 1651. Scarron émet ici un jugement très élogieux sur Corneille, après l'avoir attaqué au moment de la querelle du *Cid*.

233. *Spagirique* (ou empirique) : qui n'a pas de titre de docteur délivré par une faculté et qui, souvent, n'est qu'un simple charlatan. Les autres, on le sait, ne valent guère mieux.

234. Adaptée de la première nouvelle du recueil de Solórzano, *La Confusion de una noche*.

235. *Où je le trouverais à redire* : d'où il serait absent.

236. *Galants à louer* : Scarron les appelle ailleurs les « grâcieuzeux ».

237. *Aller sur sa bonne foi* : voir note 164. Aller librement, sans être accompagnée.

238. Vers peut-être de Scarron, ou d'un auteur non identifié.

239. On connaît la fin tragique de l'histoire de ces deux amants : Pyrame, croyant Thisbé dévorée par un lion, se tue et Thisbé, le découvrant, se tue à son tour.

240. *Ils ne leur en durent guère* : ils ne leur furent guère inférieurs.

241. Proverbe espagnol connu sous diverses variantes (« Amores, diablos y dineros no pueden estar secretos », « Amor, locura y dineros no pueden estar encubiertos », « Dineros y amores, diablos y locura, mal se disimulan », etc.).

242. Les chansons du Pont-Neuf étaient chantées par les chanteurs ambulants et les bateleurs pour le peuple de Paris. A l'époque de Scarron, le Savoyard était la vedette de ce répertoire.

243. *Les Indes* : voir note 171.

244. *La chambre de poupe* : la plus belle cabine d'une galère, après le gavon, ou chambre du capitaine.

245. *Galère patronne* : celle qui porte le commandant de la flotte.

246. Voir note 237.

247. Voir note 39.

GLOSSAIRE

Abîmer : disparaître dans un abîme, engloutir.

Abord (d'—) : au premier abord, du premier coup d'œil;
  d'abord que : dès l'instant où.

Absolument : impérieusement, sans admettre de résistance.

Accommoder : réconcilier.

Accommodé : aisé, fortuné, riche.

Accostant : sociable, liant.

Achalander : attirer la clientèle.

Action : déclamation accompagnée de gestes; geste ex-
  pressif.

Admiration : stupéfaction, étonnement.

Adonner (s'—) : fréquenter, hanter.

Affidé : personne en qui l'on se fie.

Amasser : ramasser.

Ame damnée : misérable qui endure de grandes souffrances (s. fig.).

Amender : diminuer de prix, baisser, valoir moins.

Anodin : calmant (pharmacopée).

Ardillon : pointe de métal dans une boucle pour arrêter la
  courroie.

Assassiner : maltraiter, causer un vif chagrin, une vive
  douleur (physique ou morale), attaquer, blesser, rouer
  de coups, tuer.

Assemblée : réunion mondaine.

Assignation : rendez-vous.

Assigné (combat —) : combat précédé par un défi ou par
  un cartel.

Aussitôt que : aussi bien que, plutôt que.

Avantage (chercher de l'—) : se servir d'une élévation pour monter à cheval.

Badinerie : sottise, niaiserie, sornette.

Bague (course de—) : jeu où le cavalier doit enfiler du bout de sa lance un anneau suspendu à un piquet.

Baisser : descendre (un cours d'eau).

Bandoulier : bandit, voleur ou vagabond.

Barbe : cheval de bataille, croisé d'arabe et de numide.

Barrière (combat de—) : joute opposant deux cavaliers de part et d'autre d'une palissade séparant la lice.

Bas d'attache : longs bas de soie attachés au haut de chausses.

Bateleur : plaisant, badin comique qui joue sur les tré-teaux de la foire.

Bénévole : bienveillant.

Besoin (au —) : en cas de nécessité.

Blanc (subst.) : but, cible.

Bouquin : vieux bouc.

Bourgmestre : notable d'une cité.

Bourson : petit gousset, poche ou étui pendu à la ceinture ou cousu à l'habit.

Brancard : civière ou litière à arceaux, portée par deux chevaux ou mulets, un devant, un derrière.

Brandi (tout —) : « tout d'un coup » (Richelet) ; tout d'une pièce, tel quel.

Branle : secousse, choc.

Branler : trembler, avoir peur, chanceler (à propos d'un cheval).

Brave : (de l'ital. *bravo*) spadassin, homme d'épée, ba-tailleur ; également : bien mis, élégant, vêtu de ses plus beaux habits.

Bravoure : affectation, bravade.

Bronchade : faux-pas d'un cheval.

Broncher : trébucher, faire un faux-pas, trembler sur ses pattes.

Brutal : brute, qui a l'esprit épais, balourd.

Brutalité : sottise, lourdeur d'esprit.

Busc : « planchette de bois, d'ivoire, etc. que les dames mettent dans leur corps de jupe devant leur estomac

pour se redresser le corps et pour se conserver la taille »
(Richelet).

Cabale (de la bonne —) : de la bonne société.

Cabane : bateau à fond plat et couvert, surtout en usage
  sur la Loire.

Cabaret : établissement de bonne tenue, où l'on sert à
  boire et à manger.

Cajolerie : galanterie, compliment galant.

Caresse : marque d'affection ou d'amitié (paroles ou
  gestes).

Caresser (se —) : se donner des « témoignages extérieurs
  d'amitié, d'amour ou de bienveillance » (Richelet).

Carogne : friponne, mauvaise femme.

Carreau : coussin de tapisserie.

Carrière : course, parcours, itinéraire.

Casaque : cape ou manteau de mousquetaire. La casaque
  rouge était l'uniforme de la maréchaussée royale.

Cependant : pendant ce temps.

Chasse-chiens : bedeau chargé de chasser des églises les
  animaux domestiques.

Chausses : bas de chausses, couvrant la jambe jusqu'au
  dessus du genou.

Chausse-trape : instrument garni de quatre pointes de fer,
  dont trois s'enfoncent dans la terre et une est dressée,
  de façon à blesser les chevaux de l'ennemi ; piège,
  trébuchet.

Chirurgien : barbier, infirmier.

Choléra morbus : diarrhée accompagnée de vomisse-
  ments.

Choquer : bousculer, heurter, jeter à terre.

Collation : faculté de conférer un bénéfice ecclésiastique.

Collet : rabat à large dentelle qu'on portait sur le col du
  pourpoint.

Commode : complaisant, indulgent.

Commune : peuple, populace.

Compassé : réglé par mesure.

Conduite : stratégie.

Constamment : avec fermeté.

Contenter : payer, satisfaire, dédommager.

Convaincre : prouver la culpabilité de quelqu'un, le déclarer coupable.

Coquin : homme de basse extraction, appartenant à la « canaille».

Corbillon : corbeille longue et plate des marchands d'oublies, panier d'osier où les joueurs de paume mettent leurs balles.

Cornette : coiffure féminine à coins pendants, pour la nuit et le matin.

Couchée : halte à l'étape pour la nuit.

Courage : caractère ferme, bien trempé; cœur; *de bon courage :* de bon cœur.

Courante : danse à trois temps, pendant laquelle les danseurs décrivaient à pas rapides un cercle allongé.

Croupade : saut du cheval, pattes arrière repliées.

Damoiselle, demoiselle (voir note 24): fille noble non mariée; femme de condition distinguée mais non noble; demoiselle de compagnie, suivante.

Débauche : « récréation gaie et libre qu'on prend riant, chantant et faisant bonne chère avec ses amis» (Richelet); divertissement, ripaille.

Déchet : perte, diminution.

Défaire (se —) : se déconcerter, se décontenancer (transitif : faire perdre contenance); se battre, se quereller.

Défait : interdit, étourdi, déconcerté, saisi, bouleversé.

Défaut : bas (au défaut du pourpoint : au bas du pourpoint).

Degré : escalier.

Déguisé : masqué ou voilé.

Déparler : cesser de parler, se taire.

Désastreux : funeste, malheureux.

Dessus : voix supérieure, soprano.

Détester : réprouver, blâmer.

Devant que : avant que, avant de.

Dévoyé : qui a la diarrhée.

Diligence : attention, prévenance.

Dîner : repas de midi.

Disgrâce : mésaventure, infortune.

Disposition : agilité.

Dragée : petits plombs pour la chasse au menu gibier.

Drille : vagabond, vaurien, gueux.

Drôle : «coquin envers les femmes».

Écaché : écrasé et meurtri, aplati.

Éclaircissement : explication brutale, violente.

Éclairer : surveiller, espionner.

Égout : dans le tripot (jeu de paume), canalisation centrale qui recueille et évacue les eaux.

Embrasser : serrer entre ses bras.

Empêché : occupé, contrarié.

Ému : troublé, agité.

Enclouûre : blessure provoquée par un clou au pied du cheval. Loc. fam. : c'est là qu'est l'enclouûre : c'est là qu'est le mal, le *hic*.

Endémené : excité; échauffé de concupiscence; lascif.

Enseigne : signe de reconnaissance; *à fausses enseignes :* sur de fausses marques de reconnaissance, trompeusement.

Ensevelir : envelopper d'un linceul.

Envisager : regarder en face, au visage.

Esprits : humeurs.

Estafier : valet de pied qui suit un cavalier, qui porte les armes et le manteau et qui présente l'étrier.

Estomac : poitrine.

Estrade : élévation de planches dans une alcôve, recouverte de tapis et où sont placés des fauteuils, un lit ou des coussins.

Estramaçon : coup assené de haut en bas, du plat de la lance.

État (faire —) : projeter, se disposer à, s'apprêter à, avoir l'intention de; annoncer une décision.

Étonné : stupéfait, atterré.

Étouffer (s'— de rire) : éclater de rire, s'esclaffer.

Évertuer (s'—) : prendre courage.

Exagérer : louer avec emphase.

Excédé : accablé.

Exécrable : accompagné d'imprécations.

Exécuter : saisir par voie d'huissier.

Faquin : porteur, porte-bagages.

Finesse : ruse déloyale.

Force (de grande —) : énormément.

Fourbe (n. fém.) : fourberie, machination.

Fourchette : bâton ferré, terminé par une fourche, sur laquelle repose le canon d'une arme à feu (un mousquet).

Frénésie : « altération d'esprit qui est un commencement de folie » (Richelet) ; passion ardente.

Fusilier : fantassin armé du fusil, de l'épée et de la baïonnette.

Galant : élégant, de bel air et de bonne mine.

Galanterie : cadeau, présent fait à une femme.

Galiote : petit navire léger et rapide, souvent utilisé par les pirates.

Gâter : salir, endommager, mettre à mal ;
(— quelqu'un) : flatter excessivement, faire perdre le sens de la mesure.

Géhenner (se —) : se mettre à la torture (s. fig.).

Gendarme : homme armé à cheval.

Gentilhommière : maison des champs d'un noble.

Gloire : vanité, outrecuidance.

Glorieux : fier, vaniteux, orgueilleux.

Godelureau : jeune sot aux manières affectées.

Godenot : quille à figure humaine grossièrement sculptée ; petite figurine démontable dont se servaient les escamoteurs.

Gourmer : frapper à coups de poing ; *se gourmer :* échanger des horions.

Grâcieuzeux : (néologisme de Scarron, sans doute d'après l'esp. *gracioso,* bouffon, ridicule) : cajôleur.

Grimace : mine hypocrite.

Grisette : petite étoffe grise, employée pour les habits des femmes du peuple.

Guinder (se —) : s'élever, monter sur quelque chose.

Habitudes : relations.

Haquenée : cheval qui va l'amble, monture de dame.

Hardes : effets d'habillement (sans valeur péjorative) ; paquets, ballots de vêtements.

Harper (s'entre —) : se saisir, se déchirer (*harpe* : crochet).

Hasarder : courir le risque, essayer, tenter.

Hasardeux : téméraire, qui s'expose à un risque.

Hâter (quelqu'un) : presser.

Hideux : affreux, difforme.

Houssine : baguette flexible de houx servant de cravache.

Impertinence : sottise, folie, extravagance.

Inquiété : préoccupé.

Investir : assaillir.

Jalousie : fenêtre garnie d'un treillis de bois permettant de voir sans être vu.

Journée : parcours, étape journalière.

Leste : « en bon état, en bon équipage pour paraître » (Furetière), bien mis, élégant.

Limier : chien mené en laisse.

Litière : sorte de brancard couvert porté par deux mulets et destiné au transport des malades.

Livrée : écharpe aux couleurs de la dame que le chevalier porte pendant le tournoi.

Louage : loyer.

Magnifique : généreux.

Malpropre : peu soigné de sa personne.

Maltôte : impôt extraordinaire.

Maltôtier : collecteur des impôts.

Maltraiter : réprimander, rudoyer.

Mante : grande cape portée par les femmes.

Marchander (sans —) : sans hésiter, effrontément.

Mascarade : homme masqué.

Mâtin : chien demi-sauvage.

Matras : récipient de verre à col long et étroit servant pour les distillations.

Mémoires : renseignements.

Mère : matrice.

Merveille : prodige, chose extraordinaire, surprenante.

Mesure (être en —) : être à la distance convenable pour porter un coup d'épée.

Mithridate : antidote contre les poisons, remède-miracle vendu par les charlatans.

Morfondre (se —) : mourir de froid, être transi.

Obséder : assiéger.

Officiers : gens de maison, domestiques.

Officieux : obligeant, empressé, dévoué.

Opérateur : médecin spagirique (voir note 231) ou empirique, qui vend des drogues de ville en ville.

Ordinaire : menu des jours de semaine.

Palette : récipient servant à recueillir et à mesurer le sang de la saignée, contenant quatre onces.

Palissade : rangée de petits arbres bordant une allée.

Parti (prendre —) : s'enrôler, s'engager, entrer dans un régiment.

Partie : interlocuteur.

Partisan : financier qui « fait des partis » avec le roi pour être autorisé à assurer le recouvrement des impôts.

Passer : (terme d'escrime) avancer sur l'adversaire malgré sa parade.

Patiner : caresser le dos de la main d'une femme.

Patineur : galant importun qui presse et caresse les mains des femmes.

Pays (gagner —) : s'éloigner, prendre du champ, prendre le large.

Peine (à —) : avec peine.

Pelu : poilu.

Péril (au — de) : au risque, au prix de.

Pertuisane : lance.

Pied (lâcher le —) : reculer, céder.

Piller (se —) : se donner des coups ; se dit aussi des chiens qui se jettent l'un sur l'autre pour se mordre (ital. ?).

Plomb (à —) : perpendiculairement, verticalement.

Plume : plumet.

Pochette : poche ; sachet de cuir ; sorte de filet ; ce que l'on a dans sa poche.

Poulet : billet galant.

Possible (adv.) : peut-être.

Pratique : clientèle.
Présent : à propos, vif.
Prétendu : illégitime.
Proboscide : trompe de l'éléphant ou de certains insectes.
Publier : proclamer, déclarer.

Quête : recherche.

Racquitter (se —) : payer ses dettes ; prendre sa revanche.
Rafraîchir (se —) : (d'un navire) refaire la provision
   d'eau douce.
Ragot : gros et trapu.
Reconnaître (se —) : se ressaisir.
Recors : auxiliaire de justice.
Régaler : donner en cadeau, faire un présent (ital.).
Réformer : retailler.
Rencontres (à toutes —) : à tout propos, à tout bout de
   champ.
Rentraire : raccommoder un tissu sans laisser paraître la
   couture.
Renvier : «enchérir sur ce qu'un autre a fait auparavant»
   (Furetière).
Répandre (se —) : s'étendre, se disperser, se laisser tom-
   ber par terre.
Repartir : répondre.
Réplétion : indigestion.
Répondre : donner sur, communiquer avec.
Représenter : faire remarquer, faire valoir un argument.
Résigner : renoncer (droit ecclés.), remettre en d'autres
   mains.
Résolutif : qui guérit une inflammation.
Ressentiment : compassion ; sentiment en retour, recon-
   naissance.
Ressentir : être reconnaissant.
Rhabillé : retaillé.
Risible : qui a la faculté de rire (lat.).
Rodomontade : vantardise, hâblerie.
Ruelle : espace entre le lit et la muraille, partie du lit du
   côté du mur ; alcôve, appartement des dames.

Saison (hors de —) : inutile, déplacé.

Sénateur : titre couramment donné aux conseillers du
   Parlement.

Sergent : sorte d'huissier ; officier de justice de rang infé-
   rieur, chargé de faire exécuter les décisions judiciaires.

Soumission : démonstration de respect.

Succès : issue, résultat, dénouement ; événement.

Supposer : inventer de toutes pièces.

Supposition : substitution.

Taille : voix d'homme correspondant au ténor ou mieux
   au baryton.

Tant il y a que : mais enfin, enfin bref.

Tapabor : bonnet à l'anglaise.

Tempérament : atténuation, adoucissement.

Terrible : farouche.

Teston : ancienne monnaie, supprimée par Henri III, demeurée en usage comme monnaie de compte.

Tête (en —) : en face de.

Tire-laine : voleur de capes et de manteaux à l'arrachée.

Tourment : torture, supplice.

Train : manière, usage.

Traite : course, parcours.

Tripot : jeu de paume.

Tripotière : tenancière d'un jeu de paume.

Verbaliser : déclarer, faire une déclaration ; répondre.

Véritable : sincère.

Viandes : nourriture.

Visière (rompre en —; rompement de —) : « offenser
   quelqu'un mal à propos et sottement » (Richelet) ; outrage.

Vision : idée fausse.

Visiter : inspecter, perquisitionner.

INDEX
DES PASSAGES
INTÉRESSANT L'HISTOIRE LITTÉRAIRE

TABLE DES MATIÈRES

LE ROMAN COMIQUE

PREMIÈRE PARTIE

DEUXIÈME PARTIE

GF — TEXTE INTÉGRAL — GF

8546-1981. — Impr.-Reliure Maison Mame, Tours.
N° d'édition 10944. — 2e trimestre 1981. — Printed in France.